D0717591

OTTO FORST DE BATTAGLIA · JOHANN NESTROY

OTTO FORST DE BATTAGLIA

Johann Nestroy

ALBERT LANGEN · GEORG MÜLLER
MÜNCHEN

Meinem Sohne Roger

und meinem Enkel Kubus

INHALT

ERSTES KAPITEL

Das war eine Zeit! Die Französische Revolution war vorbei, der Friede von Amiens, am 2. März 1802 abgeschlossen, bescherte der Welt die kurze Illusion des Friedens, doch schon nach wenigen Monaten waren England und Frankreich wieder miteinander im Krieg, den der Widerstreit der Handelsinteressen entfesselte und nährte, auch wenn man – wie so oft – mit schönen Phrasen darüber hinwegtäuschen wollte. Im Heiligen Römischen Reich, das immer mehr seinem apokryphen Zusatz ›deutscher Nation‹ entsprach, wurde eine uralte Ordnung von denen zerbrochen, die zur Verteidigung des Überlieferten berufen schienen: der Reichsdeputationshauptrezeß von 1803 sprang mit den zur Gegenwehr unfähigen kleinen Landesherren, mit Reichsritterschaften und Reichsstädten nicht minder bedenkenlos um, wie das die Umstürzler in Frankreich mit dem dortigen Adel getan hatten. Schließlich beantwortete das Oberhaupt des Reichs die Annahme des Kaisertitels durch Napoleon I. damit, daß er den gleichen Titel für die habsburgischen Erblande annahm. Aber nach einem verlorenen Krieg, der den Westen und den Süden des zur Fiktion gewordenen Reichs ganz und allein dem Einfluß des großen Korsen öffnete, legte Franz I. die Kaiserkrone nieder und verfügte die Auflösung des zwar ›einem Monstrum ähnlichen‹, doch die stolzeste Verknüpfung mit der Vergangenheit darstellenden Gebildes. Napoleon erklomm den Gipfel seiner Macht. Um ihn und um seine aus dem Kleinadel emporgestiegene Familie sammelte sich ein neuer Hof, eine neue Aristokratie von Parvenus, mit einer kleinen Gruppe Anschluß an die jeweiligen Gebieter suchender gestriger Vornehmen. Die Synthese schien beinahe vollzogen, als der österreichische Kaiser dem französischen Herrn Bruder die Tochter Maria Luise zur Gattin gab. Doch wenn Mut, wie er den Helden des 18. Brumaire kennzeichnete, meist gut – wenn auch nicht immer Gutes – tut, Übermut tut selten gut, und so brach dieser Versuch, auf der alten eine neue, numinose und dabei wiederum hierarchisch gegliederte Gesellschaft zu gründen, zusammen. Denn das Neue aus Frankreich stieß auf ein Neues aus dem Osten, das zwar schon seit zwei Menschenaltern in die europäische Geschichte kräftig eingegriffen

9

hatte, allein erst jetzt seine Riesenkraft unter Beweis stellte und sich mehr Einfluß als das durch Revolution und Empire emporgehobene, doch zugleich erschöpfte Frankreich verschaffte. Rußland als Schiedsrichter unseres Kontinents an der Seite Englands und des wiederbelebten, nicht mehr an einen Kadaver geketteten Habsburgerreichs, das war das dritte wichtige Ergebnis eines weltpolitischen Umbruchs neben der, trotz aller Restauration, tief gewandelten Struktur Frankreichs und Deutschlands.

So, wie sich nun nach dem Wiener Kongreß von 1814–1815 das territoriale und soziale Bild Europas zeigte, sollte es nach dem Willen seiner Schöpfer, vor allem Kaiser Alexanders I. von Rußland, Metternichs, Talleyrands und Castlereaghs eine irdische Ewigkeit lang, also auf unabsehbare Frist, fortbestehen. Dagegen verschworen sich alle die Strömungen, Gemeinschaften, Gruppen, bedeutenden Einzelnen, die entweder während der dynamischen Jahre zwischen 1789 und 1814 die Macht gekostet und die Freude am Triumph ihrer revolutionären Weltanschauung genossen hatten, oder diejenigen, die beim nun wieder herrschenden Regime, war es auch nicht ganz das alte, keine oder geringe Aussicht auf einen raschen Aufstieg hatten. Das Junge Europa, das manche ältere Strömungen, Gemeinschaften, Gruppen, Einzelne in sich aufnahm, stürmte gegen die renovierten Hochburgen der Überlieferung und des Status quo: Franzosen, die von einer Wiederkehr der *gloire* träumten, Italiener und Deutsche, die ihrer Völker Einigung in einem demokratischen Nationalstaat ersehnten, Polen, die nach der Auferstehung ihres dreigeteilten Vaterlands verlangten, und so viele andere. Es gab mehrere örtliche Erhebungen wider das Erbe des Wiener Kongresses, in Spanien, in Italien, vor allem in Belgien, wo ein neuer, unabhängiger Staat geschaffen wurde, in Frankreich, dessen entmythisierte Krone an einen ›Bürgerkönig‹ fiel, und in Griechenland, das ein hartes türkisches Joch abschüttelte, endlich in Polen, das nach tapferem Kampf von der russischen Dampfwalze überrollt und der Reste seiner Freiheit beraubt wurde. Im allgemeinen aber wurde erst im Jahre 1848 der gesamte herrschende Zustand zur Diskussion und in Frage gestellt.

Jetzt aber zeigte sich, daß die Revolution nicht nur von nationalen Beweggründen getragen wurde, noch daß sie eine Angelegenheit des von Höfen und Adel in seine Schranken verwiesenen, seinen

Platz an der Sonne begehrenden, gebildeten Bürgertums war. In einer Epoche, die ungeachtet ihres Traditionalismus, ihrer äußeren Verehrung von Thron und Altar, vom aufklärerischen Rationalismus durchdrungen war, bemerkte man plötzlich, daß ›ein Gespenst durch Europa‹ ging: der Kommunismus-Sozialismus als Ausdruck des Willens zur Macht und der Forderung nach besseren Lebensbedingungen der inzwischen herausgebildeten Arbeiterklasse und der sie führenden armen Intellektuellen. Der ›Feind in den Vorstädten‹ dünkte die Bürger mitunter gefährlicher als der jenseits der Grenzen, und wenn man beim Sturm auf die Schanzen der Reaktion – man wußte nicht recht, ob als Helfer oder als neuen Widersacher – die Kolonnen der Proletarier sah, wurde den Vorkämpfern eines umgrenzten Fortschritts unheimlich zumute. Nicht zuletzt deshalb und, weil hinter den Kräften des Beharrens noch das gewaltige Zarenreich als unausgeschöpfte, im Notfall einsatzwillige Reserve stand, ist die Revolution zusammengebrochen. Fast zwei Jahrzehnte waren dem Werk Alexanders I. und Metternichs als zweite Epoche beschieden, während die Bedrohung durch die nicht mehr zu unterdrückenden Mißvergnügten ständig anwuchs. Dann war es mit seiner Herrlichkeit vorbei. Sein Kaiser- und Königsgedanke und seine Staatsreform, die absolute oder wenigstens die autoritäre Monarchie, waren dahin, und der mühsam zusammengekleisterte Territorialstatus von 1815 war von gewaltsamen Eingriffen durchlöchert, die von einem dem bisherigen entschieden widersprechenden Prinzip ausgingen: dem der Nationalitäten.

In dieser Zeit wirkten zwei einander folgende Generationen von Denkern, Dichtern, Künstlern, von politischen Agitatoren und Wirtschaftstheoretikern: die der rückwärtsgekehrten und die in eine ferne Zukunft blickenden Schwärmer und Träumer; beide Romantiker von einander entgegengesetzter Artung und miteinander unvereinbaren Zielen. Die einen waren ihrer Veranlagung nach sonnige Optimisten, die in der bestehenden, wenn nicht die beste aller Weltordnungen, so doch eine gute und darum zu bejahende sahen und die nur dann melancholisch wurden, wenn sie das Vermächtnis der guten alten und nun scheinbar wiederkehrenden Zeit gefährdet glaubten. Sie wollten ihre blaue Blume im Walde suchen, ihr keusches, reines Mädchen an der Hand; sie begehrten mit der Auserkorenen ein trautes Heim zu gründen, in dem viele rotbäckige Kinder umhersprangen, der Hast und dem

Trubel der Städte zu entfliehen, in gotischen Domen zu beten. Sie
wollten dem wackeren Landmann gnädig, den treuen Dienern mild,
dem Fürsten hold und gewärtig sein. Sie verneinten durchaus
nicht einen behutsamen technischen Fortschritt, noch die in der
Natur der Dinge liegende Evolution; ihnen graute nur vor der
Revolution, dem schrecklichsten der Schrecken, da demütige, lieb-
liche Frauen zu Weibern, zu Hyänen werden und die Männer
zu blutrünstigen Tigern. Diese innerhalb der eigenen Staats-
grenzen friedfertigen und, nur wenn der Feind von außen dräut,
sehr kampflustigen Menschen, die, zur wildesten, verwegensten
Jagd bereit, zugleich die Leier und den nationalen Gegner
schlagen möchten, gehören begreiflicherweise vornehmlich den
Schichten an, die sich in ruhigen Jahren keine Sorge ums tägliche
Brot machen müssen, oder weil sie sich anspruchslos mit dem bescheidenen stillen Glück im Winkel begnügen.
Und dann die andern: die Pessimisten und Umstürzler. Freilich
gibt es auch unter den bevorzugten Schichten Stürmer und Drän-
ger: aus unbefriedigtem Ehrgeiz, aus zartem Empfinden, das den
eigenen Vorrang als Schuld und als Last betrachtet, oder aus
aristokratischem Widerspruchsgeist. Die Catilina, Mirabeau und
Bakunin, die Saint-Simon und Engels haben in der Literatur zahlreiche Gegenbeispiele gefunden: Lord Byron und Victor Hugo,
die Wasser predigten und auserlesenen Wein tranken, Leo Tol-
stoj, der als echter Jurodivyj – übersetzen wir frei: Narr in
Christo – keiner jedem Genuß feindlichen Predigt nachzuleben
versuchte. Die überwiegende Zahl der geistigen Träger des Umsturzes aber kam aus den unteren Volksklassen, die das natürliche,
unerschöpfliche Reservoir der streitbaren Unzufriedenen darstell-
ten. Pessimisten von Kindesbeinen an, aufgrund ihrer frühesten
Erfahrungen und nicht aus übersättigter Verfeinerung, aus Snobismus oder aus rührseliger Sentimentalität, hadernd mit einer
für sie bösen Gegenwart und in dem Bewußtsein einer noch
schlechteren Vergangenheit wurden diese Verneiner des Heute zu
Verkündern des besseren Morgen, zu Propheten, die daran mit-
arbeiteten, ihrer frohen Botschaft die Wege zur Erfüllung zu
bahnen. Hatte der romantische Traditionalismus – im Sprachgebrauch der Revolutionäre: die Reaktion – die Zufriedenheit als
höchstes Glück gepriesen, so erhoben die Kettensprenger die Freiheit als Ideal, als Idol auf die Altäre einer von Vorurteilen reinen

Vernunft. Sie wollten Rationalisten sein, blieben aber im Wesen ebenfalls Romantiker; denn sie gehorchten dem Grundsatz, daß die Wirklichkeit, stand sie zur Theorie im Widerspruch, Unrecht habe. Die den Umschwung Begehrenden hegten im glühenden Herzen jene Sehnsucht aller Sehnsüchte, die ein Berliner Proletarier in die trivialen, doch treffenden Worte faßte: »alles muß verrungenieret werden«. Die Freiheit, die die Poeten und Publizisten des Jungen Deutschland – wie die des Jungen Frankreich, Italien, Polen – meinten, kümmerte sich nicht um Konsequenzen, die ein Sieg der Utopisten gehabt hätte: die zügellose Anarchie oder, wenn auch damals noch die Voraussetzungen fehlten, die Diktatur. Die zornigen, mehr oder weniger jungen Männer im Vormärz und später in der Ära Napoleons III. – ehe dessen Kaisertum liberal geworden war – und zur Zeit Alexander Bachs berauschten sich nicht nur an ihren feurigen Worten von Gleichheit und Brüderlichkeit, vom Krieg den Tyrannen und Friede den Hütten, sondern auch am Lärm der noch unentwickelten Maschinen, an den Errungenschaften der Wissenschaft und am Klang des ehernen Tritts der Arbeiterbataillone. Der Aufruhr der Weber von Lyon und der ihrer Schicksalsgenossen in Schlesien, die Revolten der englischen Chartisten und zuletzt der Pariser Kommune wurden als verheißungsvolle Einleitungsgefechte im Klassenkampf vermerkt. Doch im sichtbaren Vordergrund stand zunächst das Ringen um die nationale Unabhängigkeit der Belgier, Polen, Griechen und der Kampf um die nationale Einheit der Deutschen und Italiener. Die Leidenschaft trieb das Lager der Linken unablässig voran.

In dieser unversöhnlichen Zerrissenheit Gleichgültigkeit und Gleichmut zu bewahren, war schwer und nur wenigen gegeben. Die Unruhe steckte an. Längst ist die Legende vom beschaulichen Biedermeier zerstoben. Man weiß, daß sich hinter einer Fassade der Sicherheit und der unbefangenen Daseinsfreude unaufhörlich stille Kämpfe abspielten, im Staat wie in der Seele des Einzelnen, zum mindesten der zum Denken einigermaßen Befähigten und dazu Gesonnenen. Die Ausbrüche erloschener Vulkane mit ihren Höhepunkten, den französischen Erhebungen von 1830 und 1848, den untereinander und mit der Pariser Julirevolution eng verknüpften belgischen und polnischen Aufständen, dem tollen Jahr 1848, dem dank französischer Hilfe und

britischem Wohlwollen alle Hindernisse überwindenden Rinasci-
mento und den deutschen Einheitskriegen von 1864, 1866 und
1870–1871 waren von einem gigantischen Umschwung in Technik,
Industrie, Handel und Verkehr begleitet, zudem von einer Umwälzung der gesellschaftlichen Ordnung, die viel tiefer drang als im
Endergebnis die Französische Revolution samt dem ihr entsprun-
genen Ersten Kaiserreich.

Von dieser Umgestaltung wurde auch eine ›Insel der Glücklichen‹
mitten im brodelnden Europa nicht verschont, die sich zäh an die
Gewohnheiten und an die Formen ihres beschaulichen Daseins
klammerte: die Habsburger-Monarchie. Wie gerne hätte sie sich
die Soldatenhaufen fern gehalten, ahnend, es werde nicht gut ab-
laufen; wie hing sie an ihrem behaglichen Rhythmus und an ihrer
Ruhe! Wenn wir, mit Vorbedacht, von der Habsburger-Monarchie sprechen und nicht von deren Völkern, so deshalb, weil jene
Treue zur Überlieferung, zum Bestehenden – ›das ewig stehn
werde‹, wie es im Text der Volkshymne heißt – nur denen eigen
war, die in Österreich ihre einzige Heimat, im Kaiser ihren geliebten Herrn und in dem vom Orkan des Völkerfrühlings zwar durchrasten, doch nicht vernichteten Regime eine Selbstverständlichkeit
erblickten. Das waren immerhin die mächtigsten und die meisten.
Eine derartige Weltanschauung kannte man weder in Deutschland
noch in Italien, weder in Frankreich noch gar in England oder der
Schweiz. Das war ein von der Romantik unbeschwerter, illusions-
loser Realismus, den einer seiner glänzendsten Vertreter in der
Literatur, der geniale Wortkünstler, Menschenkenner und politische
Denker, von dem dieses Buch handelt, Johann Nepomuk Nestroy
folgendermaßen umschreibt: »Ich habe auch meine Stunden der
Empörung, aber ich verstecke sie, weil ohnmächtige Empörung
lächerlich ist. Da ich nicht stolz sein konnte, bin ich demütig geworden, um mir die Scham zu ersparen, niederträchtig zu werden.«
Man kann das auch vornehmer, verschlüsselter sagen, wie Grillparzer in seinem berühmten Lobspruch auf Österreich. Doch was ist
der letzte Sinn einer Haltung, welche die andern reden läßt, statt
ihnen sofort wütend an den Hals zu fahren, die ihre Fehler trägt,
statt sie herausfordernd zu leugnen und sich zum Muster anzubie-
ten, die lieber Gegenstand des Neids als neidisch ist? Ein Sich-
Fügen in Gegebenheiten, das uralt-österreichische Leitmotiv ›Da
laßt si nix mach'n‹ und ›Was soll ma scho tuan!‹

Eine zeitgenössische Lithographie Johann Nestroys

Das Theater
in der Josephstadt
im Jahre 1844

Ein unbarmherziges Geschick hat Österreich, das Land der Mitte und den berufensten Mittler, zu seinem Verhängnis mitten zwischen unruhige Imperien und Nationen gebettet. Es konnte sich seiner geopolitischen Lage nicht entziehen und wurde immer wieder in kriegerische Auseinandersetzungen verwickelt. Die sozialen Erschütterungen erreichten Österreich zwar im verlangsamten Tempo und in geringerem Ausmaß, doch sie machten an den schwarzgelben Grenzpfählen nicht halt. Der Raum, über den sich die Habsburger-Monarchie erstreckte, ließ sich nicht verlegen, und die hartnäckigen Bemühungen, sich gegen einströmende, feindliche Ideen abzuschirmen, waren auf die Dauer aussichtslos. So traten sie denn auch hier, wo die Ruhe nicht nur Bürgerpflicht, sondern vor allem das erste Bürger- und Menschenrecht war, auf drei Ebenen zum Kampf gegen ein hierarchisch gegliedertes, mit väterlicher Milde gegen die Fügsamen und mit gedämpfter Strenge wider die Aufmuckenden regiertes Völkerasyl an, aus dem die gehässige Anklage übelwollender Zeitgenossen und das Verdammungsurteil der dazu kaum befugten Späteren einen Völkerkerker machen wollte und will. Das alte Österreich mit seiner ihm gemäßen Staatsform und Gesellschaftsordnung hätte gleichwohl noch viele Generationen hindurch den Widersachern von außen und den gar nicht zahlreichen im Innern getrotzt, wäre nicht zu den Gefahren des Raums die Bedrohung durch die Zeit hinzugekommen. »In was bist du gekommen für eine abscheuliche Period'! Greul der Verwüstung, Erdbeben in der Handelswelt, die festesten Häuser stürzen übereinander ... Unser Lebenskurs steht pari mit dem Tod, der Holofernes wird kommen als Sensal und machen den Abschluß mit uns.« Diese Sätze aus der unvergänglichen »Judith«-Parodie Nestroys schildern im lustigen Liebigextrakt die Epoche, in der er lebte, schrieb und seinen bescheidenen Platz an der Sonne zu behaupten hatte, aber auch den Rahmen, in dem Österreich zuerst sein Glück im stillen Winkel genoß, danach, ungern und zum Kampf gezwungen, sich siegreich wehrte und trotzdem den allmählichen Zerfall nicht abzuwenden vermochte. Setzen wir anstelle des grausamen, unüberwindlichen Feldherrn Holofernes den nicht minder unerbittlichen Zeitgeist des neunzehnten Jahrhunderts, »des Jahrhunderts dazwischen«, wie es von Kassner, »des stupiden«, wie es von Léon Daudet genannt wurde, dann haben wir im Gleichnis nicht nur das Abbild der Ära des entfesselten

Nationalismus und des losbrechenden Klassenkampfs vor uns, sondern auch den Schlüssel zum Untergang der Habsburger-Monarchie.

Nur ein Wunder hätte sie gerettet. Und, wir lassen ein zweites Mal Nestroy aus seiner Parodie sprechen: »Wenn der Himmel will wirken a Wunder ..., so lassen Sie dem Himmel seine Freud'. Wenn der Himmel für sie Wunder wirkt, da triumphieren sie über ihre Feinde, daß es eine Passion ist.« Der nüchterne Realist Nestroy und mit ihm viele andere, die am natürlichen Fortbestand eines Staates und einer Ordnung zweifelten, die ihnen, trotz aller Schwächen, das geringste Übel schienen, sie haben auf das Wunder gehofft und im Herzen daran geglaubt. Es ist aber kein Wunder geschehen, sondern es ist alles geschehen, wie es kommen mußte. Doch da waren Nestroy und seine Zeitgenossen nicht mehr Zeugen.

Leben, Gedankenwelt und Werk des Mannes, der als Magier des deutschen Worts nicht viele seinesgleichen hat, aber den Deutschen so wenig ähnlich war, sind durch seine Umwelt und durch seine Epoche wesentlich mitbedingt. Diese Epoche kennzeichnen im gesamten abendländisch-mitteleuropäischen Kulturkreis dieselben Leitmotive, doch jenes Alt-Österreich ist dem Westen wie dem deutschen Sprachgebiet außerhalb der Habsburger-Monarchie in vieler Hinsicht fremder, weniger vertraut und darum minder begreiflich, exotischer als manche weit entferntere Gegenden!

Vor allem waren die unter dem Doppeladler vereinten Nationen ein Völkerbund im kleinen, aus denen sich erst im Laufe der beiden ersten Drittel des 19. Jahrhunderts die ver(un)einten Donauraum-Nationen heraus(ver)bildeten. Die Donau-Monarchie war durch geschichtliche wie durch kulturelle Tradition mit den andern Teilen des einstigen Heiligen Römischen Reiches, mit Deutschland und mit Italien, verbunden. Die Kleinodien der Herrscher jenes dahingeschwundenen Imperiums waren den Habsburg-Lothringern verblieben, auch nachdem die einstige theoretische Oberherrlichkeit über den christlichen Okzident dahin war, und darin lag mehr als bloß eine stolze Erinnerung. Dem österreichischen Kaisertum haftete etwas Sakrales an, das durch das Anrecht auf die ungarische Heilige Stefanskrone bekräftigt wurde. Trotzdem gebärdeten sich die Monarchen nicht wie irdische Götter. Franz – heißt die Canaille, wird der gesinnungstüchtige Geschichtsklitterer sogleich ergänzen – der Gütige, wie ihn seine Untertanen nannten, spazierte im Bürgersrock umher, grüßte freundlich die ihm Begegnenden, gewährte jedem, der ein Anliegen hatte, Zutritt, kümmerte sich mit der Sachkenntnis und der Gewissenhaftigkeit eines leitenden Verwaltungsbeamten um alles, was in seinen Königreichen und Ländern vorging, förderte die Künste und die Wirtschaft. Wenn die Literatur und gewisse Wissenszweige gegen ihre Bevormundung erhebliche Einwände hatten, so dürfen wir trotzdem nicht vergessen, daß auch sie dem Kaiser und dem verlästerten Regime vieles verdanken. Es war ein Unglück, daß dem mit gesundem Hausverstand begabten Franz ein zwar rührend gutmütiger, doch schwach befähigter – nicht aber, wie der bösartige Tratsch verbreitete: schwachsinniger – Sohn Ferdinand I. folgte, der so wenig zu regieren verstand wie sein Nachfolger Franz Joseph I. während der ersten Periode seiner Herrschaft.

In den Dezennien nach 1835, dem Todesjahr Franz' I., hing das Gedeihen der Habsburger-Monarchie und das Los ihrer Einwohner vornehmlich von den Personen ab, die anstelle des nominellen Staatsoberhaupts oder des allzu jungen, unerfahrenen Kaisers die wirkliche Macht ausübten oder die maßgebend den Monarchen berieten. Metternichs einst von der Historiker Ungunst verzerrtes Charakterbild schwankt heute wohl nicht mehr in der Geschichtsauffassung. Seine außenpolitische Leistung bis zu seinem Sturz, seine fruchtbare Tätigkeit auf wirtschaftlichem Gebiet, sein Mäzenatentum stehen außer Zweifel. Ebenso sicher aber ist es, daß er im Alter stets die Stärke geheimer Bewegungen und die Kraft der nationalen Ideen verkannte. Unter Ferdinand I., als er nicht als einziger, stets angehörter Ratgeber einem klugen Regenten zur Seite stand, sondern sich mit kleineren, beschränkten Rivalen herumschlagen mußte, versagte er innenpolitisch. Er begriff die Gewalt des losbrechenden Sturmes erst, als er selbst von diesem hinweggefegt wurde. Nach Metternich übernahm Fürst Felix Schwarzenberg das Steuer des Staates mit Geschick, Zielbewußtheit und Charakterfestigkeit. Daß er zu früh starb, war ein zweites Unheil für Österreich. Denn die nun beginnende Ära des emporgekommenen Exdemokraten und aus Konvertiteneifer erzreaktionären Bach hatte weder die Größe der Vorhaben noch die der Methoden Schwarzenbergs. Eine zickzackartige Weltpolitik, für die der junge Kaiser und sein unfähiger Außenminister verantwortlich sind, beraubte Österreich erprobter Freunde, ohne neue zu gewinnen. Und so ereigneten sich innerhalb von sieben Jahren die Katastrophen, die nur dank der Hellsicht des bedeutendsten Gegners, Bismarcks, nicht schon damals an der Existenz der österreichischen Großmacht rüttelten. Daß sie in ihrer Substanz niemals ernstlich erschüttert wurde, in ihrer Struktur nur langsam und unmerklich sich veränderte, dadurch aber den Menschen aller Schichten die tröstende Empfindung einer ununterbrochenen Kontinuität bescherte, das war ein Verdienst der Grundsäulen des Staates: eines opferbereiten, seine Ehre über alles schätzenden, sich als wichtigste Stütze des Thrones und des Reichs fühlenden Offizierskorps, das frei von jedem überheblichen Standesdünkel war und mit den Nichtuniformierten aller Schichten in Harmonie lebte; es war das Verdienst des pflichtbewußten, musischen, feingebildeten, humanen höheren Beamtentums, das wohltuend von der kleinlichen, arroganten, schikanösen Bosheit der unteren Bürokratie und der Amtsdiener abstach. Eine dritte, dem Hofrang nach sogar die erste Säule des Systems war der Grundadel. Er war mit geringerem Bücherwissen ausgestattet als die hohen Beamten. Die wenigen Ausnahmen gingen in den Staatsdienst und erstiegen dort schnell die obersten Stufen der bürokratischen Jakobsleiter, oder sie schrieben sich, von den Standesgenossen bald belächelt, bald mit einiger Scheu betrachtet, ihre oft sehr gescheiten Einfälle von der Seele. Dieser Adel mochte den emsigen Industriellen, den redefrohen, demokratischen Politikern, den wendigen Journalisten eine Zielscheibe des Spottes und des aus verstecktem Neid quellenden Hasses sein, er teilte dennoch mit den höheren Staatsbeamten ein paar vortreffliche Eigenschaften: Menschlichkeit, Freiheit von Standesdünkel, Ehrgefühl, Treue zu Herrscher und Staat und fast immer ein anständiges Privatleben. Anders als die zumeist josefinisch-liberalen, religiös eher gleichgültigen Beamten, war die Aristokratie aufrichtig fromm, wiederum ohne Übertreibung. Sie freute sich mit Anmut am vergnügten Dasein, das ihr Geburt und vorwiegend unbewegliches Vermögen ermöglichten. Sie umgab den Monarchen, der ihren Vertretern den vordersten Rang bei Hof gewährte. Oberste Hofwürdenträger, Chefs der fürstlichen Häuser, Kämmerer, Palastdamen, Sternkreuzordensdamen waren zu den Festlichkeiten und Zeremonien geladen, die den Glanz des ›Allerhöchsten Kaiserhauses‹ zeigten, von denen aber die Offiziere bis zu den

Spitzen der Generalität und die hohen Beamten ausgeschlossen blieben. Es gab nur einen Weg, um den niedriger Geborenen einen Platz nahe dem Monarchen zu verschaffen: die mit dem Exzellenztitel verbundene Auszeichnung eines Wirklichen Geheimen Rats.

Doch lasse man sich von der Schilderung der Vorzüge einer ›durchlauchtigen, erlauchten, hohen oder hochwohlen‹ Geburt nicht täuschen! So wenig es im heutigen Großbritannien bedeutet, daß der jüngere Sohn eines Earl einem wichtigen Kabinettsminister bei Hof vorangeht, so wenig hatte ein junger Herr aus großem Hause und nicht einmal das Oberhaupt eines alten Fürstenhauses Einfluß auf die Staatsführung. Diese Auserkorenen mochten *dignified* sein, *efficient* aber – wir gebrauchen die so prägnanten, englischen Ausdrücke für die blasseren Wörter ›würdevoll‹ und ›wirksam‹ – waren die zumeist bürgerlich oder noch tiefer Geborenen oder die dem jungen Beamten- und Offiziersadel entstammenden ›Vonerln‹: ein Gentz neben Metternich, ein zum Freiherrn und Staatsratspräsidenten gewordener Schneiderssohn Kübeck, der zu Beginn des 19. Jahrhunderts aus dem Proletariat kommende Außenminister Thugut, der schon erwähnte baronisierte Innenminister Bach, der sogar einer Ära seinem Namen hinterließ, oder der unglückliche Oberfeldherr gegen Preußen, der zu Nestroys Zeiten allerdings noch gefeierte Held vom italienischen Kriegsschauplatz Benedek.

Die *grands commis*, die nach den Weisungen des Kaisers und seiner wenigen ausschlaggebenden Berater die Staatsmaschinerie beherrschten, waren umso einflußreicher, als das aus dem Mittelalter überkommene Mitspracherecht der ›Herren Stände‹ – der Vertreter der Hierarchie, des hohen und niederen Adels, der Städte, (in Tirol auch der Bauern) – sehr eingeschränkt war. Die Ständelandtage der einzelnen Kronländer hatten nur das Recht, Steuern zu verteilen, das Landesvermögen zu verwalten, ihre eigenen Beamten zu ernennen, Loyalitätserklärungen zu beschließen, Stiftungen zu überwachen und bei festlichen Gelegenheiten in schönen Uniformen zu paradieren.

Alle Stützen des Throns, des Staates und, wir dürfen hinzufügen, des Altars hatten gemeinsam, daß sie sich anfangs nur als Österreicher, beziehungsweise als Untertanen Seiner Majestät des Kaisers empfanden, später vor allem als solche und erst in zweiter Linie, wenn überhaupt, als Angehörige ihrer Sprachnation. Wenn das im Lombardo-Venezianischen Königreich und in einigen italienisch-sprechenden Gebieten anders war, wenn in Ungarn und in Galizien Magnaten und mittlerer Adel sehr stark ihr Nationalgefühl bewahrten, ja, in manchen Fällen und in zunehmendem Maße, je mehr man sich der Jahrhundertmitte näherte, dieses Nationalgefühl gegenüber der Bindung an Herrscher, Dynastie und Gesamtmonarchie überwog, dann wurde dies reichlich dadurch ausgeglichen, daß die breiten Massen der Bauern überall am Herrscher hingen und in ihm ihren obersten, mächtigsten, ja einzig wirksamen Beschützer liebten und verehrten. Es verging lange Zeit, bis die nationalen Ideen hinaus ins Dorf drangen. Keinesfalls ist das zu Nestroys Lebzeiten geschehen.

Der Geist des Widerspruchs, der innerhalb der Habsburger-Monarchie vordringlich national und erst in zweiter Linie sozial zum Ausdruck gelangte, hatte den Hochsitz im intellektuellen Bürgertum der Städte, bei den Angehörigen der freien Berufe, bei mittleren und kleinen Unternehmern, bei allerlei Entgleisten und bei dem – angesichts des geringen Grades der Industrialisierung – zahlenmäßig noch nicht schwer in die Waagschale fallenden Proletariat der größeren Städte. Zwei Sondergruppen waren die treibenden Kräfte: die Hochschulstudenten und die Literaten und Journalisten, unter denen die um ihre Gleichberechtigung ringenden jüdischen Adepten der europäischen Kultur hervorragten. Sie alle, die Mißvergnügten, Unbefriedigten, Umstürzler, von denen die Mehrheit aus einer romantisch betrachteten nebelhaften Vorzeit Zuversicht und Recht auf eine stolze nationale Wiedergeburt ableitete, und die anderen, die sich auf keine verlorene Unabhängigkeit berufen konnten oder wollten und für eine Zukunft in Freiheit, Gleichheit und Brüderlichkeit kämpften, waren bewußt oder sehr oft unbewußt, ja vom Gegenteil überzeugt, Österreich feind. Denn es stand damals nicht etwa die beste, die einzig gute Lösung einer aus der Tradition schöpfenden, erneuerten, föderativen Habsburger-Monarchie auf der Tagesordnung, sondern ein zentralistischer Absolutismus, der notwendigerweise auf Unterdrückung der einzelnen Nationalitäten hinauslaufen mußte oder auf ein Zerbrechen des Vielvölkerstaats – wie die traurige Erfahrung seither klar erwiesen hat – in lebensunfähige, einander befehdende kleine Mittelstaaten, in denen der Radikalismus sich austoben und in ideologischer Verkrampfung die ärgsten Verwüstungen anrichten konnte.

Daß nicht beizeiten der goldene Mittelweg des in gesunder Evolution fortschreitenden Bundesstaats oder sogar eines Staatenbundes gewählt wurde, darin liegt der tödliche Irrtum und die historische Schuld der Staatslenker, die nach 1848/49 noch einmal die Möglichkeit einer rettenden Umgestaltung bekommen hatten. Diese Möglichkeit war allem späteren Ableugnen zum Trotz vorhanden. Österreich mußte und durfte kein germanisierter, zentralistischer Staat werden, der sich das nun einmal erwachte Nationalgefühl der kleineren slawischen Völker und schon gar das der Italiener, Magyaren und Polen zum unversöhnbaren Gegner machte. Für den gesamten Donauraum hat bis ins 20. Jahrhundert ein föderatives, regeneriertes Habsburgerreich viel Aussicht auf Verwirklichung besessen.

Im Österreich der beiden ersten Drittel des vorigen Jahrhunderts wurzelte die Vormachtstellung nicht etwa der, sondern des Deutschen nicht in völkischer Unduldsamkeit, sondern in der Meinung, es sei eine Verkehrssprache für das Gesamtreich nötig und das Deutsche eigne sich am besten dafür. Erst später, als – wie Grillparzer es vorausgesehen hatte – der Weg von der Nationalität zur Bestialität beschritten worden war, als man sich um den Nachtwächter von Leitomischl-Litomyšl stritt und darum, ob sich Reservisten bei den Kontrollversammlungen mit ›zde‹ melden durften, ob am Gymnasium in Cilly-Celovec slowenische Parallelklassen zulässig seien, wurde das Problem der deutschen Verkehrssprache, die ohnedies in den italienischen Provinzen nicht, in Ungarn nur während der Bach-Ära und in Galizien ab 1868 beim Schriftenwechsel mit den Wiener Zentralbehörden gebraucht wurde, zum vergiftenden Zankapfel zwischen den Nationalitäten.

Verbindend war nun neben den erhabeneren Motiven, die bei den Säulen der Monarchie – Adel, Offiziere, Beamten – den Ausschlag gaben, neben der süßen Gewohnheit des zumeist bitteren Daseins und dem schier animalischen Schutzbedürfnis bei der Bauernschaft, was die real denkenden Kreise des Bürgertums den nationalistischen Schwärmereien entgegenhielten, daß das ökonomische Gefüge der Monarchie einen wohlabgerundeten Wirtschaftsraum bildete. Das Gedeihen der Industrie, des Handels und des Gewerbes lag den Regierenden sehr am Herzen, und sie hatten erreicht, daß sich nicht nur der reiche Grundadel, die Fabrikanten und Kaufleute, sondern auch die Handwerker und Gewerbetreibenden sehr wohl fühlten. Die goldene Backhendlzeit war kein leerer Mythos. Denn wohnten Gesellen, Arbeiter, Dienstboten auch erbärmlich, wurden sie in straffer Zucht gehalten und verspürten sie, vom Hauch der aus dem Westen und aus dem Norden eingewehten Ideen gestreift, die demütige Unterwürfigkeit zuweilen als sehr lästig, ja als unerträglich: es gab doch dafür Entschädigung im guten und wohlfeilen Essen und Trinken, in den Volksvergnügungen, die allerorts den Werktag unterbrachen und den Sonntag ausfüllten.

Wer trotzdem nicht zufrieden war oder eher, wer zu laut kritisierte, dem rückte die Polizei zu Leibe. Nannte Mirabeau den Krieg die preußische Nationalindustrie, so durfte man mit Fug die Polizei Österreichs Nationalindustrie heißen. Vom Obersten der Hermandad, dem Grafen Sedlnitzky in den Jahren des Vormärz, über Räte und Kommissäre bis hinab zu den Vertrauten, Naderern und Spitzeln der unteren Grade verstand sich jeder auf das Geschäft, die heilige Ruhe zu hüten. Das war aber keineswegs der Mord, wie übertreibende Schilderungen politischer Propaganda glauben machen wollten. Sedlnitzky, den Rostand im »Aiglon« als abscheulichen Hanswurst abkonterfeite, war ein guter Mensch, ein Freund der Künste und der Künstler und ein Feind jeder unnötigen Gewaltanwendung, jeder überflüssigen Strenge. Ohne daß man die Gefangenen marterte und folterte, wie es in humanen, fortschrittlichen und uns näheren Epochen und Staaten gehandhabt worden ist und wird, wurden Ruhe und Ordnung in Österreich bis zum Völkerfrühling von 1848 aufrechterhalten.

Geist und Körper befanden sich dabei nicht übel. Die slawischen Völker – Tschechen und Slowenen voran – erwachten; sie reckten und streckten sich und überraschten die Welt zunächst durch eine literarische Wiedergeburt von erquickender Frische. Man möge nicht vergessen, daß sich unter den ersten vierzig Unsterblichen der von Metternich begründeten Wiener Akademie auch Palacký und Šafařík befanden. Wenn die Polen in Galizien ihre geistige und gesellschaftliche Kultur weiterpflegten, ist das nicht zuletzt deshalb möglich gewesen, weil sie daran von der Zentralregierung nicht gehindert und durch die höchsten Vertreter des Kaisers in Galizien dabei gefördert wurden. Der glänzende Aufschwung der Dichtung, einzelner Wissenszweige und der Künste in Ungarn wäre undenkbar gewesen, hätte er gegen ähnliche Unterdrückung kämpfen müssen wie etwa die Polen im hohenzollernschen Deutschland, die Andersdenkenden – von Andersrassigen ganz zu schweigen – im Dritten Reich und die Klassenfeinde in der kommunistischen Machtsphäre.

Für das deutschsprachige Österreich aber scheint die Knechtung durch Kaiser Franz und Metternich besonders fruchtbar gewesen zu sein. Der heilige Klemens Maria Hofbauer-Dvoráček und der Domherr Veith mahnten an die höchsten Dinge. Bolzano lehrte seine Philosophie, die über Franz Brentano weit bis in unsere Zeit ausstrahlt. Die Mediziner Hyrtl, Škoda und Rokitanský, Feuchtersleben mit seiner Seelenkunde, der Historiker Arneth und der Orientalist Hammer-Purgstall sind Zeugen für den Glanz der Wissenschaft. Die Malerei der Waldmüller, Amerling, Danhauser, Rahl, Alt, Schwind, Füger, Daffinger, Kriehuber hielt den Reiz und die Anmut des Vormärz und seiner Menschen fest. Alles aber überragte die Musik der Wiener Klassiker, in Beethoven und in Schubert gipfelnd. Die Literatur erlebte eine Blütezeit. Der gelinde Druck augurenhaft lächelnder oder stupid eifernder Zensoren hat nur das Gedrucktwerden, nicht aber das Sich-Entfalten des Genies – Grillparzer, Raimund, Nestroy, Stifter – noch das der überragenden Begabung – Schwarzenberg, Lenau, Bauernfeld, Fallmerayer – verhindert.

Im ›fortschrittsfeindlichen Völkerkerker‹ wurden aber nicht nur die Musen gepflegt, auch auf wirtschaftlichem Gebiet folgte man dem Zug der Zeit, und kein hämisch grinsender ›menschgewordener Bleistift‹ schaltete sich zwischen das Werk und dessen Verbreitung ein, um einen dicken Strich zu machen. Metternich selbst hat für jede nützliche Neuerung auf dem Gebiet des Handels, des Verkehrs und der Industrie, der Landwirtschaft und des Lebensstandards ein offenes Ohr besessen. Er hat sich bemüht, Österreich in den Welthandel einzuordnen; er war der hartnäckigste Förderer des Baus von Eisenbahnen und Fernstraßen. Man darf ihm weder den Ehrentitel des eigentlichen Gründers der österreichischen Industrie noch den eines Pioniers moderner landwirtschaftlicher Methoden verweigern.

Die Wahrhaftigkeit des Geschichtsschreibers muß dieser Schilderung freilich ein paar Anmerkungen hinzufügen. Es ist ein ewigösterreichischer Sachverhalt, daß sich mittlere und vor allem untere

Amtsstellen redlich bemühten, die klugen und nicht selten großzügigen Verfügungen, die von oben kamen, zu sabotieren. Eine zeitgebundene Besonderheit dagegen war es, daß Metternich keineswegs der allmächtige Herr über eine reibungslos arbeitende Maschinerie war, als der er lange verschrien wurde, und auch sein zwar minder bedeutender, doch keineswegs unfähiger Rivale Kolowrat stieß auf dieselben Hindernisse. Franz I., dessen mannigfache Herrschertugenden und Vorzüge wir schon geschildert haben, und den man – nicht ohne einige Übertreibung – den Guten nannte, und Ferdinand I., der wirklich so gütig war wie ihn die zeitgenössischen Offiziösen feierten, glichen einander – trotz des Unterschieds ihres geistigen Formats – darin, daß sie eigensinnig waren wie störrische Grautiere. Dem einen mußten Metternich oder andere Ratgeber mit verfeinerten diplomatischen Listen beikommen, um ihn umzustimmen; was meistens mißglückte. Beim zweiten genügten gröbere Tricks. So dieser: als sich der Gütige weigerte, dem Baron Rothschild die von Metternich vorgeschlagene Konzession zum Bau der Nordbahn zu gewähren, weil er erstens die Eisenbahnen, zweitens den Rothschild nicht leiden konnte, ließ Metternich auf Umwegen dem Kaiser einige Erwägungen zuleiten. Am nächsten Tag bei der Audienz sagte Ferdinand, sich vor Freude die Hände reibend: »Da ist die Konzession. Soll er's nur haben der Rothschild, daß er sein ganzes Gerstl (Geld) verliert. Es fahrn ja eh zwei Stellwagen nach Brünn, wer wird scho da mit der Eisenbahn fahrn.«

Dieses so übelberüchtigte System hat die Künste überhaupt nicht, die Wissenschaft nur insoweit recht milde drangsaliert, wenn sie geradewegs das herrschende System angriffen. Der Literatur sah man schärfer auf die Kappen. Doch was bezeugt das bei näherem Zusehen? Daß im damaligen Österreich Geschichtsschreibung, Philosophie, Kritik und besonders die Dichtung als wirkende Mächte betrachtet wurden, die auf die Öffentlichkeit starken Einfluß übten. Daß der ›kalte Krieg‹ der Zensur, der grundsätzlich nur den Vorkämpfern eines politischen Umsturzes gelten sollte, sich gegen Männer richtete, die im Grunde ihres Herzens und mit zunehmendem Alter auch mit dem Verstande Metternich näher waren als denen, die ihretwegen bittere Tränen vergossen, gehört zu den schlechtesten, tragikomischen Treppenwitzen der Welt- und Geistesgeschichte. Das gilt für die Großen Vier der

Literatur – am wenigsten für den unpolitischen Raimund – und für fast alle führenden Denker, Historiker, Mediziner und bildenden Künstler. Wie sehr vor allem für Nestroy, das wird in diesem Buche oft genug sichtbar werden.

Und dennoch Götterdämmerung, Götzenmorgenröte? Das war eben das Tragische an jener Zeit, daß die Besten, Gescheitesten, Unbetrügbaren nicht merkten, wie tief sie in dem wurzelten, das sie bekämpften, noch daß sie ahnten, wohin der von ihnen beschrittene Weg führen mußte; daß sie zu schieben meinten und geschoben wurden, daß sie führten, wohin sie nicht wollten. Ob sie noch völlig außerhalb der realen in einer märchenhaften Welt lebten wie Raimund, ob sie ein bereits nur mehr als Wunschbild existierendes Glück im beschaulichen Winkel darboten wie Stifter im »Nachsommer«, ob sie in ihren dramatischen Meisterwerken Habsburgs Königsgedanken und die Treue des tief beleidigten obersten Staatsdieners priesen wie Grillparzer oder ob sie in noch so vielen Theaterstücken die Schwächen ihrer Landsleute verspotteten wie Nestroy: sie haben weder am Herrscher noch an der Gesellschaftsordnung gezweifelt. Grillparzer, Nestroy und Stifter haben mit steigendem Unbehagen die schleichende Revolution nahen gesehen; in deren sozialen und vor allem in ihren spezifisch österreichischen, nationalen Folgen. Doch nur einer unter den großen österreichischen Schriftstellern des Vormärz und der Bach-Ära hat hellsichtig mit der Liebe zum noch Erhaltenswerten und mit dem Haß gegen das Zerstörungswerk künftiger Umstürze gewußt, wie morsch der ausgehöhlte stolze Bau, der Barockpalast des Habsburgerreichs, geworden war: Friedrich Schwarzenberg. So weit ist Nestroy nicht vorgedrungen; es lag nicht in seiner Natur, den Propheten, die Kassandra zu spielen. Alle gesellschaftlichen und politischen Voraussetzungen des späteren Zusammenbruchs, alle guten und liebenswürdigen wie alle bösen und unheilvollen Seiten des ihn umgebenden Gemeinwesens hat er aber in seinem Werk betrachtet. Auf dem Hintergrund des Allgemein-Ewig-Menschlichen – oder Animalischen –, gestützt auf eine echt österreichische Lebenserfahrung.

ZWEITES KAPITEL

Entgegen einem verbreiteten Vorurteil ist Wien nicht Österreich im Liebigextrakt und Österreich, weder das heutige kleine noch das einstige vielsprachige und weithin sich erstreckende, ist nicht einfach eine verdünnte Ausstrahlung Wiens. Die kaiserliche Haupt- und Residenzstadt war ein bewundertes Muster für manche Sphären in der Provinz und zugleich ein Magnet, der seine Anziehung stets bewährte. Doch die einzelnen Kronländer und schon gar seit dem Erwachen des Nationalgefühls die Völker der Habsburger-Monarchie bewahrten sorgsam ihre Eigenständigkeit. Vor allem aber: seelische Artung, Anschauungen und Lebensweise nicht allein der Slawen, Italiener und Magyaren, sondern auch der Steirer, Kärntner oder der Tiroler unterschieden sich erheblich von denen der Wiener. Sowenig eine Gesellschaft mit der Summe ihrer Mitglieder eine Mischung der Gesamtheit ihrer Ingredienzen ist, sowenig ist Wien nur aus den einzelnen Nationalitäten und Kulturen zu begreifen, die hier zusammengeströmt sind und die sich zu einer Synthese verbunden haben. Es ist an diesem Punkt, wo Ost und West, Alpen und Tiefebene aufeinanderstoßen, etwas Neues erwachsen, das zugleich das Herz des immer mächtiger werdenden Österreich und dennoch etwas in sich Beschlossenes war und ist.

Dem Bild des vormärzlichen Österreich möge nun das Bild Wiens aus Nestroys Zeiten folgen. Die Prüfungen der unruhigen Epoche in den beiden ersten Jahrzehnten des 19. Jahrhunderts haben schwer auf der lebensfrohen, unkriegerischen Stadt gelastet, die seit der Türkenbelagerung von 1683 während einer langen Periode des Friedens einen mächtigen Aufschwung genommen hatte. Wir sprechen von einer Friedensperiode, obgleich die Habsburger-Monarchie beinahe ununterbrochen um ihre Existenz zu kämpfen hatte, erst siegreich gegen die Osmanen und mit wechselndem Erfolg gegen Frankreich, dann nicht allzu glücklich wider das Preußen der Hohenzollern und dazwischen, zu Beginn der Regierung Maria Theresias, gegen eine gierige Koalition Teilungslustiger: die Wiener kümmerten sich darum weniger. Das Wichtigste für sie war, daß ihre Stadt und sie selbst nicht in den Schlachtenlärm hineingerieten und daß sie weder Zerstörungen noch übergroße Nöte zu erleiden hatten. Napoleon jedoch kam als feindlicher Gewalthaber nach Schönbrunn ins Kaiserschloß. Man hatte die im Vergleich mit jüngsten Erinnerungen allerdings geringen Drangsale einer fremden Besetzung zu erdulden. Kaum war das nur mit viel Jammern ertragene Ungewitter vorüber, da schlug als Nachklang ein letzter Blitz verheerend ein: der Staatsbankrott von 1811. Danach ging es wieder schnell aufwärts. Der Kongreß tanzte, und die Wiener waren dabei frohe Mittänzer und entzückte Zuschauer. Die argen Zeiten waren zwar nicht vergessen, doch man bemühte sich, nicht an sie zu denken, und sprach oder schrieb nichts davon. Noch viel intensiver als draußen in der Provinz genoß man die Gegenwart in vollen Zügen, und die Wiener machten sich keine Sorgen um die Zukunft.

Wer in der herrlichen Kaiserstadt geboren war oder wem das Schicksal vergönnte, in ihr zu verweilen, den dünkte jenes Höchstmaß an Glück und Zufriedenheit errungen zu haben, das einem Sterblichen verstattet ist. Zwischen den lieblichen Abhängen des Kahlenbergs, dem Donaufluß und den südlichen Ausläufern des Wienerwalds dehnte sich die Stadt aus, groß genug, daß in ihr kein Vergnügen, keine Verfeinerung entbehrt werden mußte, klein genug, um von der lärmenden Unrast der damaligen Weltstädte London oder Paris verschont zu sein. Die dreihunderttausend Einwohner dieses irdischen Paradieses besaßen jede Möglichkeit, ihr sorgloses Leben aufs angenehmste zu genießen. Über fünfundzwanzig Vororte und den altehrwürdigen Stadtkern erstreckte sich das geschlossene Stadtgebiet. Die Innere Stadt barg den Mittelpunkt des Reiches, die kaiserliche Hofburg, Residenz des Monarchen, und den Stefansdom, das Wahrzeichen und das Herz Wiens. In der Nähe der Residenz befanden sich die obersten Behörden und wie ein Ring von Vasallen, die ihren Landesherrn umschließen, die Paläste des Hochadels. Hier ragten Kirchen, Stifte und Klöster empor, einige noch gotisch, andere prächtige Barock-Schöpfungen. Hier lenkten weniger glorreich, doch nicht minder mächtig, die Geldfürsten von ihren Bankhäusern aus das Wirtschaftsgeschehen. Im ältesten Teil der Inneren Stadt, unmittelbar neben dem Donaukanal, einem Arm des gewaltigen Stromes, wohnten Mittelbürger und kleine Leute; es gab sogar ein Miniaturghetto rund um die damals neuerrichtete Synagoge. Die Straßen des Stadtzentrums waren schmal und unregelmäßig. Zwischen den beiden einander gegenüberliegenden Häuserfronten klafften meist nur einige Meter Abstand. Doch ein paar Plätze, an denen sich wichtige öffentliche Gebäude oder Sitze der vornehmsten aristokratischen Geschlechter erhoben, die Freyung, Am Hof, der Judenplatz, der Hohe Markt, der Minoritenplatz, der Franziskanerplatz und der Platz vor der alten Universität waren geräumig; drei Straßen, in deren Läden sich der Inbegriff von Luxus und Geschmack vereinte – und die dieses Privileg bis heute bewahrt haben –, Kärntnerstraße, Graben und Kohlmarkt, waren nach früheren Begriffen breit. Dort und auf den Basteien, die im Kreis die Innere Stadt umsäumten, verbrachten die Wiener aller Gesellschaftskreise einen wesentlichen Teil des Tages mit Spaziergängen, Tratsch und Flirt.

Die Basteien waren Überreste einer vordem sehr nötigen Befestigung, die sich bei zwei Türkenbelagerungen erprobt hatte, seither aber und zuletzt gegenüber den Franzosen unter Napoleon ihre militärische Bedeutungslosigkeit erwiesen hatte. Im Zeitalter Nestroys boten die von Wiesen und Gartenlauben bedeckten Glacis und Wälle, an deren Stelle sich jetzt die Ringstraße und elegante Wohnviertel erstrecken, einen wunderhübschen Anblick. Eine köstliche Symphonie in Grün, trennten sie das Kernstück des Staates und der Stadt von den Außenbezirken, in denen ein kräftiges, gesundes Bürgertum durch betriebsamen, doch gemächlichen Fleiß seinen Platz an der Sonne ohne allzu heftigen Kampf behauptete. Zwar hatten auch manche aristokratische Familien ihre Paläste in der Vorstadt, die überwiegende Mehrheit der Bevölkerung aber war Mittelstand. Um diesen ersten, dem Wiener Magistrat untergeordneten Kreisring legte sich ein zweiter von halb städtischem Aussehen. Das waren Marktflecken und Dörfer – beliebte Ausflugsziele der Wiener Bevölkerung –, die sich der eigentlichen Kaiserstadt anschlossen, doch nicht zu ihr gehörten. Endlich gelangte man zur ›Linie‹, einem Grenzstreifen, an dem die Verzehrungssteuer auf von außen mitgebrachte Lebensmittel eingehoben wurde. Nun völlig der Stadt entrückt, betrat man das flache Land der ›G'scherten‹, der Provinzler, über die sich jeder Wiener hoch erhaben dünkte.

Und doch war die Einwohnerschaft Wiens durch hundertfältige Bande mit den Geringgeschätzten verknüpft. Wie in Paris und in

Berlin konnten auch in der österreichischen Hauptstadt nur wenige auf eine geschlossene Reihe altansässiger Vorfahren bis zu der von vier Großeltern zurückblicken. Ähnlich darin dem Hofadel, der sich um den Monarchen des Vielvölkerstaats scharte, stammten die Bürger und das Proletariat der Arbeiter, Gesellen, Dienstboten, Kleinsthändler und die zwielichten Existenzen, Dirnen, Verbrecher, an denen es nicht fehlte, aus aller Herren Länder. Das deutschsprachige Element war anfangs noch in der Mehrheit: Zugewanderte aus der Provinz, aus den ehemals österreichischen Vorlanden, aber auch aus dem Westen und dem Norden des Deutschen Bundes wie aus Bayern. Erst nach 1848 nahm der Zustrom aus den tschechischen Gegenden der Habsburger-Monarchie stärkeren und bald sehr starken Umfang an. Das Gleiche gilt für die vorwiegend aus Böhmen, Mähren und Galizien kommenden Juden, denen erst nach der Metternich-Zeit uneingeschränktes Wohnrecht in Wien zugebilligt wurde. Neben diesen beiden Gruppen, von denen sich die erste sehr schnell, die zweite nur langsam und nur in der Oberschicht völlig assimilierte, begegnen uns im Wiener Schmelztiegel Magyaren, Italiener, Slowenen, Kroaten, Serben, Polen, Ruthenen, Rumänien, Griechen, allerlei Levantiner, auch Engländer, Franzosen, Belgier, Holländer. Zur Zeit von Nestroys Tod dürfte nur mehr eine Minderheit der Wiener eine Ahnentafel von vier, geschweige acht oder sechzehn deutschsprachigen Vorfahren besessen haben. Und doch waren sie alle, die Sprossen der mannigfachsten Nationen, zu einer einheitlichen Masse amalgamiert worden, die von ihrer Herkunft und von deren Kultur oder Unkultur nichts wissen wollte und zumeist nichts wußte.

Diese Wiener zerfielen in drei Schichten. Ganz oben schwebten Hof und Aristokratie, die nicht so sehr hauptstädtisch als allösterreichisch waren. Es folgten eine Intelligenz, die zugleich kosmopolitisch und national-deutsch mitgeprägt war, und jene zwar dem Vermögen nach, doch keineswegs in ihrer Geistesart abgestufte Halb-, Viertel- und Unbildungsschicht, deren Eigenschaften als charakteristisch für die Donauphäaken galten. Man konnte derlei Menschen, je nachdem ob man sie durch eine schwarze, eine rosige oder farbige Brille betrachtete, verachten und verabscheuen, sie lieben und lobpreisen oder sie kühlsachlich als ein Phänomen wie tausend andere analysieren. Eine stolze Reihe von Satirikern, die schauspielerisches Genie und ätzenden Scharfblick, gestaltende Wortkunst und die Berufung zum Moralkritiker in sich verbanden, haben ihre Stadtgenossen durch dunkle Augengläser erschaut, von Nestroy über Karl Kraus zu Helmut Qualtinger. Sie haben mit Äußerungen des Widerwillens und des Hohns nicht gespart. Trotzdem wäre es falsch, ihren bis zum Erbrechen den Originalen ähnlichen Portraitgalerien Haß und nicht etwa Schmerz, Enttäuschung und, versteckt oder gar geleugnet, die leise Hoffnung auf bessernde Wirkung zu unterstellen. Kraus berühmtes kurzes Naturgeschichtchen vom »Wiener, dieser Kreuzung aus einem Wiener und einem Juden« und sein weniger bekannter Doppel-Satz über den Wiener Volkscharakter sind ebenso Anamnesen, die an die Stelle, wo eigentlich ein Herz schlagen sollte, vorstoßen, wie die erschreckend lebensechte, von Qualtinger geschaffene Figur des »Herrn Karl«.

Der »Fackel«-Schwinger sieht im Stillstand den Hauptwunsch einer Masse, die zwei einander entgegenstrebende Triebfedern hat: ›der Schiebidennetean‹ (eine Anspielung auf ein zum Jahrhundertbeginn populäres Lied mit den Anfangsworten des Refrains: ›schieb i denn net e an‹, strenge ich mich dann nicht ohnedies an), womit man entrüstet und beleidigt das Drängen auf Beschleunigung ablehnt, paart sich mit der Skepsis des ›Stehtenettafür‹ (es steht eh nicht dafür, es lohnt sich nicht) und es entspringt die ›Lekmimoasch‹-Absage, das jede Aufforderung ablehnende Götzzitat. Nestroy hat ähnliche Leitgedanken oft ausgesprochen, etwa in »Nur Ruhe«, in »Das Mädl aus der Vorstadt« und in »Eine Wohnung ist zu vermieten«. Dem gegenüber erstrahlt das Klischee vom Goldenen Wiener Herz. Die Selbstbeweihräucherung der von sich sehr befriedigten Spießer und auch die der nichtkapitalistischen Werktätigen oder Unwerktätigen beteuert: ›Mir san ja eh die reinen Lamperln‹, wir sind ohnedies die reinen Unschuldslämmer und ›mir san net aso‹, wir sind nicht so. Sie bemitleiden immer sich selbst, manchmal einander, selten Außenstehende. Sie sind Anpasser, sind ›Wagentürlaufmacher‹, ›G'schaftelhuber‹, Leute von zweckloser Übergeschäftigkeit in nebensächlichen Dingen, ›Adabeis‹, auch-dabeisein-Müssende, Schlappschwänze, Schwätzer, ›Tratscher‹, kurz oberfaule Kunden.

Die Rosabebrillten wenden ein, das sei alles nicht so schlimm. Die Wiener seien eben Menschen mit vielen Schwächen, doch mit noch mehr Vorzügen. Sie seien im Grunde gutmütig.

Der mit farblosen Augengläsern unterbricht: solange sie nicht gereizt werden und sie genug zu essen und zu trinken, vor allem aber ihre heilige Ruah haben.

Sie sind musisch begabt!

Der Farblose: für Musik, Tanz, Theater ...

Sie interessieren sich für die Künste wie für die Künstler!

Der Farblose: nicht aber für Literatur, noch für die Wissenschaften. Sie sind selbst Lebenskünstler, zugestanden, und vor allem keine Kopfhänger, gerne bestätigt.

Sie huldigen eifrig der Liebe ...

Der Unparteiische: dem Sexus und nicht dem Eros.

Sie sind angenehm im geselligen Verkehr und schon bei flüchtiger beruflicher, geschäftlicher Begegnung freundlich.

Der Farblose: wenn ihnen nichts über die Leber gelaufen ist!

Diese Gewissenserforschung könnte endlos fortgesponnen werden, denn Seele und Gemüt der Wiener sind so vielschichtig wie ihre Herkunft. Wir aber wollen, ehe wir alles in Nestroy und seinem Werk wiederfinden, seine Vorläufer flüchtig vorbeiziehen lassen, die Wien und aus dessen Perspektive Österreich auf der Bühne dargestellt haben, ehe der Unvergleichliche diese Reihe der satirischen Beobachter auf eine nie wieder erreichte Höhe führte, ihrer aller Vollendung und im Wesensgrunde Abschluß.

Tagsüber geschworene Feinde jeden Scheins, der auf Kosten des angenehmen Seins Opfer gefordert hätte, gaben sich die Wiener mit um so größerer Begeisterung dem holden Schein gefangen, dem Zauber der Schaubühne, in deren Bereich sie Erfüllung alles dessen suchten, das sie in der rauhen Wirklichkeit unmöglich, ja gefährlich und gar nicht wünschenswert gedünkt hätte. Vor der geöffneten Szene, die zum Tribunal der souveränen Volksmeinung wurde, zerstoben die Unterschiede des Standes, verschmolzen die einzelnen zu einer durch die Freude am Spiel verbundenen Gemeinschaft. Und das war ja Charisma und Kennzeichen des seine Sendung ausübenden Theaters, seit der Antike und danach im mittelalterlichen Mysterium. Im Theater genoß jeder das gleiche Recht zum Beifall oder zur Ablehnung.

Die beherrschende Rolle der Bühne im Wiener Leben datiert nicht von gestern. Sehen wir von den liturgischen und weltlichen Dramen ab, die vor der Kirchentrennung im gesamten christlichen Abendland und auch im Österreich der Babenberger und der frühen Habsburger Pflege gefunden hatten, so stoßen wir zu Beginn des 16. Jahrhunderts auf eine erste Blüte Wiener Bühnendichtung. Mit dem Wiener Schottenstift sind die Namen des Abtes Chelidonius und des Schulmeisters Wolfgang Schmältzl, trotz seines Lobspruches auf die Kaiserstadt, verknüpft, wie so viele seiner Nachfolger auf dem Theater ein ›Zuagreister‹, die unter den Dramatikern des Reformationsalters einen ehrenvollen Platz einnehmen.

Die Schulbühne, die danach zur bevorzugten Domäne der Jesuiten wird, erreicht im Barockzeitalter ihre österreichische Apogäe zugleich mit den Anfängen des Hoftheaters, des überwiegend gesprochenen und des neuen musikalischen, der Oper. Unter spanischem und italienischem Einfluß werden gedankentiefe, in prächtiger Ausstattung von ausgezeichneten Schauspielern aufgeführte Bühnenwerke dargeboten, die keinen Vergleich mit Calderón und Lope de Vega, mit Corneille und Racine zu scheuen haben, obgleich sie erst seit einem Menschenalter von der Literaturwissenschaft wiederentdeckt und nach Verdienst gewürdigt worden sind. Die »Pietas victrix« des Nikolaus Avancini ist ein Meisterwerk dieser Art, das freilich ganz im lateinischen Geistesbereich wurzelt, wie ja überhaupt die Monarchia Habsburgica auf der Höhe ihres Glanzes kein deutscher, sondern ein Vielvölkerstaat mit lateinisch-spanisch-italienisch-deutscher Mischkultur gewesen ist. In Wien aber haben beides, Schuldrama und höfisches Theater ihre besondere Note erhalten.

Ergötzten sich nun Hof, Hochadel, Gelehrte und hohe Beamte an einer wesenhaft kosmopolitischen, gehobenen Bühnendichtung, so standen das Bürgertum und noch mehr die Unterschicht dem auf Stelzen einherschreitenden Barocktheater fremd gegenüber, mochten auch die Massen bei großen Prunkaufführungen wie dem denkwürdigen Roßballett von 1667 im kaiserlichen Burghof staunende, von soviel Pracht geblendete Zuschauer sein. Die breiten Mengen, von der Kultur genug gestreift, um auf eigene Weise künstlerisch fühlsam zu sein, von Natur aus für Melos, Rhythmus, Farben, derben Scherz und naive Tragik empfänglich und vor allem durch die das Leben nachschaffende Kunst eines Mimen angezogen, verlangten nach einem ihrem Geschmack und ihrer Fassungskraft gemäßen Drama, nach einer volkstümlichen Bühne. Diese entlehnte zumeist der hohen, höfisch-gelehrten Literatur den Rahmen, die Kostüme und einen Teil der Personen. Könige, Prinzessinnen schritten auch da über die Szene; sie geizten nicht mit emphatischen Reden, noch mit – im doppelten Wortsinn – erlesenen Gefühlen. Doch in die tragisch anklingende Handlung wurde ein Satyrspiel eingeflochten, dessen Figuren durch burleske, tölpische Episoden für die Heiterkeit des gewöhnlichen Zuschauers sorgten. Diese Vermengung des Erhabenen und des Lächerlichen war britischer Import, eingeführt von den englischen Wandertruppen, die seit Shakespeares Zeiten den deutsch-sprachigen Raum bereisten. Von ihnen hat die norddeutsche ›Haupt- und Staatsaktion‹ diese Mixturen übernommen. Einen englischen Vorfahren hat auch die beliebteste Gestalt des Wiener Volkstheaters, der Hanswurst, der auf österreichischem Boden von vornherein in der Tracht eines Salzburger Bauern erschien und sich unmittelbar einerseits vom britischen Pickelhering, andererseits vom italienischen Arlecchino herleitet. Seinen größten Erfolg hatte er in der kaiserlichen Residenzstadt am Beginn des 18. Jahrhunderts. Damals kam aus der Steiermark Josef Anton Stranitzky (1676–1726) nach Wien und trat in der Rolle und im Kleid des Salzburger Landmanns auf. Er war, schon darin Nestroy vorausnehmend, väterlicherseits tschechischer Herkunft aus dem noch ganz österreichischen Schlesien, und er glich dem Späteren auch darin, daß er eine höhere Bildung besaß und als Theaterdirektor zu Reichtum wie zu relativ angesehener bürgerlicher Stellung gelangte. Die große schauspielerische Begabung Stranitzkys und die Komik seiner weithin extemporierten Rollen verkörperten in ihrer bestialisch-sinnlichen, dumm-schlauen, grob materialistischen Untermenschlichkeit einen uralten Archetypus, den Tölpel in seiner Feigheit und Roheit, den *vilain*, wie ihn die Literatur aller Epochen dem feinsinnigen, höfischen, mutigen und von der Ehre gelenkten Angehörigen der oberen Stände gegenübergestellt hat. Das waren Sancho und der brave Soldat Švejk in ihrer spätbarocken Wiener Gestalt, die ihre Streiche verübten und austeilten. So und durch koprolalisch-obszöne Späße warb sich Hanswurst Freunde, Zuhörer und Zuschauer.

Munter sprang er über die Bühne, Prinz und Prinzessin klagten einander ihr keusches Herzeleid, gestanden einander ihre ›heißen Flammen‹, schworen bei Sonne, Mond und Sternen, seufzten über den grausamen Tyrannen, der ihnen das Vätererbe vorenthielt, und Hanswurst schrie dazwischen, er habe Hunger und wolle fressen, ›kehrte die Hosen umb‹ und verschwand, um ohne Scham heimlichen Bedürfnissen nachzugehen. Er bekundete die Lust an realen Freuden der Liebe, wurde geprügelt, jammerte, tröstete sich mit der Aussicht auf ›sein Mensch‹ oder indem er gierig eine Speise verschlang. Inmitten der hohen Herrschaften, der hohen Gefühle und der strengen Konvention war er das tägliche Leben, der Liebling und zugleich der Spiegelmensch des Theaterbesuchers aus dem Volk (und als Divertissement, sogar der Vornehmen, wenn sie einmal Urlaub vom subtileren Ich begehrten.)

Stranitzkys Nachfolge fiel an Gottfried Prehauser (1699–1769). Auch er ein Proletariersohn, doch anders als Stranitzky ein gebürtiger echter Wiener, löste er den Hanswurst aus dessen Bindung ans Bäuerische. Dadurch war von selbst eine Verfeinerung der ganzen Figur verknüpft, zugleich aber eine Verminderung des grotesken Gegensatzes zwischen raffinierter höfischer Gesittung und plump-animalischer Urwüchsigkeit. Das, was sich jetzt auf der Bühne begab, war wirklichkeitsnäher. Derbheit und Unflat blieben trotzdem noch immer wesentliche Ingredienzien der vom Stegreif lebenden Stücke, gegen die sich aber um die Mitte des 18. Jahrhunderts starke kritische Einwände erhoben. Maria Theresia verabscheute alles Obszöne. Die eigentlichen, moralisch und ästhetisch eingekleideten, im Grunde jedoch aus den Tiefen des Unbewußten auftauchenden Argumente der Gelehrten, gebildeten Bürokraten und sonstiger dem Volkstümlichen feindlichen Widersacher des Hanswursts, den die noch Schollenverhafteten liebten, soweit sie nicht die den Aufklärern im Grunde ferneliegenden Bedenken gegen jederlei Verletzungen der Schamhaftigkeit, der konventionellen Wohlanständigkeit teilten: sie beruhten auf zwei kulturhistorisch-soziologischen Gesetzen, die merkwürdigerweise von keinem der zahlreichen Forscher, die die österreichische Literaturgeschichte vom Barock bis zum Realismus untersucht haben, gebührend beachtet worden sind. Das sind die Gesetze vom Fortschritt der Zivilisation in der Zeit und im Raum, die sich aus einer Kombination zweier häufig erfüllten, doch nicht in voller Schärfe und in klarer Formulierung angewandten Thesen ergeben: der des polnischen Historikers Szujski über das Jüngersein von Kulturen, und der des belgischen Universalgeschichtsschreibers Henri Pirenne über die Bedeutung der Nähe zum offenen Meer, damit aber auch über die des Klimas und der Wärme.

Ob es sich um materiellen Komfort, um das Denken, um Dichtung, Sitten oder Staatskunst handelt: der Fortschritt ist in unserem Kulturkreis immer vom Süden und Westen her nach Norden und Osten vorgedrungen, von Mediterraneum und Atlantik nordwärts und ostwärts. Ebenso war es übrigens auch im Nahen und im Fernen Osten, wo die Verfeinerung vom Süden und von Osten her längs der großen Ströme aus der warmen Zone nach Inner-asien und in Richtung zum Eismeer vordrang. Auf unseren um-grenzten Fall angewandt: als in Frankreich und in Italien das Stadium der prunkvollen Barockdramatik sich dem Ende zuneigte oder bereits überwunden war, entfaltete diese in Österreich ihre Hochblüte. Das volkstümliche Theater brauchte hier noch länger, um von einer Stufe, die in Frankreich den Wanderbühnen vor Molière, in Italien einer noch älteren Seelenlage entsprach, eine nächste Stufe zu erreichen, die ihrerseits den Zuständen in den romanischen Ländern kurz vor der Revolution vergleichbar war. Die deutschen Provinzen der Habsburger-Monarchie hinkten auch hinter Norddeutschland nach, wo das kühlere Klima durch andere geographische und historische Gegebenheiten ausgeglichen wurde. Die Meeresnähe bedingte eine größere Aufnahmefähigkeit für Westimport und die Verbreitung der sogenannten Aufklärung in den Schichten, die durch den Protestantismus dafür mehr vor-bereitet waren. Die Alpen, der Katholizismus, die vom Absolutis-mus weniger gebrochene soziale Geltung des Großgrundherren-adels und ein noch immer auf der Landwirtschaft beruhendes Gesellschaftsgefüge im Verein mit einer grundkonservativen Hal-tung des Bürgertums – außer dessen gebildeten Kreisen –, der Bauern und sogar der Gruppen, die wir heute dem Proletariat zu-weisen würden, verlangsamten das Einsickern neuer westlicher Moden und Gedankenströmungen, wenn sie auch derlei völlig zu verhindern ebensowenig imstande waren wie die Zensur oder irgendwelche Repressivmaßnahmen.

Der Hanswurst, aus dem nördlichen Deutschland durch den Herrn Professor Gottsched und die von diesem begönnerte Truppe der Neuberin vertrieben, wurde in Wien durch den Kollegen des Leipziger Geschmackdiktators Josef von Sonnenfels, den Enkel eines Berliner Rabbiners, scharf aufs Korn genommen. Doch der ganze Zorn der deutschen und österreichischen Bewunderer und Ableger der Enzyklopädisten richtete sich nicht mehr gegen den – um ihn so zu nennen – orthodoxen Hanswurst, der allmählich Spuren von Altersschwäche zeigte, sondern wider einen Erneuerer und Umgestalter des von Stranitzky geschaffenen Typs, den Bernardon, in seinem bürgerlichem oder sagen wir adeligem Zivilleben Josef Felix von Kurz (1717–1783), aus eigenen Gnaden und jenseits der Reichsgrenzen sogar Baron. Dieser mit allen Salben geschmierte Nachkomme eines Kemptener geadelten Patriziergeschlechts hatte günstige Voraussetzungen, um den Pedanten und Griesgramen Widerstand zu leisten, doch auch er mußte in Wien das Feld räumen, denn ihm weihte die Kaiserin besondere Abneigung. Da half weder die versteckte Protektion Franz Stefans, der sich der von ihm geliebten und gefürchteten Gemahlin nie offen zu widersetzen wagte, noch gar das Wohlwollen der Wiener Aristokratie. Kurz-Bernardon mußte von Wien mehrmals weg. Schließlich kehrte er von seinem letzten Aufenthalt in Polen, wo er außerordentlichen Beifall, Zutritt zu den höchsten Sphären, doch keine finanziellen Rücklagen von Belang fand, nach Wien zurück und starb dort in bedrängten Verhältnissen. Er war ein Schauspieler von feinster Kunst der Mimik, dessen ständige Figur, Bernardon, durch ihre falsche Naivität und ihre echte Unverfrorenheit einen gewissen perversen Reiz ausübte. Der für Wiener Theaterdirektoren ruinösen, von Kurz geteilten Freude an kostspieliger Ausstattung, insbesondere an durch Bühnenmaschinerie vorgetäuschtem Zauber gesellten sich als anziehende Kräfte das glänzende Zusammenspiel eines Ensembles hinzu, dergleichen man auf der volkstümlichen Bühne der Residenz zum erstenmal sah und das erst unter Carls Direktion am Leopoldstädter Theater Ebenbürtiges fand. Bernardon, der veredelte, verjüngte Hanswurst, der zwar platte, doch witzige Autor einst so vielbelachter Stücke wie »Die Judenhochzeit« und »Der Prahler«, hat sich nicht nur für die Stegreifkomödie gewehrt, so lange es ging; er ist auch einer der ersten, die – den Hanswurst noch in allen Ehren – einen geschriebenen festen Text eines auf den ersten Blick ans Barocktheater und an dessen ältere Parodien gemahnenden, absonderlichen Erfolgstücks verfaßt haben: »Die getreue Prinzessin Pumphia und Hanswurst, der tyrannische Tartar-Kulian«. Dem Kundigen zwingt sich sofort die Erinnerung an

36

Nestroys »Judith«-Parodie auf, in der die hagere Hünengestalt des Autors als verführerische jungfräuliche Witwe ähnliche Wirkung auf die Zwerchfelle des Publikums auslöste wie Kurz als persische Prinzessin, auf die der tartarische Groß-Bösewicht sein lüsternes Auge geworfen hat.

Der Stern Bernardons ist an der Stätte seines hellsten Leuchtens erloschen, wo er in den Jahren vor Ausbruch und zu Beginn des Siebenjährigen Krieges noch mehr gefunkelt hatte als Staatsmänner und Feldherren. Ein Meteor hat ihn überstrahlt, Philipp Hafner (1735–1764). Wiederum ein Wiener, dessen Vater aus dem Reich zugewandert war, und wie Prehauser einer aus dem Volk, Sohn eines Amtsdieners in der Reichskanzlei. Waren die Stranitzky, Prehauser, Kurz zweifellos als Darsteller höchstbegabt, so kann man von Hafner ruhig behaupten, daß er ein dichterisches Genie gewesen ist; ein verbummeltes, verkommenes, vom Schlag der Villon, Chatterton, Günther und Grabbe, ein früh Vollendeter und dennoch Unvollendeter, der sein Dasein vergeudet hatte, ehe er auch nur einen kleinen Teil seiner Möglichkeiten ausschöpfen konnte. Binnen dreier Jahre hat er eine Reihe von Stücken geschrieben, von denen zwei, »Der Furchtsame« und »Die bürgerliche Dame«, das Format einer ortgebundenen Komödie sehr überragen. Die mitreißende Lustigkeit von »Evakathel und Schnudi« – Kurz-Bernardon als ins Herz treffende Verhöhnung erzverhaßt – und die großartige Satire gegen die schulmeisternden Aufklärer, »Megära, die förchterliche Hexe«, sind nur noch literarische Kuriositäten; ihre Zeit, eine recht lange, da sie Lebendes bekämpfend, selbst lebendig waren, ist vorbei. Doch »Die bürgerliche Dame« hat unter den entlarvenden, bissigen Abrechnungen mit jederlei Snobismus – *avant et après la lettre* – ihren dauernden Platz, und »Der Furchtsame« hat etwas von Pirandello und vor allem sehr viel von Nestroy – »i laß' mir mein' Aberglaub'n durch ka Aufklärung raub'n« – in sich. Der arme Hafner war übrigens selbst eine Nestroysche Figur, im liederlichen Erdenwallen so charmant verlumpt und heiter wie die Helden späterer Besserungsstücke, dann hingerafft von einem Tod, dessen Tragik nicht in die Konvention des heiteren Volksstücks paßte. Für den Rang, den mit Gespür bedachte Zeitgenossen Hafner zu Lebzeiten beimaßen, sei als bezeichnend erwähnt, daß er im theaterfrohen Polen Stanislaw

August Poniatowskis als einziger Autor des Wiener volkstümlichen Dramas aufgeführt worden ist.

Kein Genie, doch der Schöpfer eines neuen liebenswürdigen Charakters war Johann Laroche (1745–1806), Enkel eines Franzosen, Sohn eines Lakais – ein Beruf, der offenbar die Söhne vorzüglich zum Hanswusrt in allen Abarten befähigte. Kasperl Larifari, später auch ohne Familiennamen und Käsperle geheißen, war lustige Person, erfindungsreicher Diener, neben den Vornehmen so etwas wie der ungestalte Hofzwerg zur Seite des entzückenden Prinzeßchens auf den Bildern von Velazquez, vulgärer Hintergrund, von dem sich die Feinheit der langweiligeren Hochgeborenen stolz abhob, doch ein Herzensbezwinger, dem, nachdem er längst seine Wirkung auf die Erwachsenen eingebüßt hat, die Kinder bis heute treu geblieben sind. Der große Kasperl Laroche hatte seine kleineren Gegenstücke in zahlreichen Holzhütten, zuletzt noch im Prater und überall in der Provinz. Auch er wurde von einer neuen Verkörperung des scheinbar unsterblichen Hanswurst abgelöst, vom Thaddedl, den der ausgezeichnete Komiker Anton Hasenhut (1766–1841) spielte, und noch vom Wiener Bürger Staberl, der schon ganz real anmutenden Figur, die durch Adolf Bäuerle (1786–1859) ersonnen wurde. Bei näherem Zusehen werden wir aber die Spuren des Hanswurst noch in ungeahnten Bezirken der hohen Kunst und in Figuren erkennen, die aus ganz anderen Zonen zu stammen scheinen. Ist nicht auch Papageno, der Furchtsame, Tratschsüchtige, auf ein Mädchen oder Weibchen erpichte Vogelfänger aus der »Zauberflöte«, ein Sproß des Salzburger Bauernburschen?

Plötzlich entdecken wir, daß die Wiener Volksbühne auf dem besten Wege war, nach gesicherter Position in der bürgerlichen Gesellschaft der *Cité des Lettres* einen Adelsbrief zu erlangen, zugleich den Anschluß an zwei Strömungen der Hochliteratur zu finden, an die sie bekämpfende Aufklärung und an die über Sturm und Drang hinweg aufstrebende Romantik. Dieser zinsten der geschickte Vielschreiber Karl Friedrich Hensler (1759–1825), ein Württemberger, dessen »Donauweibchen« als Sagengestalt in Wien so populär geblieben ist wie ihre berühmtere, ebenfalls frei erfundene Schwester vom Rhein, die Loreley, und der noch produktivere, in Vor- und Familiennamen den näheren ostpreußischen und ferneren französischen Ursprung verratende, doch völlig eingewienerte Joachim Perinet (1765–1816). Dem sich später Emmanuel nennenden, aus Regensburg gebürtigen Johann Jakob Schikaneder (1751–1812) täte man arges Unrecht, gedächte man seiner nur als des Librettisten der »Zauberflöte«. Er hat die Wiener Volksbühne um eine Reihe zugkräftiger und lebensvoller Stücke bereichert, deren hohe Aufführungszahlen den durch sie geweckten nachhaltigen Eindruck belegen: »Die Fiaker in Wien«, »Die Fiaker in Baden«, »Die bürgerlichen Brüder« und vor allen den »Tyroler Wastl«, einen aus seinen Bergen in die Residenzstadt verpflanzten Nachfahren des La Fontaineschen »Paysan du Danube« oder auch des Seumeschen Huronen, der von Europas übertünchter Höflichkeit zwar einiges kannte, doch wenig von ihr hielt. Schikaneders Nachruhm haftet gleichwohl an dem von der Aufklärung durchpulsten, dabei dennoch an die Barocküberlieferung anknüpfenden Text zur unsterblichen »Zauberflöte« Mozarts.

Dieses Misterium, das schönste, lieblichste der Oper, oder warum nicht: der Musikdramatik vor dem erhabenen »Parsifal«, ist im Grunde kaum weniger hermeneutisch, verschlüsselt als das des Bayreuther Meisters. Die Leitideen, von denen Mozart und Schikaneder gleichermaßen inspiriert wurden, waren die maurerischen des *Siècle des Lumières*. Doch nicht wegen des weltanschaulichen Gehalts, nicht um der Gedanken willen hat »Die Zauberflöte«, keineswegs sofort, ihre ungeheure Volkstümlichkeit in Wien gewonnen. Auch ihr, deren Musik freilich den dafür empfänglichen Österreichern ins Ohr und ins Herz ging, hat vor allem das Zusammenwirken von Ausstattung und Schauspielkunst den Erfolg gesichert. Um wieviel mehr entschieden diese beiden Elemente die Aufnahme beim Publikum, wenn es sich um Bühnenwerke geringeren Ranges handelte!

An der schönen blauen Donau frönte man – fast erzittern wir heute, das furchtbare Wort niederzuschreiben – dem ausschweifendsten Personenkult. Goethes etwas anders gemeinte Aussage: »Höchstes Glück auf Erden ist doch die Persönlichkeit!« gilt für Wien in verändertem Sinn. Höchstes Glück ist dort, eine ›Persönlichkeit‹ zu sein, die – gemäß dem Stil der Zeitungen – ›bemerkt wird‹, und um die sich, wenn sie irgendwo eintrifft, erscheint oder auch nur spazierengeht, sofort Scharen von Neugierigen, Bewunderern, Verehrern sammeln; wenn es nicht nur eine ›Persönlichkeit‹, sondern sogar eine ›Allerhöchste‹ ist, wird Spalier gestanden, und ist es eine Persönlichkeit zweiten Grades, wendet man den Hals, tuschelt und vertratscht. Schauspieler, Sänger, Bühnendichter, Theaterdirektoren gehörten seit der zweiten Hälfte des 18. Jahrhunderts zu den ›Persönlichkeiten‹. Ihre werte Person beschäftigte die Donauphäaken stets mehr als die Sache, der Autor und Darsteller dienten. Was auf der Schaubühne zunächst entgegentrat, das waren die Künstler, deren Gesichtszüge, deren Sprechweise, deren Spiel den Theaterbesuchern vertraut wurden. Erst danach kamen Ideen und Form eines Stücks. Noch heute erzählt die ältere Generation vom Kainz als Hamlet oder Fiesko, vom Klang der Stimme Sonnenthals im »Meister von Palmyra« und noch mehr darüber, daß Slezak geböhmakelt und zahllose Anekdoten verzapft, daß die Renard einen Kinsky regelrecht geheiratet habe, daß Aslan herrlich Französisch sprach. – Wir beschränken uns auf gutartige Beispiele des Klatsches und schweigen von den boshaften, ehrabschneidenden –. Nicht anders war der Brauch im maria-theresianischen, im franziszäischen und im franzisko-josephinischen Wien. Im Vormärz hatte der Theatertratsch eine weit gewichtigere Aufgabe; er füllte die Spalten der Zeitungen, um die Leser von gefährlicher politischer Neugierde abzuhalten.

Vielleicht noch mehr als Schauspieler und Sänger regten die Direktoren der Musentempel die Phantasie der Wiener an. Waren die Mimen die sichtbaren Leitgestalten der Bühnenwelt, so beharrte die tatsächliche Obgewalt bei den Unternehmern. Diese entschieden über die Art der Produktion, sie vermochten Dichter und Schauspieler emporzuheben oder sie zu vernichten, sie formten behutsam und verstohlen den Geschmack der Zuschauer, sie lenkten den Thespiskarren, den Publikum, Autoren, Kritiker, Schauspieler und Zensoren zu schieben wähnten. Bis um 1780 waren die ›Prinzipale‹ meist Bühnenkünstler, denen ihr Organisationstalent oder ihre geschäftliche Begabung an die Spitze eines Ensembles emporgeholfen hatten; mit dem fuhren sie von Ort zu Ort, bis sie eine Wirkungsstätte auf längere Zeit gefunden hatten. Ständige Bühnen gab es in der Residenz vor allem unter der Ägide des Monarchen, die Theater nächst dem Kärntnertor und nächst der Hofburg. Dazu traten 1781 das Leopoldstädter Theater, 1787 das im fürstlich Starhembergschen Freihaus auf der Wieden und 1788 das in der Josefstadt. Das jüngste und kleinste Haus stand trotz mancher Anläufe und kurzer Glanzperioden zurück. Der erbitterte Konkurrenzkampf währte zwischen den beiden anderen Bühnen bis ins 20. Jahrhundert, als sie längst vom Sprechstück abgerückt waren, und die Operette von Offenbach und Johann Strauß bis zu Lehár auf ihren Brettern allein herrschte.

In der Leopoldstadt erwarb sich während einer fast zwei Dezennien dauernden Direktionsführung Karl Marinelli (1744–1803) allgemeine Beliebtheit, Ansehen, ein beträchtliches Vermögen und schließlich den erblichen Adel mit dem Beiwort ›Edler von‹ als erster aus einem noch vor gar nicht langer Frist zu den Außenseitern der Gesellschaft zählenden Berufskreis. Der nächste Leiter der Leopoldstädter Bühne Karl Hensler, der Vater des »Donauweibchens«, war als Serienfabrikant gefühlvoller geistiger Volksnahrung noch erheblich tüchtiger denn als Schauspielhaus-Unternehmer. Endlich traf der ganz richtige Mann auf den richtigen Fleck: Karl Carl. Er verschaffte als Direktor dem zuletzt nach ihm geheißenen Leopoldstädter Theater den unbestreitbaren Platz als erste Vorstadtbühne, sich selbst ein Millionenvermögen und den Wienern eine Heimstätte der volkstümlichen heiteren Muse, eine Sprechbühne, der nicht so bald Ebenbürtiges zur Seite gesetzt werden konnte. An blendenden Schauspielern hat es diesem Theater auch in der schlechtesten Konjunktur nicht gemangelt. Dem Kasperl Laroche war als Staberl der bucklige Ignaz Schuster gefolgt. Bald werden Nestroy und Scholz deren Erbe unter geänderten Voraussetzungen antreten, der erste dieser beiden auch als genialer Hausdichter, der seine Vorgänger am Leopoldstädter Theater: Castelli, Bäuerle, Gleich, Meisl weit übertrifft.

Das Theater im Starhembergschen Freihaus, hernach das 1801 eröffnete Theater an der Wien, stand unter wechselnden Sternen. Bald schnellte seine Glorie hoch empor – so als dort Schikaneder die »Zauberflöte« zur ersten Aufführung brachte –, bald mußte es schwer um sein Bestehen ringen. So mannigfach wie der künstlerische und finanzielle Erfolg dieser Bühne waren auch die Persönlichkeiten ihrer Eigentümer und Leiter. Emmanuel Schikaneder, wiederum eines Lakaien Sohn, gebürtiger Bayer aus Regensburg, hochbegabt als Schauspieler und als Theaterschriftsteller, mit Aspirationen, denen seine bedeutenden geistigen und wirtschaftlichen Möglichkeiten trotzdem nicht gewachsen waren, ist zuletzt verarmt im Wahnsinn gestorben. Sein auf- und abwogendes Leben bot einen vortrefflichen Stoff für einen der damals und noch mehr in der nächsten Generation in den Leihbüchereien verschlungenen Künstlerromane. Doch schien sich ein nicht nur dem Kunstzigeuner verderbliches Schicksal an ihm zu bestätigen. Auf dem Wiedener Theater lastete eine Art von Verhängnis. An ihm ruinierten sich theaternärrische Aristokraten wie Graf Ferdinandt Pálffy und eine Gesellschaft seiner als Mäzene sich anbietenden Standesgenossen. Beinahe hätte sich sogar der gewitzte Carl an dieser gefährlichen Wirkungsstätte einen bedrohlichen Aderlaß zugezogen. In seinem cäsarischen Drang, Alleinbeherrscher aller wichtigen Wiener Vorstadtbühnen zu werden, ist der ›Baron von Bernbrunn‹ nicht nur auf einige Zeit Direktor des Wiedener Theaters geworden, sondern er hat auch nach dem Josefstädter Theater gegriffen. Dieses dankte, für Wien bezeichnend, sein Entstehen der Munifizenz des Gastwirts »Zum goldenen Strauß«, der, seinem Schwiegersohn Karl Mayer zu Gefallen, als Geldgeber einer vielseitigen kleinen Sprechbühne auftrat. Den wirtschaftlichen Unterbau übernahmen nach dem Straußenwirt ein Eisenhändler und ein Apotheker. Doch der den Feinschmeckern wohlbekannte Spender lukullischer Genüsse sprang nochmals entscheidend ein, als 1822 ein neues Musenheim in der Josefstadt gebaut wurde, bei dessen Eröffnung den Besuchern ein – um in der Wiener Mundart zu sprechen, in der Erhabenes und Gewöhnliches eng beieinander wohnen – ›Gustostückel‹ besonderer Art serviert wurde, die zu diesem Anlaß von niemand Geringerem als Ludwig van Beethoven komponierte »Weihe des Hauses«. Direktor wurde der an anderen Bühnen erprobte Karl Hensler. Unter den Schauspielern glänzte Ferdinand Raimund; als Carl ephemer das Zepter schwang, waren Scholz und Nestroy hier zu Gast. Noch einmal schlug für das Josefstädter Theater eine Sternstunde, als dort am 13. Januar 1834 Raimunds »Verschwender« erstmals über die Szene ging. Dann nahte die Ära des einstigen Turmbläsers aus Preßburg František Pokorný, der sich in den schwerreichen, großmächtigen Rivalen Carls als Theatermanager der Kaiserstadt, Franz Pokorny umwandelte, mehrere Vorstadttheater gründete und neben romantischen Opern das Volksstück in allen Schattierungen pflegte, seit 1845 auch das Theater an der Wien dem darüber fassungslosen Carl entrissen hatte und auch da Seide zu spinnen vermochte. Der

Kreis ist geschlossen, und wir sind nun wieder bei Carl angelangt. Sein bürgerlicher Name war Carl Andreas Bernbrunn. Sohn eines reichen jüdischen Bankiers und einer Freiin Wetzlar von Plankenstern, der Tochter eines vielfachen Guldenmillionärs und Heereslieferanten, des nach seinem Übertritt zum Katholizismus in den Reichsfreiherrnstand erhobenen Abraham Wetzlar, legte er sich selbst den Barontitel bei. In Krakau 1789 geboren, diente er in seiner Jugend als Offizier in der kaiserlichen Armee, verließ diese Laufbahn aus undurchsichtigen Gründen – die im Wiener Stadttratsch in schwarzen Farben dargestellt wurden –, wurde Schauspieler und errang in München die Gunst des königlichen Hofs, des Publikums und sogar der Kritik, eines artigen Kapitals zu geschweigen. Nachdem er am Leopoldstädter Theater 1838 seinen endgültigen Hochsitz genommen hatte, konnte er das volle Maß seiner vielseitigen Theaterkunst beweisen. Als Schauspieler, zum Beispiel und vor allem in den Staberl-Rollen und in Nestroys »Lumpacivagabundus«, hatte er schon am Wiedener Theater die Zuschauer entzückt. Als Regisseur, der durch die Ausstattung auch schwächere Stücke bejubeln machte, endlich als Erspürer großer Bühnentalente, suchte er seinesgleichen. Doch auch auf zwei anderen Gebieten übertraf er jeden Rekord. Als Unternehmer beutete er die Biegsamen, Einzuschüchternden bedenkenlos aus. Dort aber, wo er auf harten Widerstand stieß, wie etwa im Fall Nestroy bei dessen »Frau«, war er freigiebig; denn als guter Kaufmann wußte er, daß konkurrenzlose und allbeliebte Ware ihres hohen Preises wert war. Unbestreitbar und Gegenstand eines unheiligen Legendenkranzes waren die erotischen Triumphe Carls, die er ebenfalls unter Einsatz seiner wirtschaftlichen wie seiner theaterköniglichen Macht erntete. Seine weiblichen Bühnenmitglieder betrachtete er als einen Harem, aus dem er, der Sultan, seine Favoritinnen holte. Fügen wir noch die an Sklaverei grenzende Abhängigkeit, in der er seine Theaterdichter hielt, hinzu, so rundet sich sein Bild zu einer nicht sehr sympathischen Gesamtpersönlichkeit. Und dennoch war er ein Liebling des Publikums, erfreute er sich der Huld des Kaiserhauses und des Wohlwollens der vornehmen Welt. Ja, sein Charme, den er zu entfalten wußte, sooft ihm das nützlich oder gar notwendig schien, verfehlte seine Wirkung nicht einmal bei den Opfern seiner weniger freundlichen Charaktereigenschaften.

Dank der Übereinstimmung dieser drei Faktoren: der Schauspieler, die den energischen, unbeirrbaren Führer schätzten, der Theaterbesucher und des Direktors konnte sich an dessen Vorstadtbühne eine harmonische Blüte entfalten, die nur vom damaligen Burgtheater erreicht worden ist. Schauspieler, die von Spielfreude überquollen, ein Bühnenleiter, der seinen Beruf leidenschaftlich liebte und der sein Geschäft – das Wort im doppelten Sinn gebraucht – aufs beste verstand, Zuschauer, denen der abendliche Theaterbesuch Krönung des Tagwerks war, bildeten eine Gemeinde, deren Mitglieder engsten Zusammenhang pflegten. Kraft stillschweigender Übereinkunft mußten die privaten Angelegenheiten der Theaterleute im Geist der Anschauungen des Publikums geregelt werden. Dieses schuldete dafür den Bühnengrößen Neugierde und Beachtung, die sich bis auf die kleinsten Einzelheiten ihrer täglichen Existenz erstreckte. Dabei wurde genau unterschieden zwischen dem, was innerhalb des Musentempels und dem, was außerhalb dieser heiligen oder recht unheiligen Kultstätte billig war. Hier waren Direktor und Schauspieler untertänige Diener des P. T. Publikums. Auf den Theaterzetteln, den Einladungen zu Benefizvorstellungen, bei Dankreden schwelgten die Künstler in Ehrerbietung vor den verehrungswürdigen Gönnern, den unvergleichlichen Kennern und vor den Wienern überhaupt. Für den Hervorruf dankte man glückstrahlend durch tiefe Verneigungen, Tadel und Zischen mußten demütig ertragen werden. Wehe dem, der auf Mißfallensbezeigungen mit Gleichgültigkeit oder gar mit Ironie und Grobheit antwortete. Von den Polizeistrafen abgesehen, hatte er mit brüskem Ende seiner Beliebtheit, wenn nicht seiner Bühnenlaufbahn zu rechnen. Das Publikum mischte sich in die Liebesaffären seiner Günstlinge, pfiff ungetreue Ehemänner bevorzugter Schauspielerinnen aus, zischte den Direktor nieder, wenn dessen Finanzgebarung mißfiel und krawallierte oft ohne klaren Grund, nur um seine souveräne Gewalt darzutun.
Freilich genossen die Bühnensterne dafür die stolze Genugtuung, als ›Persönlichkeiten‹ gegrüßt und angestarrt zu werden. Wo sie erschienen, widmete man ihnen – und widmet man ihnen bis heute – mehr Beachtung als Politikern, Wirtschaftskoryphäen und weltberühmten Gelehrten. Die galanten Abenteuer, die Kleidung, die Gewohnheiten der Schauspieler und besonders der Schauspielerinnen bildeten einen Gesprächsstoff in Salons und Werk-

stätten. Das Gehaben, die Redewendungen, die Redeweise der Stars werden nachgeahmt. Der übersteigerte Umlaut und das harte ›T‹, die aus Girardis Mund zu hören waren, wenn er von einem Mädchen sprach, waren für ein halbes Jahrhundert obligat. Betraten oder verließen die vergötterten Mimen das Theater, so warteten begeisterte Jünglinge und Backfische beim Ausgang – dem ›Bühnentürl‹ – mit der Bitte um ein Autogramm oder ein Bildnis. Es war schwer und verlockend, in Altwien dramatischer Künstler zu sein!

Mitunter sehr schwer. Denn eine Gruppe von Mitbürgern betrachtete es als ihre Sendung, die Eintracht zwischen Direktor, Schauspieler, Dichter und Publikum zu stören: die Kritiker. Sie waren die Gebieter über den Teil der Presse, in dem sich die Freude am Fest, am Klatsch, also die stärksten Neigungen der Wiener Öffentlichkeit, aufs üppigste ausleben durften. Die Rezensenten glichen ihren späteren Nachfolgern – die dann in allen Rubriken ihr Unwesen trieben – darin, daß sie mit überlegen-überheblichem Ton, dabei dem Leser plump schmeichelnd, Menschen und Dinge, Ereignisse und Ideen im Namen einer Weltanschauung aburteilten, die allein als eines vernünftigen Zeitgenossen würdig und als Frucht edelster Geistesfreiheit hingestellt wurde. In Wahrheit holten die Kritiker ihre Meinung aus ihrem eigenen Sentiment und Ressentiment; sie gehorchten oft Beweggründen, die weit außerhalb der Ästhetik oder der Philosophie, der Moral oder Bühnenkunde lagen. Tut nichts, ob sie nun nur oder auch sich selbst, ob sie einem höheren Auftrag des jeweiligen Zeitungsboß folgten, sie identifizierten die von ihnen geäußerte mit der öffentlichen Meinung, ihr Raisonnement mit der absoluten Vernunft. Damit schalteten sie von vornherein den Widerspruch der meisten Leser aus und erreichten eine Suggestion, gegen die kaum anzukämpfen war. Wer wollte für dumm und als Sonderling gelten? So wurden die Urteile der Kunstrichter zu verpflichtenden Lehrsätzen und persönliche Händel mit Direktoren, Dichtern, Schauspielern zu Angelegenheiten der öffentlichen Meinung. Und Direktoren, Dichter, Schauspieler hatten knirschend, unvermögend es ganz abzuschütteln, das Joch der Unterwerfung unter anmaßende Diktatoren zu erdulden.

Man durfte zufrieden sein, wenn der Zeitungstyrann ein gutmütiger Bruder Liederlich war, wie Adolf Bäuerle oder Ignaz Castelli.

Schlimmer waren die frisch emanzipierten und, wo sie es konnten, ihre Komplexe abreagierenden zugereisten Jünglinge aus Böhmen, Mähren, Ungarn, die ihren auf andern Sektoren noch zur Untätigkeit verurteilten Willen zur Macht oder auch nur ihre Freude an Sensation und Skandal nun gegen die Bühnenwelt austobten. Der schlimmste unter ihnen war der König der Journaille, der Schrecken aller Dichter und Darsteller, der Vorkämpfer der Erpreßfreiheit, der Polizeispitzel, unerbitterliche Feind jeder echten Kunst, unermüdliche Lobredner der ihm gefügigen Mittelmäßigkeit, der unausstehliche Wortfalschspieler, der falscheste aller Edelsteine, Moriz Saphir (1795–1858). Wie Herostratus ist er durch das Übermaß seiner, in diesem Fall kritischen, Missetaten, dennoch in die Unsterblichkeit als das – erst in neuester Zeit übertroffene – Vorbild seiner traurigen literarischen Gattung eingegangen. Wir werden dem Unhold, der in seinem »Humorist« die bösartige Wirkung seines grausame Wunden schlagenden Witzes und Aberwitzes umherstreute, und vor dessen heimtückischer Gegnerschaft zeitweise alles bebte, in der Erzählung von Nestroys Leben nochmals begegnen.

Es war vielleicht die ärgste Schande der vormärzlichen Zensur, daß sie, die stupid streng und andererseits ›gar net aso‹ sein konnte, dem widerlichen Burschen nicht das Handwerk gelegt hat. O diese Behörde, in der fleischgewordene Bleistifte den Ideen die Köpfe abbissen! Wir haben von ihr schon im allgemeinen berichtet. Im engeren Wiener Umkreis ihres Waltens war sie summa summarum besser als ihr Ruf und ihr Nachruf. Vor allem wählte sie lieber das Zuckerbrot als die Peitsche. Es ist erheblich mehr von den Fällen erzählt worden, in denen sie Dichter durch, zumeist ungern verhängte, Zwangsmaßnahmen behinderte, als von den zahlreichen Geschehnissen, bei denen ›kein Richter gebraucht wurde‹. Von Konflikten, bei denen zwischen dem prometheischen Drang des Poeten und der beschwichtigenden Absicht der Behörde ein vergnüglicher Ausgleich gefunden wurde, berichtet nur selten ein vorlauter Geschichtsschreiber. Die Tätigkeit der Zensoren erstrebte in erster Linie Staat und Gesellschaft auf eine konservative Generallinie zu bringen. Die menschgewordenen Bleistifte waren selbst ehemalige oder noch munter ihr Hand- und Kopfwerk betreibende Literaten. Häufig geschah es, daß sie sich – wie Courtelines Advokat, den während eines Prozesses die Ernennung zum staatsanwaltschaftlichen Funktionär erreicht – aus Saulussen in Paulusse umhäuteten, aber eine geheime Schwäche für ihre vordamaszenischen Ansichten behielten. Gentz und Deinhardstein waren alles eher als sture Polizeischergen. Die oberen Instanzen, zumal in Wien, waren gemäß der schwarzgelben Tradition klug und duldsam; doch die entfesselten Subalternen haben auch bei der Zensur bewiesen, daß sie über eine Waffe verfügten, gegen die sogar Götter vergebens kämpfen: die Dummheit. So und nicht anders erklären sich die Schikanen gegen reine und weltfremde Dichter, so die aufreizende Unfolgerichtigkeit, die den Elefanten durchließ und die Mücke festnahm.

Zensoren, Kritiker, Zuschauer, Schauspieler, Direktoren haben uns bisher beschäftigt. Nun kehren wir uns einem Wesen zu, das wie das armselige Knäblein auf Holders Gemälde »Der Auserwählte« verschreckt, von drohenden Gestalten umgeben, dennoch im Mittelpunkt beharrt: dem Autor. O des kläglichen Anblicks, den dieser Auserkorene gewährt! Vom Direktor wie eine Zitrone ausgepreßt, schlecht bezahlt und noch schlechter behandelt, den Kritikern eine Zielscheibe ihres Spotts und ihres Zorns, noch abhängiger von den Launen des Publikums und von der Gunst der Schauspieler fristete der Theaterdichter ein jammervolles Dasein, dem er gleichwohl laut Kontrakt ein laufendes Fließband heiterer Seiten abgewinnen mußte. Das ergab dann einen Text, der bei Gefahr für die bescheidene wirtschaftliche Existenz des Verfassers allen an der Bühnenaufführung Beteiligten zu behagen hatte. Ob dabei eine herrliche Dichtung, ein Sprachkunstwerk von hohen Gnaden herauskam oder ein an sich wertloser, doch treffsicherer Reißer, das war nebensächlich.

Vom Dichter wurde gefordert, eine *inspiration de commande*, eine schöpferische Eingebung auf Bestellung zu besitzen, nicht unähnlich im Grunde dem ›gesellschaftlichen Auftrag‹, der heute im Osten die dramatische Produktion regelt. Feierte das Allerhöchste Kaiserhaus ein frohes Ereignis, tauchten in Wien ein durch seine halsbrecherischen Fähigkeiten die Nerven kitzelnder Akrobat, gelehrige Affen, kluge Pudel oder Elefanten auf, beging ein Schauspieler sein Jubiläum, heischte die Mode ein Vaudeville, einen Sketch, ein Quodlibet, ein Melodrama, Ritterstücke, Zauberpossen, soziale Lebensbilder, Verkleidungen, begehrte man Hochtrabendes, Rührseliges oder Parodien:

Ob nur im Vers oder in Prosa,
ob für Tyrannen oder Posa,
ob für Verbrecher oder Richter,
Alles gestalten muß der Dichter.

Der dramatischen Literatur, die unter so kümmerlichen Begleitumständen erzeugt wurde, war der Stempel ihres Ursprungs tief
eingedrückt. Die größten Begabungen des Wiener volkstümlichen
Theaters waren auf Schritt und Tritt durch die ihnen verhängten
mannigfaltigen Rücksichten gehemmt. Sie wurden Routiniers, wie
sehr sie auch das Zeug zu originellen Schöpfungen in sich gehabt
hatten. Sie arbeiteten flüchtig, um nur die verlangte Quantität zu
liefern, da man ja auf Qualität keinen oder nur beiläufigen
Wert legte. Sie fügten sich in den überkommenen Rahmen und
sie leierten lieber zum hundertsten Mal ein abgedroschenes Motiv
herunter, statt das Ungewisse eines Versuchs mit neuen Einfällen
auf sich zu nehmen. Die Pflicht, das Publikum zu unterhalten, und
die Notwendigkeit, sich selbst zu erhalten, hat nur zu oft den
literarischen Ehrgeiz gedrosselt.
Gemäß dem Gesetz einer Trägheit, die aber nicht ohne weiteres
als geistige Minderwertigkeit abzutun ist, sondern auf dem schon
wiederholt betonten konservativen Charakter des Österreichers
im allgemeinen, des Wieners im besonderen beruht, wollte man
möglichst lang bei einer zur süßen Gowohnheit des Theaterdaseins
gewordenen Bühnendichtung verbleiben, bis plötzlich eine zweite
Komponente der Kunstgesinnung durchbrach: der Wunsch, keine
westliche Mode zu versäumen, keine deutsche Literaturströmung
das Donaubecken meiden zu sehen. Darum behauptete einerseits
Hanswurst in allen seinen Inkarnationen zäh das Feld, ließ man
sich andererseits von jeder Zeitkrankheit anstecken, manchmal
sehr bald, manchmal nach einer unwahrscheinlich langen Inkubationszeit. Jede Richtung der gesamtdeutschen Literatur hat im
volkstümlichen Theater Wiens Nachhall geweckt. Zur Zeit des
»Götz« und der »Räuber« wütete man, in den durch die hohe
Obrigkeit gestatteten Grenzen, gegen die konventionellen Lügen,
wider das ›tintenklecksende Saeculum‹ und ›in tyrannos‹. Die
bürgerliche Tragödie des Sturm und Drang verschuldete zahlreiche
Kindesmorde, Bedrängnisse durch hochadelige Schurkerei verfolgter bürgerlicher Unschuld und Doppelstarken-Exzesse. Man be-

lachte die Schildbürgereien der Kotzebueschen Kleinstädter, doch als in Weimar und in Jena die Klassik blühte, widersprach man dem von dorther übersandten Rat, sich mit dem Prater zu bescheiden. Man wollte nicht auch im Theater ein Donauphäake sein, und die Helden kamen spanisch samt wohlstilisierten Volksmassen. Die Schicksalstragödien setzten verhängnisvolle Gabeln und andere Werkzeuge der unbarmherzigen Moira in Bewegung, von der zweiten Romantik beseelt, stolzierten die Schauspieler mit Helm und Harnisch, mit Schwert und Panzer einher. Lebensbilder hätten eine gedruckte Galerie füllen können. Man zeigte Hunderte von Schicksalen, von der Wiege bis zum Grabe, im Kaleidoskop. Als dann aus Paris das Vaudeville herbeigeflattert war, hüpften die Darsteller leichtfüßig und unter geistreichen Reden über die Bretter; die Melodramen aber verbreiteten Furcht und Schrecken, Mitleid und Mitleidenschaft. Bis endlich das realistische und das pseudorealistische Drama den Einzug hielten. Doch das geschah schon nach Nestroys Epoche. Nur vom siegreichen Vorstoß der französischen Operette ist er noch gestreift worden, und er hat mitgeholfen, ihr den Weg zu bereiten.

Das eigentliche Wiener Volksstück hat nach der Einteilung österreichischer Literaturforscher die Unterarten: das Zauberstück, die mythologische oder literarische Parodie und die Lokalposse. Derlei Klassifikation bringt den methodischen Gelehrten zur Verzweiflung; da sie aber eingebürgert ist, dürfen wir an ihr nicht vorbeigehen.

Die Zauberstücke stammen geradewegs vom Barockdrama der Jesuiten. Wie dieses beziehen sie grundsätzlich die Überirdischen mit ins dramatische Geschehen ein, verzichten sie auf die Nachahmung der sinnlich wahrnehmbaren Wirklichkeit und hegen einen den romanischen Ursprung nicht verleugnenden Hang zum Prunk. Wir haben schon betont, daß neben der Ausstattung im Wiener volkstümlichen Theater die Handlung nicht selten an Wichtigkeit zurücktrat. – Was allerdings nicht aufs echte Barocktheater zutrifft –. Manchmal verbanden sich Musik, Text und Dekorationen zur berückenden Gesamtheit, wie in der »Zauberflöte«. Es überwogen aber unter den bezaubernden Zauberstücken die Ritterstücke, die Possen, die Parodien, die ihre Anziehungskraft den Balletten, den Kostümaufzügen und nicht zuletzt den mit der amtlich behüteten Diskretion zur Schau gestellten Reizen des dabei mitwirkenden schönen Geschlechts schuldeten. Zum Erfolg trug sehr bei, daß die Zuschauer in den Genien und Magiern, in den Feen und Nixen oder auch in den Bewohnern exotischer Länder, die auf der Szene erschienen, sich selbst wiedererkannten: in einem Traumparadies, wo der Arm einer höheren Gerechtigkeit für dauernde Heiterkeit und zugleich für Strafe den Bösen, Belohnung den Guten sorgt. Um den Kontakt mit dem Publikum aufrechtzuerhalten, ist es zudem beim Zaubertheater unerläßlich, daß sich die Herrschaften und deren dienstbare Geister aus der vierten Dimension unter die Sterblichen mengen und daß die Handlung auf unser, an der schönen blauen Donau damals recht gemütliches, irdisches Jammertal übergreift.

Bei den Parodien und Travestien – beide Gattungen verschmolzen ineinander; bald wurde ein erhabener Stoff ins Lächerliche gezerrt, bald bewegten sich komische Personen in für sie wenig passender, gespreizter Feierlichkeit – war oft nicht zu entscheiden, ob die Verhöhnung der geschwollenen Reden und der aufgeblähten Großmächtigkeit ernst gemeint war oder ob der Ernst verspottet wurde. Die Neigung der Wiener zu einem Genre, das nach den Begriffen Voltaires als ein langweiliges abzulehnen gewesen wäre, ist ein fesselndes psychologisches Problem, freilich kein schwer zu deutendes. Man verspottete das, was insgeheim bevorzugt, bewundert wurde, und was man sich schämte offen zu bewundern. Man beschmutzte Dinge und Ideen, die trotzdem beachtet und geachtet wurden. Beweise für diese Tatsache sind leicht zu erbringen. Nur die Themen und die Stücke wurden parodiert oder travestiert, die großen Beifall ausgelöst hatten. Hafners »Evakathel und Schnudi« bezeugt den nachhaltigen Erfolg der »Prinzessin Pumphia« Kurz-Bernardons, Meisls »Frau Ahnl« den der Grillparzerschen »Ahnfrau«. Später haben Nestroys Parodien, vor allem der Werke Hebbels und Richard Wagners, ähnlichen tiefenpsychologischen Hintergrund. Nichts vermöchte das besser zu bestätigen, als die zunächst paradoxal anmutende Bitte der Direktion des Leopoldstädter Theaters – an dem die »Tannhäuser«-Parodie gespielt wurde – an die des Thalia-Theaters, wo das Original geringeren Zulauf hatte, dieses Wagnersche Musikdrama doch öfter zu geben.

Zu den Lokalpossen gehörten Stücke voneinander sehr verschiedener Art. Das, was sie gemeinsam hatten, das waren ihr nur durch äußere Rücksichten eingeschränkter Realismus, die Absicht, greifbare, an Ort und Stelle nachprüfbare Wirklichkeit zu bieten, dann die Verknüpfung mit Wiener Sitten und Unsitten, selbst wenn ein fremder Rahmen gewählt wurde. Die Menschen in einer ›großen Stadt‹, die wir uns irgendwo draußen im Reich gelegen zu denken haben, ja die Engländer, die Türken, die Wilden agieren und denken, von ein paar grotesken, deren heimisches Kolorit andeutenden Äußerlichkeiten abgesehen, durchaus gleich den Wienern. Es ist nicht anders als bei den mittelalterlichen Malern, die sich das Heilige Land und dessen Bewohner einzig in ihrer eigenen Umwelt und in ihrer zeitgenössischen Kleidung vorstellen konnten.

Die Grenzen zwischen den einzelnen Gattungen und Werken der Volksbühne sind, was wir abschließend unterstreichen sollen, willkürlich und verschwommen. Überall begegnen wir den gleichen szenischen Gesetzen, der gleichen vorsichtigen Satire, der gleichen hausbackenen Bürgermoral, dem gleichen platten Optimismus, dem gleichen häufig schalen, doch liebenswürdigen Humor. Die Unterschiede sind eher qualitativ, je nach den Verfassern. Den besten Schöpfungen dieses Genres wohnt ein noch heute unverwelkter, unwiderstehlicher Reiz inne. Wir haben der vortrefflichsten Autoren bereits gedacht, die als Nestroys Vorläufer bis zum Ende der Maria-Theresianischen und Josefinischen Epoche zu rühmen sind: Prehauser, Kurz-Bernardon, Hensler, Perinet, Schikaneder und sie alle überragend der genialische Philipp Hafner. Ihnen wären der Schauspieler-Dichter Franz Xaver Gewey (1764–1819), ein von Rousseau angehauchter, doch beileibe nicht revolutionärer Sozialkritiker, und der nur mühsam seine Empörung bezähmende, mit seiner scharfen Zunge bereits Nestroy ankündende Ferdinand Kringsteiner (1775–1810) anzureihen. Gewey, zeitweilig Herausgeber der »Briefe eines Eipeldauers an seinen Herrn Vetter in Kakran«, einer anfangs der amtlich geeichten Aufklärung gewidmeten, seit der Französischen Revolution aber stockkonservativen volkstümlichen Zeitschrift, kritisierte nicht etwa die herrschende Ordnung, sondern die, denen die ihnen durch ihren Stand gezogenen Schranken nicht behagten: Bürgersfrauen, die Damen oder Dienstboten, die Bürgerinnen spielen wollten. Er tat das mit viel beißendem Witz, wie in seinen »Modesitten«. Kringsteiner, gleich Gewey Staatsbeamter, hat in Parodien und Lokalstücken Sittenschilderungen geboten, die sich bei näherem Zusehen als grausame Kritik entpuppten, oder Stücke, die nicht mehr beabsichtigten als durch höheren Blödsinn, doch mit köstlichen Einfällen zum Lachen zu reizen. Nachdenklich stimmt, wenn Kringsteiner von seiner Heimatstadt sagt, sie schaue von auswendig schön aus – »wie schad', daß sie ein wurmiger Apfel ist«. *Comme les grands esprits se rencontrent!* Dumas vergleicht zwei Generationen später ein verdorbenes Mädchen mit einem Pfirsich, der schön aussieht, innen aber wurmstichig ist. Man soll eben über das spezifisch Wienerische nicht das Allgemein-Menschliche im volkstümlichen Theater der Donaustadt vergessen.

Daran wird man schon dadurch erinnert, daß nicht nur Direktoren und Schauspieler, wir dürfen sagen: überwiegend aus dem Reich oder aus slawischer Umwelt stammen, sondern auch durch die Herkunft der Stoffe, die unter oft notdürftiger Verkleidung erst als italienischen, dann als französischen Ursprungs erkannt werden. Ignaz Castelli (1783–1862), ein unheimlich fruchtbarer Komödien- und Parodienschreiber, Beamtensohn und selbst Beamter der niederösterreichischen Herren Stände, seines italienisch klingenden Namens unbeschadet Urwiener, hatte zwar Anno 1809 so kampflustige Kriegslieder gegen Napoleon und dessen Heere gedruckt, daß er dafür von den siegreichen Okkupanten geächtet wurde. Das hinderte ihn jedoch nicht, der vorzüglichste Übersetzer und Bearbeiter vieler Dutzende französischer Theaterstücke zu werden und den Parisern für seine Eigenerzeugnisse allerlei abzugucken.

Wieviel wird sich als erklärter oder verhüllter Import aus Frankreich erweisen, das vorerst höchst bodenständig scheint! Es sei auf ein lehrreiches Beispiel aus anderen, östlichen Zonen hingewiesen. Bis vor nicht langer Zeit galt in Polen die Komödie »Sarmatyzm«, eine Satire auf die jedem fremden Kultureinfluß feindlichen Krautjunker, als urpolnisches, als ›sarmatisches‹ Originalwerk. Eines Tages aber ist entdeckt worden, daß es sich bei diesem anmutig-geistreichen Stück Zablockis um eine Transponierung der »Hobereaux de province« Hauteroches handelt.

Obwohl die Wiener Großlieferanten heiterer und schauriger dramatischer Massenware so ausgiebig und unbekümmert aus fremden Quellen schöpften, gehorchten sie dennoch dem Leitsatz, den ein Titel Meisls ausdrückt: »Überall ist's gut, doch zu Hause am besten oder Österreich, Frankreich, England und die Türkei.« Der Titel gibt uns nebenbei einen Hinweis, wohin sich die Auslandsinteressen der Wiener richteten.

Karl Meisl (1775–1853) war einer der drei unmittelbaren Vorgänger Raimunds und zusammen mit diesem Nestroys. Er vergeudete sein Talent an eine zweihundert Stücke umfassende Fabrikproduktion, sowohl des ihm leichten Erwerbs wegen, als auch und vornehmlich aus Leidenschaft zum Theater. Als mittlerer Beamter hätte er sogar ohne literarische Einkünfte keine Not gelitten. Seine großen Möglichkeiten sparsamer auszunützen, das verbot ihm der Ehrgeiz, nie von den Volksbühnen der Hauptstadt zu verschwinden, und so warf der im Hauptamt beim Marinedepartement sehr pflichteifrig Tätige während der zwei Jahrzehnte seiner Vollkraft – 1810–1830 – jährlich sieben bis acht Komödien, Parodien, Possen, insgesamt etwa 160, auf den Markt. Der Herr Rechnungsrat hat sich dabei nicht verrechnet. Er war und blieb zeitlebens ein Liebling seiner Mitbürger. Einiges aus seinem Gesamtwerk ragt heraus, vor allem Sittenschilderungen in Hogarths Manier, doch aus kleinbürgerlichem Milieu. So das in den konventionellen Rahmen eines Besserungsstücks eingefügte Lebensbild eines Wiener ›Früchtls‹ »Der lustige Fritz«, die seltsam an einen französischen Meisterfilm »Geschichte eines Fracks« erinnernden »Abenteuer eines echten Schals in Wien« und »Die Witwe aus Ungarn«. Er knüpft an Hafner und Kringsteiner an. Seine Travestien und Parodien über antike Stoffe – Offenbachiaden mit viel Pfeffer und ohne Salz – wirken heute ebenso abgeschmackt wie sein bei den Zeitgenossen beliebtester Reißer »Das Gespenst auf der Bastei«. Mehr Substanz als Meisl besaß der die Abkunft aus Schwaben herleitende Urwiener Adolf, recte Johann Andreas Bäuerle (1786–1859). Auch er war Staatsbeamter, wählte aber bald den Weg in die Freiheit eines risikovollen Berufs als Journalist und freier Schriftsteller. Fünf Jahre lang hatte er den Posten eines Sekretärs des Leopoldstädter Theaters inne, das ihn zusammen mit Meisl und Gleich außerdem als Hausdichter beschäftigte. Seinen gewaltigen Einfluß auf das Wiener Kulturleben, nicht nur auf die Bühne, verdankte er jedoch der von ihm begründeten »Wiener Theaterzeitung«, die seit 1806 bis zu Bäuerles Tod erschien, ihre Position freilich nach dem Revolutionsjahr einbüßte. Der einstige Literaturgewaltige hatte einen tristen Lebensabend. Von Gläubigern bedrängt, entzog er sich ihnen nach der Schweiz und starb verarmt und halbvergessen zu Basel. In seiner Glanzepoche war er so produktiv wie Meisl, obzwar er ›nur‹ 78 Stücke hinterließ; doch er schrieb zudem eine unwahrscheinlich große Zahl von Artikeln und mehrere Romane aus der Wiener Theaterwelt, so über Therese Krones, Raimund und Direktor Carl. Bäuerles Platz in der österreichischen Literaturgeschichte wird jedenfalls durch seine Bühnenwerke bestimmt. In ihnen offenbarte sich die Vielseitigkeit seiner Begabung. Derselbe Mann, der in »Aline« einen anmutigen Schleier der Märchenexotik über die Wiener Biedermeier-Landschaft breitete, zeigte seinem anfangs aufgescheuchten und erst allmählich gewonnenen Publikum ein wenig schmeichelndes Spiegelbild in handfester Erdhaftigkeit, wenn Staberl, letzte Metamorphose des Hanswursts, durch den patriotischen Kitsch von »Die Bürger in Wien« (1813) tänzelte und schnatterte. Staberl, der Parapluiemacher, kehrte in den mannigfachsten Verkleidungen immer wieder, zum Günstling seiner Stadtgenossen und beinahe zur Institution geworden: als geheilter Patient, als Bräutigam, auf Reisen, und als Physiker, als Krampus. Er, der von sich behauptete, er könne alles, begreife alles, wisse alles und der deshalb alles beurteilt, der überall ›seinen Krenn dazugibt‹, ist zugleich eine der lustigsten und eine der in ihrer scheinbaren Harmlosigkeit gefährlichsten Verkörperungen der Wienerseele. Wehe, wenn sie zu kochen anhebt: »ich bin ein kleiner Mensch, ein guter Mensch, wenn ich aber anfang, so bin ich ein Vieh«, sagt er von sich. Dabei ist er überzeugt, ja ›eh ein reines Lamperl‹ zu sein, und er ist durchdrungen von seiner, aus Alines Zauberwelt herrührenden, Erkenntnis: »ja nur eine Kaiserstadt, ja nur ein Wien«, was dann durch einen schlesischen Gast der Donauphäaken die endgültige, populäre Fassung bekam: »'s gibt nur a Kaiserstadt, 's gibt nur a Wean«. Von der liebenswürdigsten Seite erscheint der Wiener Volkscharakter im »Fiaker als Marquis«, eine Lokalposse, die ein hundertmal abgewandeltes Motiv – die angebliche Vertauschung zweier Säuglinge und die Folgen ihrer späteren Agnoszierung – lebensvoll und eigenständig, mit Witz und Gemüt behandelt.

Der dritte Vielschreiber, ein volkstümlicher Autor von einer die Meisls übersteigenden Fruchtbarkeit, der über 220 Theaterstücke hervorbrachte, Verfertiger eines Hundert schauriger Kolportageromane, Herausgeber der mit den Eipeldauern in Wettbewerb tretenden »Komischen Briefe des Hansjörgels von Gumpoldskirchen«, Staatsbeamter, der sich aber nur bis zum Rechnungsoffizial, nicht zu so schwindelnder Höhe wie der Rechnungsrat Meisl emporkrümmte, war Josef Alois Gleich (1772–1841). Aus dem Volke stammend, doch wie seine zwei Rivalen akademisch gebildet, im Privatdasein über das ortsübliche und standesgewohnte Maß hinaus bedenkenlos, trieb er mit seiner Begabung Raubbau. Als Sittenschilderer gefiel er sich mitunter in moralischen Anwandlungen. So in den »Musikanten am Hohen Markt«, einem Sprühfeuer von Witz, einer Vorahnung der »Fledermaus«; täuschend echt schildert er da die Seitensprünge einer vernachlässigten, in die höheren Sphären strebenden jungen Frau aus Kleinbürgerkreisen. Gleich hat Schillers »Fiesko« ungemein witzig parodiert. Er wäre dennoch vergessen, hätte er nicht ein anziehendes und wurmstichiges Werk sein eigen genannt, seine verführerische Tochter Louise, die nach einer schon bewegten Jugend Gattin des größten Dichters der Wiener volkstümlichen Literatur wurde, Ferdinand Raimunds.

Väterlicherseits einer niederösterreichischen Bauernfamilie Raimann (Raymann, Reimann) entsprossen, doch unmittelbar Sohn eines anfangs in Prag lebenden Drechslers, mütterlicherseits von Wiener Angehörigen dieser Handwerkerzunft herkommend, selbst 1790 in Wien geboren und früh verwaist, wurde der mittellose Knabe Lehrling bei einem Zuckerbäcker. In dieser Eigenschaft verkaufte er auf den Galerien des Burgtheaters süße Erfrischungen. Dabei erlag er der Anziehungskraft des Bühnenzaubers. Er ging zu einer Schauspieltruppe, gelangte immerhin mit vierundzwanzig Jahren ans Wiener Theater in der Josefstadt und spielte sich dort durch eine Hauptrolle von Gleichs »Musikanten am Hohen Markt« in den Vordergrund. Zwei Jahre später, 1817, wird er ans Leopoldstädter Theater engagiert, wo er in den Stücken Gleichs und Meisls seine überragende Kunst als Komiker eines verinnerlichten Stils entfaltete. Er war nun ein Star, dem die Wiener eifrig Beifall klatschten, und über den sie auch ohne Beifall fleißig klatschten. Dazu mangelte es nicht an Stoff. Der heißblütige, zugleich melancholische und cholerisch-sentimentale, reizsame Künstler hatte Liebesaffären, von denen drei in den Jahren 1818 bis 1821. Die erste, relativ harmlos, beendete ein von ihm allzu ernstgenommenes Verhältnis mit einer Bühnenkollegin durch handgreifliche Züchtigung, als er sie *in flagranti* ertappte. Die zweite, tragikomisch, könnte man »Die Heirat wider Willen oder erzwungene Ehe tut Gott leid« betiteln. Tochter Gleich fing sich den in eine andere Verliebten ein und überlistete ihn zusammen mit Papa Gleich durch eine plötzliche Heiratszeremonie. Das übereilt geknüpfte Band war bald zerrissen. Und nun setzte die große Tragödie ein, ausgelöst durch Raimunds echte, tiefe Liebe zu Antonie (Toni) Wagner, deren Eltern, wohlhabende Bürger, ein prosperierendes Kaffeehaus besaßen. Eine aufopfernde Lebensgefährtin, harrte sie bei ihm, dem hochgesinnten, doch unausstehlichen Sonderling geduldig aus. Diese Gemeinschaft war nicht, wie später die Nestroys und seiner ›Frau‹ Marie Weiler, durch unablässige Eskapaden des Mannes gestört. Die beiden aufrichtig frommen Partner hatten einander vor einer Mariensäule lebenslange Treue gelobt und diesen Schwur gehalten, obzwar sie sich täglich miteinander zankten. Sie litten sehr unter der Unmöglichkeit, angesichts der zwischen Raimund und Louise Gleich bestehenden kirchlichen Ehe ihrem Bund die sakramentale Weihe zu geben. Diese für einen gläubigen Katholiken beklemmende Dauersituation trug viel dazu bei, auf Raimunds Dasein jenen düsteren Schatten zu werfen, der den auf der Bühne überwältigend Heiteren bis zum frühen Freitod nicht verließ. Raimunds Selbstmord (1836) lag in der Logik des Verhängnisses. Den hypochondrischen Dichter hatte, wie ein Jahrzehnt zuvor, ein Hund gebissen, und er fürchtete nochmals, dadurch den Qualen der Tollwut preisgegeben zu werden. Da griff der Verzweifelte zur Pistole. Er entging aber weder den Schmerzen noch dem Tod, der ihn sechs Tage später erlöste. Es blieb Raimund Zeit zu beichten, zu kommunizieren und die letzte Ölung zu empfangen. So starb er dennoch als bekennender Katholik. An die Grundlinien seiner Abkunft, seiner Erziehung, seiner Weltanschauung und seines Charakters muß erinnert werden, um das Werk dieses unverfälschten Nachfahren des österreichischen, volkstümlichen Barocks recht zu verstehen. Das, was beiden rationalistischen Beamten Gleich, Meisl, Bäuerle nichts als Anpassung an eine wechselnde Konvention gewesen war, die Selbstverständlichkeit, mit der Übernatur und Natur ineinander verschmelzen, die wonnige und schaurige Gewißheit, daß wir stets und allerorts von geheimnisvollen

Mächten und Kräften umhegt sind, die Scheu vor einer zu harten Begegnung mit entzaubernder Wirklichkeit: diese Wesenszüge sind bei Raimund eingeboren, echt, unverlierbar. Stößt er allzu oft mit der Grausamkeit des Menschenschicksals zusammen und verbietet sich jede versöhnende Lösung des Konflikts, sogar gemäß dem Sprichwort ›Man weiß nie, wozu etwas gut ist‹, dann flüchtet er in die Resignation, zum österreichischsten Balsam auf die vom Fatum geschlagenen Wunden. Hilft auch das nicht, so bleibt eben nur der Ausweg in die Verzweiflung: im Leben, denn auf der Bühne ist ihm das durch die unantastbaren Gesetze der Wiener Volksbühne verwehrt. So breitet sich vor uns die Landschaft aus, in der sich Raimunds Phantasie und deren Gestalten bewegen: gelenkt vom sanften Gesetz, lieblich, holdselig, von entzückender Kindhaftigkeit des unbefangenen Betrachtens und von reifster Kunst des Gestaltens. In der Sprache reinste Poesie, die allmählich ihre Ungelenkheiten abstreift, erhebt sich dieses Werk, bei zunehmender Beherrschung des Bühnentechnischen, bald zur Meisterschaft.

Die Herzen der Wiener, die dem ausgezeichneten Schauspieler längst gehörten, flogen dem dramatischen Autor sofort zu. Sein »Barometermacher auf der Zauberinsel«, mit dem er 1823 erstmals als Theaterdichter erschien, konnte noch als verheißender Ansatz zum Wettbewerb mit den ›Großen Drei‹ Gleich, Meisl, Bäuerle gelten. Durch den »Diamant des Geisterkönigs« (1824) hob er sich deutlich über sie empor. Die kunstverständigen Wiener erspürten es: ecce poeta! Das Märchenspiel als Ganzes wurde ihnen nicht minder vertraut als einzelne Zitate daraus, wie das so banal klingende: »ich bin Dein Vater Zephises und habe dir nichts zu sagen als dieses«, das wir sogar in einem Brief des jungen Franz Joseph an seine Mutter antreffen. »Die gefesselte Phantasie« und »Die unheilvolle Krone« sind allegorische Auseinandersetzungen über die dichterische Sendung, die um so etwas wie eine Poetik kreisen. Den, der sich nicht scheut, auch Homer gelegentlichen Schlaf nachzusagen, will es bedünken, daß Raimunds bei aller Herrlichkeit erdnaher Genius schlummerte, als diese Ausflüge in antikmythische Zauberreiche unternommen wurden. Doch »Moisasurs Zauberfluch« dankt seine Unvergänglichkeit nicht dem indischen Rahmen eines Diamantenreichs, darin die Hauptfiguren bunt durcheinander die Namen eines chinesischen Flusses – Hoanghu –, von Arabern und Indianern tragen, sondern der nach Österreich verlegten Handlung, in deren Mittelpunkt der Bauer Gluthahn, ein herzlos-rohes Scheusal von erschreckender Lebenstreue steht. Endlich die drei Perlen aus einem Ruhmeskranz: »Das Mädchen aus der Feenwelt oder der Bauer als Millionär« (1827), »Der Alpenkönig und der Menschenfeind« (1828) und »Der Verschwender« (1834). Das erste dieser Stücke ist, übersetzen wir die Poesie in Juristensprache, sozusagen ein Motivbericht zum Urteil, das Raimund, das der österreichische Hausverstand über die unausbleiblichen Übel unserer Existenz fällt: Resignation auf Lebenszeit. Denn alles ist vergänglich: »Scheint die Sonne noch so schön, einmal muß sie untergehn« und dann: »nie wird sie durch Reichtum glücklich werden« oder auch: »das Gold ist eine Chimäre«. »Alpenkönig und Menschenfeind« bringt – um wiederum im Bereich der Themis zu beharren – den Prozeß, den Raimunds eines Ich gegen sein zweites anstrengt und gewinnt. Der herzensgute Melancholiker, der so gerne den andern vertrauen und sich seine selbstquälerischen Verfolgungs-Wahngebilde ausreden möchte – Timon von Athen und Molières Misanthrope in einer, auf österreichischem Boden naturalisierten, Person –, wird, noch nach den Methoden der Besserungsstücke, geheilt und zur Einsicht in die freundliche Gesinnung seiner Umwelt bekehrt. Wie dieser Stoff samt seiner These, an die weder der Dichter noch wir selbst glauben, mit unerhörter komischer Verve, mit Anmut und Witz, Virtuosität und Humor bewältigt werden, das bestätigt für Raimund den höchsten Rang als Dramatiker, nicht nur als volkstümlicher. Aufbau, Dialog, Charaktere sind eines Molière würdig; was dem beglückenden Werk nichts von seinem bodenständigen Zauber nimmt, »Der Verschwender«, angeregt durch das Schicksal eines zeitgenössischen Wiener Finanzgewaltigen Schweizer Herkunft, realistisch in seiner Zeichnung von Individuen und von Typen, bewahrt zugleich jenen unnachahmbaren poetischen Reiz, der den Raimundschen Schöpfungen allen eignet. Er streift soziale Probleme – das Verhältnis Herr und Diener – , er predigt hausbackene Biedermeiermoral – ›auch wenn man goldstrotzend auf der Höhe wandelt, lieber behutsam hin zur goldenen Mittelstraße‹ – und er ist vor allem Theater der Dichtung im reinsten, edelsten Sinne, in unübertrefflicher Vollkommenheit.

Raimund hat Szenen von bezwingender, bildhafter Kraft und von einem hintergründigen Humor geschrieben, wie die Begegnung Rappelkopfs mit seinem Doppelgänger oder der Auszug der Armen aus ihrer Waldhütte in »Alpenkönig und Menschenfeind«. Wir danken ihm Wundervolles an volkstümlicher Lyrik wie das Aschenlied und den Abschied der Jugend ›Brüderlein fein‹ aus »Der Bauer als Millionär«, das Hobellied im »Verschwender« und »So leb denn wohl, du stilles Haus« im »Alpenkönig«. Keiner seiner Vorgänger war an selbstverständlicher, leicht entquellender Sprachgewalt diesem Autodidakten auch nur annähernd ebenbürtig. Und in keinem brannte ein so heißes und starkes Feuer. Es schlug dennoch nicht empor als lodernde, versengende Flamme. Ein herzlicher und inniger Freund der Menschen, der nur aus übergroßer Gläubigkeit den Glauben an die Sterblichen verlor und der beinahe den an die Unsterblichkeit eingebüßt hätte, ein durchdringender Maler der gesellschaftlichen Gruppen und der Einzelnen, soweit er sie aus der eigenen Erfahrung kannte, vom Niedervolk bis hinein ins obere Bürgertum, sie immer wieder vom österreichischen Standort aus betrachtend, hat Raimund einem zweiten Großen, als Dichter zweifellos Geringerem, doch in seiner Wortkunst, in seiner gedanklichen Spannweite, in seinem geistigen Horizont unbestreitbar Größeren den Platz als Herrscher über die Wiener Volksbühne geräumt. Wie ein Blitz aus langsam sich verfinsterndem Himmel, wie bei einem Festmahl nach vortrefflichen Österreicherweinen der prickelnde, göttlich-leichte Champagner, so trat Johann Nepomuk Nestroy in den Vordergrund.

Eine der abgedroschensten und schmalzigsten Phrasen, die dem über die einstige Habsburger-Monarchie oder über deren heutigen Nachfolger Schreibenden zum Gebrauch empfohlen werden, spricht vom österreichischen Schicksal als von einem verpfuschten Leben, das einem weichen, dem Kampf ums Dasein nicht gewachsenen Wesen, vorzugsweise einer Künstlernatur, statt des äußeren Erfolgs beschieden ist. Diese sentimentale Gleichsetzung von Österreicher und Schlemihl mag auf Tränendrüsen eines nach Klischees gierigen Leserpublikums wirken: sie ist ebenso falsch oder zum mindesten nur von umgrenzter Gültigkeit wie die Filme, in denen sich an der schönen blauen Donau alles im Walzertakt zum oder beim Heurigen bewegt. Ein österreichisches Schicksal, das heißt weit öfter: zähe Arbeit, die aber nicht als Daseinsziel, sondern nur als Mittel zum Zweck betrachtet wird, danach Aufstieg gemäß der Eignung und des Glücks oder dank der Protektion wohlwollender Beschützer; vernünftiger Genuß, keinerlei Übertreibung und – an einem den Fähigkeiten und der darauf gründenden Ambition des Einzelnen angepaßten Punkt angelangt – beschauliche Ruhe, nicht ohne maßvolle Tätigkeit bis zum Verfall der Kräfte. Österreichisches Schicksal, das ist ferner Abkunft aus der Völkermischung, die im gesamten Flußgebiet der mittleren Donau siedelt, samt der Wirkung, die von den mannigfachen zumeist harmonisch sich einander angleichenden Erbmassen ausgeht. In diesem doppelten Sinne war Johann Nestroys Schicksal ein typisch österreichisches.

Der Vaterstamm seiner Familie ist bis ins 17. Jahrhundert zurückzuverfolgen. Er tritt erstmals im sprachpolnischen Oberschlesien auf, in der Gegend zwischen Loslau (Wlodzislaw) und der Oder. Dort liegt das Dorf Pogrzebin, damals zu Österreich, später zu Preußen und seit 1919 zu Polen gehörig, vermutlich der Stammsitz der Nestruj-Nestroy-Niestroj-Niestruj-Nestrog. Alle diese Schreibweisen sind urkundlich aus den Kirchenbüchern bezeugt; sie bezeichnen ein und dieselbe Familie. Der Name in seiner ursprünglichen polnischen Form, die am ›ie‹ der ersten Silbe, gegenüber dem tschechischen ›e‹ erkennbar ist, bedeutet einen Menschen, der nicht gerne arbeitet, einen Faulpelz und vielleicht am ehesten das, was man in der alten k. u. k. Armee einen ›Tachinierer‹ nannte. Es ist das ein bäuerlicher Spottname, der aber durch die fleißige Emsigkeit seiner Träger Lügen gestraft wurde. Schon früh mußte bei ihnen geistige Begabung vorhanden gewesen sein, denn der erste Nestroy, der sich in die Geistesgeschichte auf einen allerdings noch unbedeutenden Platz einschrieb, begegnet uns schon um die Mitte des 18. Jahrhunderts. Es war das P. Anton S. J., erst Professor der Philosophie und der Theologie an der Universität Breslau, dann Rektor des Collegiums in Neiße, wo er sechzigjährig 1766 gestorben ist.

Der Stamm der Nestroy breitete sich schnell und breit aus. Er griff hinüber in den benachbarten tschechischen Sprachraum. Dort treffen wir seine Angehörigen in Komárov (Komorau) und Podvíhov (Podwihof) im Ausstrahlungsgebiet von Troppau (Opava), auf seit 1919 tschechoslowakischem Territorium. In den einzelnen Linien dieses Geschlechts kehren ein paar Vornamen immer wieder: vor allem Valentin, Matthäus, Franz, Johann. František (Franz) Nestroy – zweifellos ein naher Verwandter eines gleichbevornamten Gärtners, der um 1738 geboren ist und unter dessen Söhnen ein Valentin und ein Johann erscheinen – dürfte ein Sohn oder Neffe eines Bauern Valentin in Podvíhov gewesen sein, der von 1687 bis 1747 lebte, und der zweimal mit Frauen polnischer Abkunft (Koczy(?), Kucharz) verheiratet gewesen war. Die Lückenhaftigkeit der Kirchenbücher erlaubt es nicht, eine völlig einwandfreie Filiation weiter zurück über die beiden vorerwähnten Franz hinaus festzustellen. Jedenfalls hat der erstgenannte dieser Vettern eine wohlhabende tschechische Bauerntocher geehelicht, Esther Riba. Ein Sohn aus dieser Verbindung, der am 10. Mai 1763 geborene Johann, besuchte das Gymnasium in Troppau, dann die Universität Wien. Er wandte sich der Advokatur zu und wurde ein vielbeschäftigter Anwalt, zu dessen Klienten Mitglieder des höheren Adels und mehrere Klöster zählten. Als reifer Mann krönte er, am 23. Oktober 1799, seine gesellschaftliche Stellung durch die Vermählung mit einem anmutigen Wiener Mädchen aus der reichen, großbürgerlichen Familie Konstantin. Der Vater der Braut Magdalene war ›Commercialwaarenbeschauer‹, ihre Mutter entstammte auch einem angesehenen Geschlecht, dem der Detter. Die erst achtzehnjährige junge Gattin verband großen Reiz mit viel

Verstand und gesellschaftlicher Gewandtheit. Ihre Ehe war sehr glücklich. Binnen eines Jahrzehnts hat sie dem viel älteren Gatten acht Kinder geboren. Doch dadurch wurde die zarte Frau gesundheitlich sehr mitgenommen. Ein Wiener Erbübel, die Lungentuberkulose, trat hinzu, und so ist sie allzu früh, am 15. September 1815, gestorben. Der verzweifelte Witwer hat diesen Schlag nie verwunden. Mit der Heißgeliebten sank sein Glück dahin. Er geriet in geldliche Schwierigkeiten, tröstete sich über mißratene finanzielle durch mystische Spekulationen und er fiel schließlich in echte Not. Sein Tod am 5. März 1834 war für den wunderlich gewordenen Greis eine Erlösung. Aus der ›Sperr-Relation‹ des Verlassenschaftsgerichts erfahren wir Genaues über seinen gesamten Besitz. Der bestand aus folgenden Gegenständen: zwei silberne Eßlöffel, eine Gabel mit silbernem Heft, eine goldene Uhr.(letzte Erinnerung an günstigere Zeiten), ein ›Ring mit unächten Steinen‹, wert zwei Gulden, ein Tischtuch, vier Servietten, ein Handtuch, ein Leintuch, drei Bettüberzüge, eine harte Bettstatt, ein Strohsack und eine Matratze, zwei harte Tische, ein Nachtkästchen, ein Sofa, zwei Armsesseln, sechs Rohrsesseln, zwei ›Spucktrücherl‹, eine harte Schublade, ein Rollkasten, ein Spiegel, eine Wanduhr, je ein Bücherkasten und ›Tromauxkastl‹, ein Glasluster, ein altes Barometer, 34 Bücher juristischen oder katholisch-theologischen Inhalts.

Das nun waren die Vermächtnisse, die vom Ehepaar Nestroy-Konstantin ihren Kindern an geistiger und leiblicher Substanz überantwortet wurden: kräftiges slawisches Bauernblut und schon verfeinerte Wiener Bürgerart, Lebensklugheit und Tüchtigkeit, aber auch slawischer Hang zum Erschlaffen, wenn etwas auf der irdischen Pilgerschaft mißlang, Leichtsinn und Anmut, gefährdete Gesundheit von der Mutter her. Dazu kamen die Eindrücke der ersten Jugend: eine Kindheit im hablichen, wohlgeordneten Vaterhaus, das von Liebe und Daseinslust erfüllt war, ein durch Krankheit und Tod der Mutter erschüttertes, dann völlig zerrüttetes Schulalter. Von den acht Sprossen Johann und Magdalene Nestroys sind nur vier herangewachsen. Ein Sohn Karl brachte es zu nichts Rechtem und ist als armseliger Schreiber gestorben, ein zweiter, der jüngste überlebende, Ferdinand wurde Offizier, ohne weiter als bis zum Hauptmann aufzusteigen. Von der sehr anziehenden Tochter kann man nicht recht sagen, ob auch sie zu beklagen oder eher als erfolgreich anzusehen ist. Ihr persönliches Los war bewegt und trüb. Sie wurde das Opfer eines Hochstaplers, der sie verführte, heiratete und dann im Stich ließ. Aus dieser Verbindung ist aber eine Tochter hervorgegangen, die sehr über ihre Ursprünge emporwuchs; sie wurde vom Chef des mediatisierten Fürstenhauses Bretzenheim von Regecz zum Altar geführt, einem illegitimen Enkel des pfälzischen Kurfürsten Karl Theodor, also einem Wittelsbacher zur linken Hand. Rings um Nestroy wimmelte es übrigens, wie wir noch sehen werden, von illegitimen Verschwägerungen bis hinauf in erlauchteste Sphären.

Doch was waren sogar millionenreiche Fürsten gegen den Nestroy, der den Ruhm dieses Namens empor in die Unsterblichkeit trug: Johann Nepomuk Eduard Ambrosius ist am 7. Dezember 1801 in Wien geboren und am folgenden Tag in der dem Wohnsitz seiner Eltern nahen Michaelerkirche getauft worden. Sein Geburtshaus, der Sternhof, lag in einem stillen Winkel der Inneren Stadt, in der Jordangasse, unweit der Adelspaläste und der Ministerien, des Grabens und der kaiserlichen Hofburg. Man ist eben daran, die letzten Zeugen einer stolzen Vergangenheit, die noch stehenden, schönen alten Patrizierhäuser dieses Viertels zu demolieren und an ihre Stelle moderne Buildings zu bauen. Steine mag man wegschleppen, den Geist Nestroys wird man aus diesem Ort, an dem er wehte und bis heute weht, nicht vertreiben. Der Knabe genoß seine früheste Pflege in der Annaschule. Neunjährig, wurde er ins Akademische Gymnasium aufgenommen und zugleich nach damaligem Brauch an der Universität vorsorglich immatrikuliert: *praenobilis Joannes Nestroy austriacus viennensis ... ex gymnasio academico.* In den unteren Schulklassen hatte der lebhafte Bub sehr gute Erfolge. Von der vierten an studierte er am besten österreichischen Gymnasium, dem der PP. Benediktiner zu den Schotten, auf der Freyung. An dieser Anstalt wurden, im Wettstreit mit dem lange einzig dem Adel zugänglichen Theresianum, die hervorragendsten Männer Österreichs erzogen; zugleich mit Johann Nestroy ein Sohn des Staatskanzlers Fürsten Metternich, zahlreiche Mitglieder der Aristokratie, die später sehr gefeierten Dichter Baron Münch-Bellinghausen (Friedrich Halm) und Eduard von Bauernfeld, der Maler Schwind. In derselben Klasse wie Nestroy saßen unter anderem ein Sohn des Hofkanzlers Grafen Lažanský, ein Drittel Kinder des gebildeten Mittelstandes, zwei Drittel Söhne einfacher Leute. Carl Polster, Sohn eines herrschaftlichen Dieners, hat sich Seite an Seite mit Lažanský an der Spitze der Klasse behauptet; einmal war ein Hausbesorgerssohn Primus. Die demokratische Struktur des Jahrgangs Nestroy mochte Zufall und Ausnahme sein; der demokratische Hauch, der innerhalb der Schulmauern wehte, war es nicht. Gleichheit vor dem Lehrkörper und beim Urteil über die Leistungen der Schüler waren unantastbar. Das stimmt wenig zum Bild, das man sich vom österreichischen Vormärz zu machen pflegt.

Und welch ausgezeichnete Professoren bildeten bei den Schotten die Knaben heran! Der künftige Rektor der Wiener Universität Lichtensteiner, der hochgelehrte Arabist Oberleitner, der vortreffliche Ulrich Meisterle, der den Religionsunterricht erteilte, der bewährte Geschichtsforscher Konrad Luttinger, der Latinist Ambros Fischer, der Mathematiker Ernst Kuschel, endlich der genialische Leander König, dem Bauernfeld in seinen Erinnerungen ein schönes Denkmal gesetzt hat. König und Fischer scheinen Nestroy aufs stärkste beeinflußt zu haben. Er verdankt viel ihrem Unterricht in der Muttersprache, den von ihnen überwachten Schreibe- und Redeübungen.

Nichts wäre irriger, als zu wähnen, anfangs des 19. Jahrhunderts sei Deutsch am Gymnasium nicht betrieben worden. Es war nur kein eigener Gegenstand, sondern gehörte zum Aufgabenkreis des Lateinprofessors, der den Löwenanteil am Gesamtunterricht hatte. Von 108 Wochenstunden, die Nestroy während seiner sechs Gymnasialjahre zu absolvieren hatte, war die Hälfte dem Hauptgegenstand gewidmet, der zugleich das Deutsche umfaßte. 18 Stunden gehörten der Geographie und Geschichte, je 12 der Religion und der Mathematik, je 6 dem Griechischen und der Naturwissenschaft. Diese Zahlen erweisen Nestroys Bildung als rein humanistisch. Die Benediktinermönche am Schottengymnasium beschränkten sich nicht daruf, Kenntnisse zu vermitteln, sie formten auch den Charakter; Willen und Gemüt nicht minder als den Verstand. Sie vereinten Ansichten und Methoden eines aufgeklärten Rationalismus mit äußerer und äußerster Korrektheit gegenüber dem kirchlichen Dogma und mit untadeliger Loyalität gegenüber dem Herrscherhaus. Man weckte das Ehrgefühl der Kinder. Besondere Leistungen wurden im Ehrenbuch, schwere Vergehen im Schandbuch aufgezeichnet. Feierliche Preisverteilungen boten den Schülern Gelegenheit, Lob vor der Öffentlichkeit zu vernehmen.

Erinnerung an manch trübe,
und manch frohe Stunde.

Wien 31t October 1860.   von   *Ihrer Freundin*
                                                               Marie Weiler

Nestroys Arbeitszimmer

Eine Seite aus Nestroys Manuskriptblock

Der kleine Johann Nepomuk hat sich im Schottengymnasium zunächst wenig ausgezeichnet. Er war faul und nachlässig. Wenn aber die Mißerfolge die Fortsetzung der Studien zu gefährden drohten, dann raffte sich der ungemein befähigte Schlingel auf und beschloß das Jahr mit einem sehr anständigen Zeugnis. Am deutlichsten wurde das in der ersten Humanitätsklasse, der fünften des Gymnasiums, die etwa der deutschen Obertertia entsprach. Im ersten Semester hatte der Lernunlustige ein Genügend nur in Religion und in Mathematik, dagegen in Latein und Griechisch ein Nichtgenügend, in Geschichte sogar ein Ganz Ungenügend. Nun legte sich der durch den Verlust der Gattin und vielerlei Sorgen niedergedrückte Vater ins Mittel. Das Ergebnis: außer im Griechischen, wo Nestroy eine Erste Klasse bekam, überall, in Religion, Latein, das ja Deutsch einbezog, Geschichte und Mathematik ein Eminenz, damals die beste Note. Doch schon im folgenden letzten Gymnasialjahr brachte ein Rückfall in die vorige Trägheit ein Nichtgenügend in den Sprachen und in der Geschichte, ein Genügend in Religion und Mathematik. Die Abgangsnoten lauteten Genügend in allen Fächern, außer in Geschichte, wo das Nichtgenügend beharrlich den Unfleiß belohnte.

An der Universität, die Nestroy im November 1816 bezog, ist er in keiner Weise hervorgetreten. Auch seine Untugenden hielten sich da in Schranken. Zwar tadelten die Professoren in den Katalogen die Sitten des jungen Mannes als ›wenig entsprechend‹, weil er ›Ermahnungen vernachläßige‹, ›unruhig‹ und ›minder aufmerksam‹ sei, doch er beteiligte sich nicht an den Studentenkrawallen, zu deren Rädelsführern seine illustren Kollegen vom Schottengymnasium, Fürst Ferdinand Bretzenheim, ein älterer Bruder von Nestroys künftigen angeheirateten Neffen Alfons Bretzenheim, und Graf Lažanský, zählten. Fast staunen wir, in den Protokollen über die unbotmäßigen Hochschüler nirgends den Namen Nestroy zu entdecken. Freilich beruhigen uns seine Noten darüber, daß er kein Musterjüngling gewesen ist. Schon im ersten Studienjahr gab es in Philosophie, Griechisch und Mathematik ein Nichtgenügend, nur in Geschichte und Religion ein Genügend. Immerhin erledigte er in vier Jahren die vorgeschriebenen drei Klassen Philosophie samt den diesem Hauptgegenstand angegliederten Fächern Religion, Moral, Rechtslehre, Weltgeschichte, lateinische und griechische Philosophie, Physik und angewandte Mathematik. Im November 1820 gelangte er nun an die eigentliche Universität, zu der die dem Gymnasium folgenden Studienjahre nur eine allgemeine Vorstufe waren. Er bereitete sich an der juristischen Fakultät darauf vor, den väterlichen Beruf auszuüben. Mit dem bei ihm üblichen Eifer hörte er – oder auch nicht – die Vorlesungen in Naturrecht, Strafrecht, römischem Recht, Staatswissenschaft, von Professoren in den Katalogen als ›sehr oft abwesend‹ verewigt. Im März 1822 scheidet er von der Alma Mater, ohne daß uns ein amtliches Zeugnis den Grund dieser Flucht aus der Jurisprudenz, noch dazu knapp vor dem endgültigem Abschluß der Studien, darlegte.

Eine verfehlte Existenz? Vergeudete Jahre des Unterrichts und der Erziehung? Der Schein trog, und das schickt sich wiederum zum Österreichertum Nestroys. Der schlechte Schüler, der verbummelte Universitätshörer hat ein wohlgerütteltes Maß humanistischer Bildung, dazu nicht wenig juristische, philosophische und staatskundliche Fachkenntnisse angesammelt. Er hat gelernt, methodisch zu denken; er ist sich dessen bewußt geblieben und er hat, sonst die Bescheidenheit selbst, in seinem fast legendär gewordenen offenen Brief an den Journalisten Saphir mit Stolz auf die Überlegenheit geregelter höherer Bildung gegenüber Autodidakten hingewiesen. Die Studienzeit Nestroys zeitigte in seinem gesamten Werk ihre Früchte, obgleich sie vorerst nur das geformt hatte, was man in Wien ein ›Früchterl‹ heißt, einen liebenswürdigen, feschen jungen Lumpen.

Der seiner Jurisprudenz unbeflissene Zwanzigjährige war schon seit einigen Jahren eifrig daran, in gesellschaftlichen Zirkeln zu glänzen. Ein schöner Mensch von stattlicher Figur und edlem Antlitz, aus dem zwei große, dunkle, feurige Augen ausdrucksvoll flackerten, eroberte er die Herzen der Mädchen und, solange er noch als Anwärter auf eine solide Laufbahn als Staatsbeamter oder Advokat galt, die Eltern heiratslustiger Töchter. Er wirkte des öfteren bei Haustheater-Vorstellungen mit, die im Wien des Biedermeier bei Adel, Bürgertum und Volk gleichermaßen beliebt waren. Seine angenehme Bassistenstimme empfahl ihn auch als Sänger, der während seines ersten Universitätsjahres im Redoutensaal auf einer Wohltätigkeitsvorstellung mehr Lorbeeren errang als im Hörsaal der Hochschule. Sein geselliger Verkehr führte ihn ins Haus des Notariatsbeamten Franz Wilhelm Zwettlinger. Dort wurden dessen noch wohlkonservierte Gemahlin Katharina, eine Dame mit einem weiten Herzen und von bewegter Vergangenheit, und deren Tochter Maria Wilhelmine Philippine von einer Schar galanter Verehrer umschwärmt. Frau Zwettlinger war von adeliger Geburt, Tochter eines Majors von Nespiesny, dessen Mittel zu seinem Titel in betrüblichem Widerspruch standen. Sie wurde zweiundzwanzigjährig an einen sehr wohlhabenden Vierziger Zacher Edlen von Sonnenstein verheiratet, doch bald von ihm geschieden. Wahrscheinlich sollte diese Ehe nur ein Dauerverhältnis decken, das Fräulein Katharina mit dem Grafen Franz Joseph Zichy zu Zich und Vásonykeö unterhielt. Der Liaison dankten fünf Kinder das Dasein, alle vom Vater anerkannt und den Namen der Mutter samt dem adeligen ›von‹ führend. Maria Wilhelmine Philippine ›von‹ Nespiesny, durch ihre Frau Mama entsprechend unterwiesen, trachtete sich einen passenden Gatten zu angeln. Der junge Nestroy schien würdig, auserkoren zu werden. Leicht entflammbar, fing er Feuer. Es mochte dem Bauernenkel wohl auch schmeicheln, die Tochter einer Adeligen und, ob auch nicht vor Kirche und Staat, eines ungarischen Magnaten heimzuführen.

Doch dazu brauchte man Geld. Papa Nestroy hatte das nicht mehr; der ausersehene Bräutigam hätte manches Jahr warten müssen, ehe er als Beamter zu einem nur halbwegs den Ansprüchen des verwöhnten Mädchens genügenden Einkommen gelangt wäre. Damit haben wir nun die Ursache des Treubruchs an Themis: die Musen hatten mehr und schneller Greifbares zu bieten. Dank seiner Verbindungen fand Nestroy rasch zum Leiter der damaligen Oper, des k. k. Hoftheaters nächst dem Kärntnertor. Erscheinung und Stimme gefielen. Am 22. August 1822 trat er als Sarastro in der »Zauberflöte« vor das Wiener Publikum und errang einen vollen Sieg. Wenige Wochen später wurde er nach weiteren Proben als Bassist für zwei Jahre engagiert; mit einem Gehalt von 600, dann 1000 Gulden Konventionsmünze, was heute einer Kaufkraft von etwa sechstausend Deutsche Mark entspricht. Das war genug, um einigermaßen kleinbürgerlich durchzukommen, nicht aber um den Ansprüchen des leichtlebigen Sängers oder gar seiner Braut zu genügen. Deshalb griff Nestroy sofort zu, als ihm ein Jahr später 1600 Hollandgulden Jahresgehalt vom Amsterdamer Deutschen Theater geboten wurden. Am 29. August 1823 verabschiedete er sich von der Wiener Oper, am 7. September wurde er mit Wilhelmine Nespiesny in der Augustinerkirche getraut – derselben, in der Napoleon *per procuram* Maria Luise geheiratet hatte – zwei Tage darauf reisten die Jungvermählten nach den Niederlanden, und am 18. Oktober stellte sich der Wiener als Kaspar im »Freischütz« den Amsterdamern vor. Wir wissen nicht viel von den Erlebnissen und Eindrücken der zwei Jahre, die Nestroy in Holland zubrachte. Die rund fünfzig Rollen, die er spielte, die unerfreulichen Zustände, die das Theater, an dem er wirkte, zum Ruin trieben, sind in spärlichen Aufzeichnungen berichtet, die noch heute vorliegen. Zur eigenartigen Kultur seines Gastlandes scheint er keine Beziehung gewonnen zu haben; er verstand dessen Sprache nicht und interessierte sich weder für die Politik, noch für die Wirtschaft des Königreichs der Nassau-Oranier. Kunst und Landschaft dürften auf ihn dennoch Eindruck gemacht haben, denn er ist ein Menschenalter später mit seiner Lebensgefährtin und mit seinen Kindern nach Amsterdam gereist, um Jugenderinnerungen aufzufrischen und um den Seinen Holland zu zeigen. Daß dieses keine allzu große Zärtlichkeit bei Nestroy weckte, wird nicht zuletzt auf die geringe Freude zurückzuführen sein, die er an seiner überhastet geschlossenen Ehe empfand. Seine Frau gebar ihm am 24. April 1824 einen Sohn Gustav. Das Datum läßt vermuten, es sei im vorangegangenen September mit der Heirat eilig gewesen. Doch nach kurzer Zeit begab sich Frau Wilhelmine mit dem Säugling in ihre österreichische Heimat. Nur schwer wurde sie bewogen, zum Gatten nach Amsterdam zurückzukehren. Der hatte seinerseits genug vom Aufenthalt in der Fremde. Ein gutes Engagement in Wien war sein Herzenswunsch. Da dieser zunächst keine Aussicht auf baldige Erfüllung hatte, nahm Nestroy mit Brünn vorlieb. Das bedeutete sowohl finanziell einen schweren Rückschlag als auch das Herabgedrücktwerden zu einer Art männlichem dramatischem Mädchen für alles, das ernste und komische, gesprochene und gesungene Rollen zu übernehmen hatte. Als einziger Vorteil lockte nur die Nähe der Reichshauptstadt und dadurch die Möglichkeit, dort durch häufige Gastspiele festen Fuß zu fassen. Sonst aber!

In der Stadt rings um den berüchtigten Spielberg herrschten jene erquicklichen Zustände, für die eine Anekdote aus dem unfernen Olmütz charakteristisch ist. Dort hatte ein Theaterdirektor seine

Statisten mit geziemend stumpfen Dolchen versehen wollen, um auf der Bühne als Bösewichter – oder waren es Räuber, Rächer, Schergen – schauerliche Abrechnung zu halten. Die Polizei steckte ihre Spürnase dazwischen; der Direktor kam in hochnotpeinliche Untersuchung: hegte er nicht umstürzlerische Absichten, zielten die Dolche nicht gegen das angestammte Herrscherhaus und die Integrität der Habsburgermonarchie? Der Ärmste mochte beteuern und schwören, die Angelegenheit ging bis zu Franz, dem Kaiser, und nur dessen höhere, weil Allerhöchste, Einsicht erlaubte dem Theatermann mit einer kleinen Einbuße an Untertanenehre und einer großen an seinem Vermögen sich aus der Affaire zu ziehen. Ähnlich wie in Olmütz sah es in Brünn aus. Der an größere Freiheit gewohnte Nestroy und der Polizeidirektor Muth gerieten einander bald in die Haare. Extempores, unzensurierte oder verbotene Liedertexte, mangelnde Ehrerbietung gegenüber den Zuschauern wurden dem Schauspieler vorgeworfen. Nestroy soll auf offener Bühne in Anspielung an den Namen des Polizeidirektors improvisiert haben: »Der Muth geht mir schon bis an den Hals.« Die Anekdote ist mehr als unwahrscheinlich; das konnte im Vormärz ein noch wenig bekannter Mime denken, aber nicht sagen. Nestroy hatte aber auch so genug auf dem Kerbholz; sein Extemporieren wurde für Muth zum Anlaß, den Kontrakt des Widerspenstigen mit dem Brünner Theaterdirektor Zwoneczek aufzuheben (30. April 1826).

Nestroy saß nicht lange auf dem trockenen. Schon am 15. Mai wurde er von Direktor Stöger, der die Theater in Graz und in Preßburg (Pozsonyi) leitete, gegen vierzehnhundert Gulden damaliger Währung, gleich fast vierzehntausend DM, engagiert. Graz war im Vergleich zu Brünn eine Weltstadt und eine Kulturmetropole. Hier bildeten ein zahlreicher, kunstverständiger Adel, ein wohlhabendes, gebildetes Bürgertum, akademische Kreise um die Universität und Pensionisten aus dem Offizerskorps wie aus dem Beamtentum die zum Urteil berufenen Besucher eines gutgeleiteten Theaters, dessen sorgfältig ausgewähltes Repertoire und dessen ausgezeichnete Darsteller gleichermaßen Anerkennung heischten. Seit jeher sind in Graz erprobte Volksschauspieler später in Wien zur Berühmtheit gelangt: außer Nestroy noch Scholz, Grois und Girardi. Auch in Preßburg hatte das deutsche Theater Niveau und ein vortreffliches Publikum, das sich aus dem zu den ungarischen Reichstagen zusammenströmenden ungarischen, doch des Deutschen kundigen Adel und aus den dortigen Bürgern zusammensetzte. Nestroy gefiel nur zu gut. Während der fünf Jahre seiner Tätigkeit unter Stöger mußte er dreihundertsiebzig Rollen lernen und tausend Mal auftreten. Diese Überlastung hätte dem ebenso Arbeitslustigen wie Arbeitsfähigen kaum die Laune verdorben, wäre nicht seine Ehe zusammengebrochen, mit der es ihm ernster zu sein schien als seiner Gattin. Sie, die unechte Zichy, knüpfte eine Liebschaft mit einem Grafen Batthyány an. – Der Vorname wird in den Akten nicht genannt, vermutlich war es einer aus der Linie Pinkafeld. – Eines Tages entwich Madame Wilhelmine aus ihrem Grazer Heim, ohne sich weiter um ihr dreijähriges Söhnchen oder gar um den Gemahl zu kümmern, und ward auf lange nicht mehr gesehen. Den Gehörnten hat beides, die Schmach und die enttäuschte Neigung zu einer flatterhaften Sirene, hart getroffen. Äußerlich überwand er die Enttäuschung bald, innerlich hat sie den entscheidenden Anstoß zu seiner Menschenverachtung und zu seiner geringen Meinung vom weiblichen Geschlecht gegeben. Wie schwer dieser Schlag den herzensguten Nestroy verwundet hat, das beweist uns sein fast grausames Betragen gegenüber der Ungetreuen. Er zahlte ihr eine kleine Rente von sechzehn, dann fünfundzwanzig Gulden monatlich, nach der gerichtlichen Scheidung (1845), ungeachtet seines wachsenden Wohlstands, fünfundvierzig Gulden. Er ließ die Frau, die er nie wiedergesehen hat, wegen angeblicher Verschwendung unter Kuratel stellen. Noch in seinem Testament gönnte er ihr kein versöhnliches Wort. Der so erbarmungslos für einen Seitensprung bestraften Ehebrecherin hätte man die böse Nachrede ersparen sollen, die aus ihr eine Dirne und später die Besitzerin eines Freudenhauses machte. Nichts davon ist wahr. Das letzte Dokument, das wir von ihr besitzen, zeigt eine von Reue und Not gebrochene Greisin, die im Bewußtsein ihres Rechts Aufhebung der Kuratel fordert. Das geschah Anfang 1870, am 16. November desselben Jahres ist sie gestorben.

Nestroy hatte schon bald nach der Katastrophe von 1827 einen Ersatz für die schlechte legitime Gattin gefunden. Der Ersatz, das war eine gar brave Person, so häuslich, so klug, so liebevoll, so treu und dazu, wie sich hernach ergab, eine so ausgezeichnete Mutter wie ihre Vorgängerin das Gegenteil davon gewesen ist.

Diese neue Lebensgemeinschaft hatte alles von einer Musterehe, nur daß sie eben vor Kirche und Staat keine Ehe war. Nach katholischer Auffassung und nach den damals in Österreich geltenden Staatsgesetzen, die keine Wiederverheiratung für Geschiedene katholischer Religion kannten, konnten Nestroy und seine Gefährtin formell nur im Konkubinat beieinander bleiben. Darunter litt ›die Frau‹, wie sie ihr Partner anderen gegenüber nannte, sehr, denn sie war innig fromm und höchst anständig nach strengsten bürgerlichen Begriffen und nach den Regeln des Katechismus, dieses eine, die ›wilde‹ Ehe abgerechnet. Auch die zweite, illegitime, Gattin Nestroys entstammt väterlicherseits der Aristokratie. Als Tochter des Grafen Ferdinand Stockhammer und der Cäcilie Lacher am 13. November 1809 in Wien geboren, war sie freilich nicht so erlauchter Herkunft wie Nestroys gesetzliche Gattin, die ja Kaiser und Könige, die bedeutendsten Geschlechter Deutschlands, Österreichs, Ungarns, Italiens und Kroatiens zu ihren Vorfahren zählte. Das Grafentum der Stockhammer war jungen Datums (1777). Die Familie Lacher, kleine Leute, war aus Dillingen in Bayern nach der österreichischen Residenzstadt gekommen. Maria Antiona Cäcilia Lacher, die ›Frau‹, war nahe mit der k. k. ›Hofoperistin‹ Antonia Lacher verwandt, die als Taufpatin Mariens fungierte und in dieser Eigenschaft auch beim zweiten Sohn Nestroys (1831) erscheint. Diese einst bekannte Sängerin dürfte Mariens Tante, eine Schwester des Beamten Anton Lacher gewesen sein. Künstlerblut und blaues Blut sind jedoch bei Marie Lacher ›genannt Weiler‹ gegenüber den bürokratischen Tugenden des mütterlichen Großvaters zurückgetreten. Was es übrigens mit dem Zusatz ›genannt Weiler‹ für eine Bewandtnis hat, den wir sowohl bei Maria als auch bei ihrer Mutter Cäcilie in den Urkunden finden, dafür hat man bisher noch keine befriedigende Deutung gefunden.

Achtzehnjährig begegnete die außereheliche Grafentochter dem schon zur Lokalberühmtheit gewordenen Nestroy in Graz, wo auch sie in kleinen Rollen am Landestheater auftrat. Die beiden fanden schnell zueinander. Marie war alles andere als eine Schönheit, doch sie besaß die Frische der Jugend, einen gesunden Hausverstand und einen starken Charakter. Die Überlieferung, sie habe sich des verlassenen Kindes Nestroys zärtlich angenommen, hat viel für sich. Das alles mochte genügen, um den Beginn ihrer Beziehungen zum schnell entflammbaren Nestroy zu erklären.

Doch daß er ihr die größte Hochachtung, Dankbarkeit und eine Anhänglichkeit entgegenbrachte, die im Gegensatz zu seinen ungezählten Seitensprüngen steht, das beruhte einzig auf etwas nicht rationell Durchleuchtbarem: die zwei paßten eben zueinander; nicht auf lange Zeit als Liebesleute, doch zu einer ehelichen Gemeinschaft, die allen Stürmen trotzte.

Die Parallele zu einem illustren Paar aus dem Altertum liegt nahe: Sokrates und Xanthippe. Wenn wir nämlich den hellenischen Denker seiner erstarrten Marmorhülle entkleiden und darunter den lebendigen Menschen erfühlen, der Frau Xanthippe Anlaß zur Eifersucht nicht nur wegen seines Umgangs mit der ewigen Geliebten, der Philosophie, und zum Ärger über wirtschaftliche Unbeholfenheit im Alltag gegeben hat. Gleich der wackeren Athenerin ist auch die ›Frau‹ oft verleumdet worden: in einer Zeit, die dem Genie alle Vorrechte, dem Manne noch immer jede dem Weib versagte Freiheit zubilligte und in der Umwelt des Theaters, in der die dauernde Gemeinschaft ein Rätsel, zugleich aber steter Anlaß zum Spott war.

Daher die vielen Anekdoten, die Nestroy als Pantoffelhelden, als ›Simandl‹ schilderten, die Weiler aber als zänkische und allem Spionieren zum Trotz immer wieder betrogene Rivalin jüngerer und schönerer Dämchen, als geizige Hüterin der dennoch im Spiel, an Weiber und sonst verschwendeten reichen Einnahmen ihres Quasi-Gatten. Manche dieser Geschichtchen waren frei erfunden, andere hatten ein gewisses Substrat. Doch wie es in Wahrheit um das Verhältnis Nestroys zu seinem Dauer-›Verhältnis‹ stand, dafür haben wir das maßgebende Zeugnis in den vertrauten Briefen des angeblichen Opfers an seinen Freund Stainhauser. So am 19. Juni 1858, als eine Art Zusammenfassung: »Sie (die ›Frau‹) ist jedenfalls, was unser häusliches Zerwürfnis anbelangt, mehr im Recht als ich. Ich habe ihr viel, sehr viel angetan und mich entschuldigt nur der richtige Grundsatz: was man nicht weiß, macht einem nicht heiß ... Übrigens weißt Du in vollem Maße auch die höchst vorzüglichen Eigenschaften der Frau zu würdigen. Gewiß im höchsten Werthe weiß auch ich dieselben zu schätzen.« Und im Testament: »Zur Universal-Erbin ernenne ich Frl. Marie Weiler, die treue Freundin meiner Tage, welche durch aufopferndes Wirken das Meiste zur Erwerbung dieses Vermögens beygetragen hat, so zwar, daß ich nicht zu viel sage, wenn ich behaupte, sie hat gegründetere Ansprüche darauf als ich selbst.«

Nun aber genug von den angeblichen oder wahren Szenen, in denen Nestroy keine sehr glückliche Rolle gespielt haben soll und zu denen, in deren Mittelpunkt er erfolggekrönt auf der Bühne erschienen ist. Er trat in Opern von Mozart und Weber, Rossini, Meyerbeer, Auber, Boïeldieu auf; er gab mit Anstand klassische Gestalten Lessings, Schillers, Kleists, Grillparzers; er verkörperte, wie in seinen Anfängen, Käsperle und andere Figuren der Wiener volkstümlichen Bühne. Vor allem aber hat er in Graz seinen Beruf zum Darsteller komischer Personen entdeckt, die dämonisch oder einfältig, mitleidweckend oder verabscheuungswürdig, gutmütig oder getäuschte Bösewichter, die Möglichkeit boten, menschliche Unzulänglichkeit zu enthüllen und zur Überprüfung von Werten anzuregen, die man aus Gedankenlosigkeit als unantastbar ansah. Die erste derartiger Rollen, deren Darstellung sich tief in die Erinnerung aller Zuschauer eingeprägt hat, kreierte er 1827: den Sansquartier in Angelys »Sieben Mädchen in Uniform«. Aus der nichtssagenden Possengestalt eines Berliner *Vaudeville* hat der unvergleichliche Schauspieler ein wandelndes Zerrbild erborgter Ehrwürdigkeit gemacht. Ein schlapper Jammergreis steckte in einer kläglichen Veteranenuniform und begehrte für sich Respekt. Als ob Alter vor Torheit und als ob die Montur vor Erbärmlichkeit schütze! Der von Lastern und Gemeinheit zerfressene alte Lump, der knieweich und unendlich lang über die Bühne schlenkerte, noch immer geil und überheblich, war gleichsam ein Sinnbild der Respektlosigkeit Nestroys gegenüber jeder vorgetäuschten Autorität. Der Abend, an dem sich der große Schauspieler erstmals in seinem vollen Glanz entpuppte, hat auch das Debüt des Theaterdichters gebracht, die Umarbeitung einer anderen Berliner Posse, »Der Zettelträger Papp«. Diese harmlose Kleinigkeit verhallte unbeachtet, das zweite Stück Nestroys aber, »Die Verbannung aus dem Zauberreich«, hatte im nächsten Jahr Erfolg und gelangte auch am Josefstädtertheater in Wien zur Aufführung. Aus Nestroys Frühzeit stammen noch die Grillparzerparodie »Ein stummer Diener seines Herrn« und ein Zauberspiel »Der Tod am Hochzeitstag«, dem bereits alle Kennzeichen des vom Wort zum Wesen vordringenden Witzes seines Autors eignen, das jedoch nur geringen Anklang fand.

Im Oktober 1829 verlegte Nestroy seine Bühnentätigkeit nach Preßburg, an das zweite Theater seines Direktors Stöger. Ursache davon war kaum eine schwindende Beliebtheit beim Grazer Publikum oder bei der zünftigen Kritik in der steirischen Hauptstadt, der er bis zuletzt seine Zuneigung bewahrte und in der er seinen Lebensabend verbrachte. Am wahrscheinlichsten ist, daß Nestroy Preßburg wegen der Nähe Wiens vorzog, das er mit unerschütterlicher Hartnäckigkeit als Endziel seiner Laufbahn betrachtete. Mehrere Gastspiele brachten ihn der Verwirklichung dieses sehr realen Traums näher. Zwar mißlang der Versuch, nochmals als Opernsänger durchzudringen, aber auf der Sprechbühne entzückte er die sehr diffizilen Wiener. Direktor Carl, damals der mächtigste Herr über Bretter, die an der schönen blauen Donau die Welt bedeuteten, erkannte sofort die Qualitäten des in der Provinz zum Meister seiner Kunst Herangereiften. Schon damals mit Carl über ein Engagement grundsätzlich einig, verzichtete Nestroy auf eine Erneuerung seines Vertrags mit Stöger und verließ zu Ostern 1831 Preßburg. Er begab sich zunächst nach Lemberg (Lwów-Lviv), der Hauptstadt Galiziens, vermutlich, um auf Carl, der zäh um die Höhe (oder Tiefe) der Gagen selbst seiner besten Schauspieler feilschte, einen Druck auszuüben. Das Ständische Theater in Lemberg genoß zu Recht einen guten Ruf. Dort wurden die meisten der geistreichen, entzückenden Komödien des polnischen Molière, des Grafen Aleksander Fredro, uraufgeführt. Dort gastierten gefeierte Künstler aus aller Welt. Die reichen, polyglotten, feingebildeten Magnaten Ostgaliziens, ein wohlhabendes, kulturell sehr regsames Bürgertum, Beamte und Offiziere weihten dem Theater so eifriges Interesse, wie es sonst außer in Wien kaum innerhalb der Habsburger-Monarchie anzutreffen war. Nestroy triumphierte sofort auf diesem Vorposten westlicher Gesittung. Man suchte ihn durch einen sehr vorteilhaften Kontrakt festzuhalten. Da erzwang die im Gefolge des russisch-polnischen Krieges ausgebrochene Cholera die Schließung der Bühne. Nestroy kehrte nach Wien zurück. Nochmals verhandelte er wegen eines neuerlichen Auftretens an der Oper. Doch das war kaum ernst gemeint und sollte nur mithelfen, den widerhaarigen Direktor Carl zum Eingehen auf bessere Bedingungen zu bewegen, als es die von ihm angebotenen waren. Der schlaue Fuchs, der fest auf seiner schon prall gefüllten Kassa saß, fand aber an

Frau Weiler seinen ebenbürtigen, seinen überlegenen Widerpart. Nach einer letzten Kraftprobe wurde am 25. August 1831 der Vertrag unterschrieben, der Nestroy als ersten Komiker an die Bühnen Carls verpflichtete. Jetzt war der große Schauspieler, der zum Fortsetzer und zum Vollender einer langen Reihe von Beherrschern der volkstümlichen Wiener Bühne bestimmt war, an dem Ort, wohin er gehörte und wohin zu gelangen er vielleicht mehr noch als mit dem wägenden Verstand mit seinem untrüglichen Instinkt gestrebt hatte. In dieser fördernden Umwelt vermochte auch der Bühnendichter sich selbst zu entdecken und sich einem für ihn empfänglichen Publikum zu offenbaren. Der Österreicher des unbeugsamen Typs hatte sich gegen alle Hindernisse den Weg gebahnt. Das Spiel seines Lebens, das Erlebnis seines Spieles durfte beginnen.

VIERTES KAPITEL

Oft und allzu oft hat man die beiden einander gegenübergestellt. Hier der gemütvolle, melancholische, innige, schlichte, nach einem ersten, kirchlich gesegneten und ohne seine Schuld gescheiterten Bund in der Gewissensehe mit der treuen Toni ein stilles Glück suchende Raimund, der an Märchen glaubte, auch in seinen heiteren Stücken die Welt bitter ernst nahm, ans Gute im Menschen appellierte, den Reichtum als etwas an sich Böses anekelte, der, kindhaft fromm, von den Früchten der Bildung nur unmethodisch genascht hatte und dem, darin ein beglaubigter Nachfahre des Barocks, das Leben jederzeit ein Traum geblieben war. Dort der Zyniker, der genußfrohe, flatterhafte, anspruchsvolle, alles mit seinem ätzenden Spott übergießende Nestroy, dem das Zauberische nichts als eine Verbeugung vor dem Publikum und vor dessen Geschmack bedeutete – solange dieser Geschmack andauerte –, der von jedem Menschen, auch von sich selbst das Schlimmste glaubte und der, wie er hinzufügte, sich darin selten getäuscht hatte; der, ein Schüler der Aufklärung, eine solide humanistische Bildung besaß und dem sein Dasein weder ein holder noch ein drückender Traum war, sondern etwas sehr Reales, das einzig Wirkliche, aus dem man zuletzt ein stattliches Vermögen und ein ehrengekröntes nur zu kurzes *otium cum dignitate* schöpfte. Wie zumeist sind derartige überkrasse Kontrastbildnisse arg verzeichnet. Daß Nestroys Charakter viel komplexer war als es die lange fortgeschleppte Tradition übelwollender Kritik wahrhaben wollte, wird aus diesem Buch deutlich hervorleuchten. Jetzt, da wir von dem bezwingenden Darsteller, von dem Meister seiner literarischen Gattung, von dem Magier des Worts auf seiner Schaffenshöhe zu berichten haben, ist es vorgängig nötig, die in den bekannten breiten Schichten – allen beweiskräftigen Darlegungen der Fachforscher zum Trotz – unausrottbare Legende abzuschütteln, als sei Raimund durch Nestroy im übertragenen Sinne abgewürgt worden, als sei der Dichter des »Verschwender« am Autor, am Triumph des »Lumpacivagabundus« zugrunde gegangen. Nichts davon hält der Prüfung stand.

Raimund und Nestroy, das waren, wie man von zwei gleichzeitig schaffenden genialen Poeten in einem anderen Lande gesagt hat, ›zwei Götter auf entgegengesetzten Sonnen‹. Sie konnten nebeneinander verehrt, bewundert werden. Und sie wurden es auch. Dabei hatte es der Spätergekommene schwerer als der eingewurzelte Liebling der Wiener. Als Nestroy im Sommer 1831 an Carls Wiedener Theater in den Rollen des Sansquartier und des Crescendo in der völlig vergessenen Posse des noch vergesseneren Wiener Lokaltheaterdichters Herzenskron »Der Gang nach dem Irrenhaus« erstmals als fest engagiertes Mitglied einer Sprechbühne der Residenzstadt auftrat, waren weder das Publikum noch die Berufskritiker übermäßig entzückt. In diesem bedeutendsten Schauspieler des österreichischen Vormärz verbarg sich etwas, das den Wienern nicht behagte, während manche Seiten seiner Kunst die Zuschauer sofort in den Bann zwangen. Das, was man an ihm als Zynismus verlästerte: die Grausamkeit und die schneidende Wahrhaftigkeit, mit der er seine Gestalten und damit auch sein Publikum verkörperte, forderte immer wieder den Protest der weichen und auf schonungslose Entlarvung der Wirklichkeit wenig neugierigen Wiener heraus, die umschmeichelt, gestreichelt zu werden verlangten. Aber sie fühlten, daß hier Fleisch von ihrem Fleische war, daß ein großer Österreicher sich hier über den Durchschnitt seiner Landsleute emporhob; daß er, darin gefälligeren, minderen Talenten, die ängstlicher um die Gunst der Theaterbesucher und der Rezensenten buhlten, sehr unähnlich, genug Mut und Starrköpfigkeit sein eigen nannte, um den Zweikampf mit einer vielköpfigen Hydra zu wagen. Er hat dabei gesiegt. Die mäkelnden Stimmen wurden immer schwächer, sie verstummten ganz oder sie zogen sich in ein Versteck zurück, aus dem sie bei Gelegenheit herausgrollten.

Den gedruckten Kritiken vermag diese Entwicklung nur undeutlich entnommen zu werden. Nicht in den Journalen, doch in den keiner Öffentlichkeit bestimmten Aufzeichnungen berufener – eher als beruflicher – Urteiler und in Urkunden finden wir die gültigsten Zeugnisse von Nestroys Weg zur Höhe. Da sind zunächst die Aufführungszahlen seiner Stücke, die Häufigkeit seiner Beschäftigung an den Bühnen Direktor Carls und, durch diese beiden Tatsachen bedingt, die regelmäßigen Einkünfte, die der sonst so knausrige

Boß seinem zugkräftigsten Star zubilligte. Sodann ein paar Meinungen Unbefangener und Erzgescheiter.

Fürst Friedrich Schwarzenberg sagt in seinem »Wanderbuche eines verabschiedeten Lanzknechtes«: »Ich halte diesen Nestroy für eine unserer merkwürdigsten dramatischen Erscheinungen, sowohl als Dichter wie als Schauspieler. Es liegt in seinen Erzeugnissen nicht allein eine tiefe Bedeutung, sondern auch der wahre kräftige Geist der Volksstücke! Er dünkt mich weit über Raimund zu stehen. In Nestroy lebt ein wirklich Shakespearischer Geist, Humor und Witz; ein echter Volksdichter, und ich bin überzeugt, daß die Zukunft mein Urteil bestätigen und ihm einen ausgezeichneten Platz unter den dramatischen Notabilitäten Deutschlands anweisen wird.« Fürstin Melanie Metternich, die Gattin des Staatskanzlers und mit ihr die gesamte kunstverständige Hofgesellschaft war ähnlicher Ansicht wie Schwarzenberg. Die Aristokratie drängte sich, die Mitglieder des Kaiserhauses voran, zu den Aufführungen der Nestroyschen Stücke und zu denen anderer Verfasser, in denen er die Hauptrolle hatte. Dem Beispiel der Oberschicht folgten Mittelstand und Volk. So durfte der in seine Vaterstadt Heimgekehrte bald alle Anzeichen der Beliebtheit, des Ansehens, kurz des Umstands aufweisen, daß er eine ›Persönlichkeit‹ geworden war, als Bühnenautor und als Schauspieler.

Anekdoten über ihn gingen von Mund zu Mund, seine Aussprüche wurden zitiert, man ahmte seine Redeweise nach und im Kaffeehaus oder auf der Straße wandten sich ihm alle Blicke zu. Zwanzigmal im Monat, manchmal noch öfter, war der Name des bewunderten Mimen auf den Ankündigungen des Theaters zu lesen; die Kassen Carls zogen daraus ihren Vorteil, und als dieser starb, schuldeten seine Erben Nestroy den größten Beitrag zu ihrem Reichtum. Der Direktor wußte den Hahn zu nähren, der ihm so viele goldene Eier legte. Aus den zweitausend Gulden des bereits nicht unbedeutenden Anfangsgehalts wurden nach sieben Jahren rund sechstausend, nach fünfzehn Jahren zehntausend Gulden, was dem Kaufwert nach etwa hundertzehntausend heutiger DM entspricht. Als der Kontrakt 1847 erneuert wurde, gewährte Carl eine Sonderzuwendung von fünfzehntausend Gulden. Nestroys Stücke wurden, selbst wenn sie schwach waren, mindestens ein dutzendmal aufgeführt, so der klägliche »Zauberer Februar«; ein mittlerer Erfolg brachte über dreißig Vorstellungen *en suite*, etwa das »Haus der Temperamente« und das in seinem tiefen Gehalt verkannte, ausgezeichnete Stück »Die beiden Nachtwandler«. Die durchschlagenden Bühnentriumphe errangen für das damalige Wien außerordentliche Rekorde: »Lumpacivagabundus« erscheint im ersten Jahr seines Daseins 67 mal auf dem Theaterzettel, »Zu ebener Erde und erster Stock« 70 mal, »Einen Jux will er sich machen« 62 mal, »Der Unbedeutende« 79 mal. Angesichts dieser beweiskräftigen Ziffern, der Zustimmung aller Schichten der Gesellschaft und der Meinung der wenigen über ihren engen, durch die mannigfachsten Rücksichten bestimmten Horizont hinausblickenden, wahrhaft zuständigen Beurteiler werden wir die Äußerung der Wiener Presse gebührend einschätzen, die ihren großen Zeitgenossen aus der Perspektive eines sich aufblähenden Ochsenfrosches betrachtete. Doch zuvor seien noch zwei Stimmen aus den beiden nach Wien bedeutendsten Mittelpunkten der Theaterkultur in der damaligen Habsburgermonarchie, aus Prag und aus Lemberg angeführt. Zunächst der, von Karl Kraus wieder wachgerufene, Lobpreis aus Böhmen, worin der vortreffliche Kritiker Bernhard Gutt folgendes Bild Nestroys entwarf: »Maske, Haltung und Bewegung, Sprechweise, das ganze Äußerliche der Gestalt wird so entscheidend und kräftig als möglich hingestellt. Hiedurch gewinnt er den weitesten Raum zu freier Bewegung, und er hat es nicht nötig, um den Effekt zu steigern, über die ursprünglichen Umrisse hinauszugehen und die Einheit der Leistung zu zerstören. Diese Folgerichtigkeit, die feste Anschauung des umgränzten Spielraumes und der daraus hervorgehende Ton der eigenen Überzeugung sind es vorzüglich, die seinen Leistungen die gedrungene Kraft geben, welche keinen Zweifel an ihnen aufkommen läßt. Auch in den unwahrscheinlichsten Gestalten ... spricht sich eine Notwendigkeit aus, die uns kaum zum Nachdenken kommen läßt, ob sie mit einer Faser an der Wirklichkeit haften. Nestroy kann weit gehen, ohne uns stutzig zu machen, denn er weiß genau, wie weit er gehen soll ... Nirgends ist eine Pause oder Lücke; der Fluß der Sprache und das bezeichnendste Gebärdenspiel ergießt sich ununterbrochen, ohne jemals in ermüdende übermäßige Beweglichkeit auszuarten, weil Nestroy in der flüchtigsten Darstellungsweise immer die Ruhe der Selbstbeherrschung zu bewahren weiß. Unglaublich ist der Nachdruck, den er mit einem Blick, mit einer leichten Geste, mit einer bezeichnenden Stimmbeugung dem Worte

zu geben weiß. Jedenfalls ist Herr Nestroy der von der Natur am reichsten ausgestattete unter den jetzigen Komikern.« Diesem Portrait aus der »Bohemia« von 1844 tritt eine ihm wundersam ähnliche Würdigung in der Lemberger »Mnemosyne« des Jahres 1839 zur Seite: »Donnerstag den 4. Juli ward uns das Vergnügen zuteil, Herrn Johann Nestroy, ersten Komiker des k. k. priv. Theaters an der Wien ... in unserer Mitte zu sehen. War Herrn Nestroy ein langjähriger auf allen Bühnen wohlbegründeter ehrender Ruf vorangegangen, so müssen wir auch ebenso ehrend anerkennen, daß Herr Nestroy gleich in seiner ersten Darstellung die Erwartungen, die wir hegten, weit übertraf; da wir in ihm das Ideal des wahrsten Komikers vollendet erkennen mußten. Herrn Nestroys Spiel, welches in jeder Bewegung, in jedem Zuge seines Gesichtes den denkbar ausgezeichneten Künstler bewährt, trägt dabei das Gepräge der höchsten Ungezwungenheit, der Natürlichkeit, welche, gleich weit entfernt von Carricatur und Gemeinheit, seiner Darstellung den Stempel der Vollendung aufdrückt und jedem Künstler dieses Faches als ein glänzendes Vorbild und als der sprechende Beweis aufgestellt zu werden verdient, welche ausgezeichneten Eigenschaften erforderlich seien, um wenn auch nicht ein solches Vorbild erreichen zu können, doch für einen guten Komiker zu gelten, dessen Wesenheit leider meistens nur in einer läppischen tölpelhaften oder gemeinen Carricatur gesucht wird.«
Dieses Verständnis für Nestroys Rang als Schauspieler werden wir, ein paar einfühlsame Artikel in Bäuerles »Theaterzeitung« ausgenommen, vergebens im Chor der hauptstädtischen Rezensenten suchen; die Bedeutung des Sprachkünstlers, des Denkers und des Schriftstellers hat außer Friedrich Schwarzenberg überhaupt kein Mitlebender erkannt. Sogar der Beifall, den die Rezensenten zollten, klatschte am Wesentlichen vorbei; man klopfte dem wackeren Mimen, der sich so sehr anstrengte, die Zuschauer zufriedenzustellen, herablassend auf die Schulter, die doch so hoch den Kopf der meisten Presseleute überragte; man ahnte nicht, wie wenig er sich, anders als seine Vorgänger, aus Tadel oder Zuspruch der Aristarchen machte, und man war gleichermaßen entsetzt und erstaunt darüber, daß er sich als erster, ohne sich um die Folgen zu kümmern, kräftig zur Wehr setzte, gemäß dem Motto, das er einem offenen Brief an Saphir vorausschickte: »*Cuneus cuneums trudit*, auf einen groben Kotz gehört ein grober Keil[1].«

Johann Nestroy, Karl Carl und Wenzel Scholz in der Zauberposse
»Das liederliche Kleeblatt«

Nestroy als Willibald in der Posse »Die schlimmen Buben in der Schule«

Da waren drei Hauptwidersacher, die sich – in Umkehrung des einst auf dem Berg Ida Geschehenen – für auserkoren hielten, jeweils den Schönheitspreis für dramatische Dichtungen zu verleihen. Es waren aber keine Göttinnen, sondern Menschen, nicht holdselige Frauen, sondern ernste Männer, die in ihrer traurigen Berufsarbeit nicht gestört werden wollten; sie teilten den goldenen Apfel zu, der sich bei näherem Zusehen oft als Roßapfel entpuppte: ein früh unvollendeter Jüngling Franz Wiest, dem Nestroy von vornherein nicht paßte, Ignaz Jeitteles und Moritz Gottlob Saphir, die binnen kurzer Frist aus eifrigen Bewunderern zu empörten Feinden des ob seiner Gemeinheit als sittliche Gefahr Angeprangerten wurden. Den läppischen Herummäkeleien Wiests verdanken wir die Erinnerung an eine in mehrfacher Hinsicht bezeichnende Episode aus Nestroys Leben, die zugleich das Klima des österreichischen Vormärz und die gemütliche Atmosphäre sogar seines Polizeiregimes ausatmet. Als der Schauspieler-Autor in der Rolle eines Dieners Karten auflegte, sagte er: »An dem Tisch wird Whist gespielt; 's ist merkwürdig, daß das geistreichste in England erfundene Spiel den gleichen Namen mit dem dümmsten Menschen von Wien hat[2].« Dieses Extempore zwang die Nestroy wohlgesinnte Obrigkeit zum Einschreiten. Er mußte dafür drei Tage in den Arrest. Vorher hatte ihm sein Freund, der Polizeikommissär, der jener ominösen Vorstellung amtlich beigewohnt hatte, Vorwürfe wegen der begangenen Unvorsichtigkeit gemacht. Wenn das dem Minister, Grafen Sedlnitzky, zu Ohren käme! Nestroy übersandte der Exzellenz für diesen Fall die Aufforderung, die Götz von Berlichingen, bevor er das Fenster zuschlug, an den kaiserlichen Hauptmann entbot. Der Polizeikommissär, statt nun entrüstet einzuschreiten, entfernte sich nur schnell mit der Bemerkung, er wolle nichts gehört haben. Die Geschichte ist dennoch aufgeflogen und so . . ., doch lassen wir Nestroy, im zweitältesten Brief, der von ihm erhalten ist, vom 17. Januar 1836, selbst erzählen: »Ich sitze fest zwischen vier Wänden. Gestohlen kann ich unmöglich werden. Jetzt kann mir niemand abstreiten, daß ich ein gesetzter Mann bin. Naiv und sinnreich war es von Dir, daß Du mir, dem Gefangenen, Spindlers Kettenglieder schicktest. Mich hat einiges sehr unterhalten. Ich bin Dir sehr verbunden. Karten gespielt wird hier nicht, es ist nicht Ton in den Kerkern. Deine Bücher und meine Flaschen sind meine einzige Beschäftigung, ich schlürfe mit Muße den beiderseitigen Inhalt in mich. Zwey Tage muß ich sitzen wegen Extemporierens in ›Mädchen in Uniform‹, dann daß wir nicht aus der Übung kommen, drey Tage wegen Hund Wiest. Indessen der Schuft wird mir, und zwar bald, auf die Länge einer Schneider-Elle in den Wurf kommen, und dann dürfte seine Bocksseele unter meinen Fäusten gewaltig zu zappeln anfangen. Mein Arrest ist vollkommen den Grundsätzen der Kerker-Etiquette gemäß ... Die Bewachung vor einem möglichen Echappieren ist so sorgfältig, als ob ich um 2 000 000 Obligationen verfälscht, sieben Jungfrauen, à 13 Jahre alt, genothzüchtigt, einige Kinder und diverse Erwachsene umgebracht hätte.« Ein Trost ist ihm geblieben: »Wie mir in müßigen Stunden mancherlei treffende Gedanken kommen, so ist mir eine ganz originelle Art von Ohrfeigen eingefallen, ich glaube, daß sie in Wiest's Galgenphysiognomie sich nicht unvorteilhaft ausnehmen dürften[3].«

Dreizehn Jahre später schreibt Nestroy nicht mehr über, sondern an den giftigsten seiner Verreißer, Saphir, einen offenen Brief, datiert vom 18. Februar 1849. Darin heißt es unter anderen saftigen, züchtigenden Wahrheiten: »Ich habe bisher Ihre fortwährend gegen mich gerichteten, teils mit Ihrem, teils mit dem Namen eines Ihrer Handlanger untersudelten Schmähungen keiner Beachtung gewürdigt; da nun aber mein, auf diese Nichtachtung basiertes Stillschweigen bei Ihrer zunehmenden Frechheit die Öffentlichkeit leicht auf die Meinung bringen könnte, ich schwiege aus anderen Gründen, etwa weil ich Sie als Literaten oder als Kritiker oder gar als Mensch – o Gott!! – oder als irgend sonst etwas respektiere, so sehe ich mich zur Beseitigung solch heilloser Irrtümer genötigt, das Stillschweigen aufzugeben und so schonend als möglich ... in einfacher, klarer, deutscher Sprache Ihnen für die elende, lächerlich-bärbeißige, niedergrimmige Gehässigkeit, die Sie gegen mich entwickeln, meine unbegrenzte Verachtung auszusprechen. Bei Erwähnung Ihrer kritischen Miserabilität ist mir, als wüchse mir ein Foliant unter der Hand und ich muß es mir wiederholt einschärfen, daß ich nur einen Artikel und keinen ganzen Jahrgang zu schreiben habe ... Für jetzt muß ich Ihnen nur, weil Sie mir unter anderen Kleinigkeiten auch alle edleren Gefühle abstreiten, zeigen, wir sehr Sie mir Unrecht thuen, wie ich namentlich ein sehr edles Gefühl, was vielleicht niemand mit mir theilt, für Sie im

Busen hege, es ist das Gefühl des Mitleids, des innigsten Bedauerns ... Mir thut das in der Seele weh, wenn ich sehe, wie ein Mann, der der Welt weismachen möchte, er sei ein großer Mann, ... so kleinlich-niedrige Gefühle zur Schau trägt. Sie belfern seit Jahren meine Stücke an wie ein bissig-knurriger, an einen Schiebkarren gefesselter Wäscherpintsch die Vorübergehenden. Und wenn mich nun jemand fragt: ›Hat Ihnen dieser M. G. Saphir mit seinem jahrelangen Gebelle Schaden zugefügt?‹ so müßte ich offen und ehrlich antworten: ›Nein, auch nicht den geringsten!‹ Möge Ihnen das der sprechendste Beweis Ihrer kritischen Nichtigkeit sein, Sie lächerlicher Vomkunstrichterstuhlherabdieleutevernichtenwoller; – muß ich Sie deshalb nicht abermals bedauern, Sie armer, erbärmlich armer Mann[4]?« Das Tragikomische an diesem Brief war, daß sich Nestroy darin als ungewollter Prophet bezeigte. Denn Saphir ist wenige Jahre später, wie Bäuerle, in Geldnot geraten und der gutmütige, hochgesinnte Nestroy hat dem Todkranken, einer Schlange, die nun ohne Giftzähne war, eine ansehnliche Barunterstützung zugewandt, durch die er sich früher Weihrauchwolken erkauft hätte.

Saphir, Jeitteles und Wiest waren nur die Widerwärtigsten aus einem geschlossenen Kreise, der sich gern um Nestroy, ihn abwürgend, gezogen hätte, einer Pythonschlange vergleichbar, der als Verbündete andere giftspritzende Ophidien willkommen waren. Es gab in Wien einen Verein halbfreimauerischen Charakters, die »Ludlamshöhle«, Vorläufer der um die Jahrhundertwende tätigen »Schlaraffia«, die Stätte närrischen Unfugs und liberaler Politik. Nestroy gehörte nicht zu dieser Gesellschaft, Saphir aber war ein intimer Freund Castellis, der unter den ›Ludlamiten‹ lange die erste Geige spielte. Wir werden nun begreifen, warum in so vielen Memoiren aus Alt-Wien, die oft den kümmerlichsten Schmierern seitenlange Gedenkworte widmen – so in denen Castellis –, der Name Nestroys nicht, selten oder mit hämisch-abweisendem Beiwerk begegnet; warum nicht nur im »Humorist« Saphirs, sondern auch im »Sammler« Castellis, ja im anständigsten der vormärzlichen Wiener Presse-Organe, der »Wiener Zeitschrift«, der Unbequeme, Streitbare, von der Gunst der wirklich Maßgebenden Geschirmte auf unziemliche Kälte, wenn nicht auf offene Abneigung stieß. Manches wird als persönliche Rachsucht, manches aus verweigerter Bestechung zu erklären sein; die wichtigste Ursache dieser Feindschaft liegt aber in einer *incompatibilité d'humeur*, im Widerwillen dieses so österreichischen Österreichers, dieses so wienerischen Wieners gegen das landesübliche – und außerlandesübliche – Cliquewesen, zum Teil auch im erfühlten Gegensatz des sich nicht Einordnenden zur politischen Gesinnung oder Haltung der kompakten Majorität vormärzlicher Literaten. Gegen dieses Erzübel war kein Kraut gewachsen. Dem anderen trachtete der keineswegs katonisch veranlagte Nestroy mit den gebräuchlichen Mitteln beizukommen. Eine Hand wäscht die andere, und so bestärkte er den an und für sich eher wohlwollenden Bäuerle in dessen freundlichen Absichten. Durch Abstattung des »wärmsten Danks« für »gütige Beurtheilung« an »einen Mann, der als Gründer und Vorbild in dem Genre dramatischer Dichtung glänzt, in welchem ich mich bewege«. Hernach: »Der mit Weiler gefälligst getroffenen Verabredung gemäß, nehme ich mir die Freyheit, Ihnen beyliegende Kritik über den ›Unbedeutenden‹, erschienen am 22. July in dem Journale ›Der Künstler Novellist‹, zu übersenden. Besonders verpflichten würden Sie mich, wenn Sie mir ein paar Empfehlungen an Hamburger Literaten zu überschicken die Güte haben wollten[5].«

Hier ist eine Gegenaktion angedeutet, die für Nestroy umso nötiger war, als seine Feinde ihm auch auf seinen Gastspielreisen nach Deutschland Schlingen legten, wo sie es nur vermochten. Gerade in der Hansestadt an der Elbe hat der jungdeutsche Dramatiker Gutzkow, dessen revolutionärem Pathos die überlegene Ironie des Wiener Aristophanes ein Greuel war, über Nestroy scharf ablehnende Verdikte gefällt, ohne freilich dessen Bühnenerfolge zu beeinträchtigen. In Berlin griffen die Gegner zu noch schlimmeren Waffen. Dort wurde Nestroy durch einen anonymen Brief als Jakobiner direkt bei »S. Majestät dem König von Preußen« denunziert. Der Minister Graf Sayn-Wittgenstein, dem in Abwesenheit des Monarchen das Schreiben des unbekannten ›Naderers‹ überreicht wurde, in dem Nestroy den Hofburgschauspieler Friedrich Beckmann, einen gebürtigen Schlesier, vermutete, leitete die Angelegenheit an den Polizeiminister weiter und der bereitete dem Intrigenspiel das verdiente Los der Nichtbeachtung.

Es war unerläßlich, von den Hindernissen zu erzählen, die sogar ein anerkannter Liebling des Publikums in der vormärzlichen

Theaterwelt – noch mehr als später – zu überwinden hatte, um das sonderbare Auf und Nieder einer Laufbahn zu verstehen, die sonst leicht als ein einziger ungehemmter Triumphzug gelten könnte. Der Schauspieler Nestroy erregte zwar durch seine eigenartige Kunst zuerst Befremden, doch er setzte sich weit schneller durch als der Autor. Typisch dafür sind die Rezensionen über den »Gefühlvollen Kerkermeister«, der im März 1832 erstmals aufgeführt wurde. In Bäuerles »Wiener Theaterzeitung« vom 15. Februar 1832 ist gönnerisch zu lesen: Herr Nestroy habe durch »vorzüglich launiges Spiel sein Talent zur Komik hinlänglich« bewiesen und »der lärmende Beifall dürfte diesem braven Komiker hinlänglich zeigen, wie sehr sein eifriges Bemühen, die Gunst des Publikums gänzlich zu erlangen, auch anerkannt war«. Doch über das Stück selbst hieß es in »Der Sammler« vom 21. Februar: »daß die *pièce* ihr Glück offenbar nur der scheinbaren Einheit der Idee und dem genauen Mechanismus zu danken habe, und jede folgende Spekulation dieser Art mißglücken müsse«. Auch die zwei Monate später folgende Parodie »Nagerl und Handschuh« wurde von der Kritik in ähnlicher Weise behandelt: herablassender Beifall für den braven Komödianten, scharfes Nörgeln am Verfasser Nestroy. Der mochte sich damit trösten, daß es ihm umgekehrt wie dem Patienten in der bekannten Anekdote erging – Operation gelungen, Patient gestorben –: die Zunft der Urteiler sagte den Bühnenschriftsteller tot, der rauschende Applaus und der Kassenerfolg bewiesen den Sieg der angeblich mißlungenen Werke. Nun gab es eine Reihe verdienter oder unbilliger Durchfälle, bis endlich am 11. April 1833 der ganz große Triumph sich einstellte: »Der böse Geist Lumpacivagabundus«. Zwar blieb das Publikum bei der Premiere noch kühl, doch bereits die zweite Vorstellung brachte den Zuschauern zum Bewußtsein, daß sie dem Beginn einer neuen Ära des Wiener volkstümlichen Theaters beiwohnten. Das Stück kam in Wien bis zu Nestroys Tod 259 mal auf die Bühne; es wurde alsbald an allen größeren deutschen Theatern aufgeführt und in mehrere fremde Sprachen übersetzt. Vor allem der unglaublichen Zungenfertigkeit Nestroys in der Hauptrolle dankte die ebenfalls im Geburtsjahr des »Lumpacivagabundus« entstandene Posse »Tritschtratsch« einen beträchtlichen Erfolg. Der Autor sprudelte seine Possen und Parodien fortan nur so hervor. Mit den Zauberspielen hatte es freilich, entsprechend dem Wandel der Mode, schon 1834 ein Ende. Die Gunst des Publikums wandte sich Stücken zu, durch die eine nach neuen Lockmitteln begierige Schaulust befriedigt wurde und in denen der höhere Blödsinn ebenso Anklang weckte wie Charakterstudien, die an tiefere Probleme rührten: »Der Affe und der Bräutigam« (1836) und »Das Haus der Temperamente« (1837). Und man lächelte zu einer der schwächsten, konventionellen Possen Nestroys, zu »Eulenspiegel oder Schabernack über Schabernack«. Doch der unermüdliche, durch keinen augenblicklichen Rückschlag, durch keine kleinliche Bosheit der Rezensenten zu entmutigende Autor wußte seinen Wienern, mit Hilfe der blendenden Inszenierungen Carls und seiner eigenen schauspielerischen Kunst wie der seiner Mitdarsteller, Scholz voran, auch gehältige Problem-Bühnendichtungen aufzulisten, wie vor allem »Zu ebener Erde und erster Stock«, (Uraufführung am 24. November 1835) und »Glück, Mißbrauch und Rückkehr« (1838) und sogar nach anfänglichem Zögern der Theaterbesucher »Die beiden Nachtwandler oder das Notwendige und das Überflüssige« (1836).

Die lieben Landsleute, die verehrlichen Mitbürger verziehen ihrem Schilderer, der in ihnen über das Lokale hinaus das Ewig-Menschliche und das Ewig-Animalische abbildete, die Spiegelung ihrer Sitten und Unsitten. Nur wenn derlei allzu deutlich und aggressiv wurde, machten sie es ähnlich wie jener französische Würdenträger, den Molière auf die weltbedeutenden Bretter zerrte und dessen daraufhin erlassenes Verbot der Aufführung der Pariser Witz dahin kommentierte: *Monsieur le président ne veut pas qu'on le joue* (unübersetzbar, da im Französischen das Fürwort ›le‹ sowohl ihn, den Präsidenten, als auch den Titel des Stücks, also ›es‹, bedeuten kann). Die Wiener wollten nicht, daß man sie – sie selbst oder die betreffenden Bühnenwerke – darstelle, und so wurden Meisterleistungen der Satire, der Wortkunst und des glitzernden Aphorismus nach kurzem Aufleuchten zunächst ausgelöscht, wie etwa »Weder Lorbeerbaum noch Bettelstab« (1835, eine Parodie auf Holteis Rührstück), »Der Treulose« (1836) und vor allem »Eine Wohnung ist zu vermieten« (1837), darin die breite Zeichnung des ›Sumpers‹, des selbstzufriedenen, dennoch maulenden und in seiner Betriebsamkeit unnützen ›Gschaftelhubers‹, die Ebenbilder im Zuschauerraum allzu sehr aufreizte.

Nestroy besänftigte gar bald die aufgescheuchten Gönner durch zwei scheinbar harmlose Possen, die gut gefielen »Die verhängnisvolle Faschingsnacht« und »Der Färber und sein Zwillingsbruder« (1839/40). Die Sozialkritik des ersten dieser sich so zahm gebärdenden Erzeugnisse und Erzeuger froher Laune war genügend getarnt, um nicht neuerdings aufzurütteln. Das gleiche gilt für »Einen Jux will er sich machen (10. März 1841), dem zweitgrößten Triumph seines Verfassers nach dem »Lumpacivagabundus«.

Doch die Zeit war zu reif für die Auseinandersetzung mit den drängenden gesellschaftlichen Fragen, als daß ein so eminent politischer Kopf wie Nestroy noch länger mit seinen Zuschauern hätte Verstecken spielen wollen, selbst wenn ihm dies möglich gewesen wäre. Schon in »Der Talisman« (16. Dezember 1840), einem der großartigsten Würfe des Zielsicheren, wagte er sich wieder an zwei, allerdings nicht gerade speziell wienerisch-österreichische, Probleme: das Karriere-Machen des Rücksichtslosen und die Bedeutung des schönen Scheins, wobei so nebenbei eine grausame Satire des Literatentums geboten wird und die so entlarvte wie entlarvende Sprache einen Höhepunkt ihrer Kunst erreicht. »Das Mädl aus der Vorstadt« (1841) wird gnädig aufgenommen, weil es den diesmal sehr wienerischen Kern in eine duftige Hülle ausgelassener Heiterkeit einkleidet. Ein paar sehr lustige, aus der Aktualität schöpfende Kleinigkeiten wie »Hinüber-Herüber«, »Eisenbahnheiraten« und noch eine zum französischen, pikanten Vaudeville neigende, aus der Situationskomik ihren an sich erstaunlichen Widerhall herleitende Komödie »Unverhofft« ranken sich in den gewitterschwangeren Schlußjahren des Vormärz um drei aufrüttelnde Erörterungen brennender Zeitfragen, gefolgt von einer sich unschuldig gebenden Burleske, die geradezu den österreichisch-leisen Auftakt und einen fragmentarischen Motivenbericht zur kommenden Revolution bietet.

»Der Zerrissene« studierte am Beispiel eines vom *mal du siècle* befallenen, aus der Bahn weniger geschleuderten, als sich selbst in einer Art von Masochismus schleudernden Zeitgenossen die über zuviel Muße, zuviel Geld und zuviel quälende Skrupel verfügende Oberschicht: das reiche Großbürgertum und der Gutsherrenadel, nicht aber die sehr wenig angekränkelte Hocharistokratie. Nestroy untersuchte da als scharf beobachtender, kühler Diagnostiker ein Leiden, von dem der Einzelne nur deshalb ergriffen wird, weil es epidemisch eine Gesamtheit verheert. »Der Unbe-

deutende«, fast auf den Tag ein Jahr danach, Anfang Mai 1845, erstaufgeführt, und »Der Schützling« (1847) sind durch zwei in engem Zusammenhang beharrende Phänomene ausgelöst worden: die Industrialisierung und das Heraufkommen einer Klasse, die sich nicht mit der beschaulichen Stagnation eines nach oben unterwürfigen, nach unten harten und überheblichen Kleinbürgertums von niederen Beamten, Gewerbetreibenden, Handwerkern und Bauern begnügt. Diese neuen Schichten staatlicher und privater Angestellter, möchten auf Grund ihrer Fähigkeiten und ihrer Bildung höhere und hohe Stufen der sozialen Jakobsleiter erklimmen. Mit ihnen streben die nun ihrer menschlichen Würde bewußten und dabei, wie dies bei Novizen üblich ist, überempfindlichen Arbeiter empor. In übermütiger Munterkeit setzen dann »Die schlimmen Buben in der Schule« (10. Dezember 1847) gewissermaßen den vorläufigen Schlußpunkt, indem sie die Misere der österreichischen Volksschule und ihrer Lehrer erbarmungslos ins Rampenlicht der Bühne zerren. Wie ein dem genialen Satiriker aus dem Unbewußten eingegebenes Symbol wirkt dabei, daß der im Grunde wohlwollende Gutsherr stocktaub ist. Man kann ihm mit Posaunen in die Ohren blasen, er hört es nicht. Gleich Ferdinand dem Gütigen, gleich Metternich . . .
Welch einen Weg hat Nestroy in diesen fünfzehn Jahren zurückgelegt, vom »Gefühlsvollen Kerkermeister« bis zu den politischen, sozialen Stücken, aus denen der dumpfe Vorhall des Umsturzes grollt! Spiegelbild und Barometer seiner Landsleute, hat der Dichter mit der Entwicklung seiner Heimat gleichen Schritt gehalten. Als er nach Wien kommt, steht das franziszäische System noch unerschüttert, schenkt es den braven Untertanen eine Reihe von fetten Jahren, die gemäß der euphorischen Ansicht der damals Lebenden nicht so bald ein Ende nehmen werden. Franz I. stirbt; sein minderbegabter, herzensguter Sohn überläßt die Regierung dem untereinander verfeindeten Dreimännerkollegium Erzherzog Ludwig-Metternich-Kolowrat. Die Staatsmaschinerie gerät allmählich in Unordnung, die europäische Lage entfesselt eine Vertrauenskrise der Wirtschaft. Erfindungen und andere Neuerungen bewirken eine Umschichtung der Gesellschaftsklassen, zuerst im Westen, dann auch in Mitteleuropa. Die Ära des sorglosen Lebensgenusses, die Backhendlzeit, die Schwerlosigkeit des Biedermeier nähert sich dem Ende. Hungrigere Magen knurren. Von der Not

zermürbt, beginnen Intellektuelle und Angehörige der erwerbenden Schichten die Heilsamkeit eines Beharrungszustands, einer Ordnung zu bezweifeln, die vor allem in der durch diese Ordnung verbürgten Prosperität eine Rechtfertigung besaß. Nestroy, von Natur aus das Gegenteil eines Revolutionärs, paßte sich jeder Phase der sich vollziehenden Zeitenwende an. Anfangs blickt er nur schüchtern auf die Krankheitserscheinungen am sozialen Körper, wie im »Lumpacivagabundus«, dann mutiger in »Zu ebener Erde«, schon kühn im »Talisman«, beinahe aggressiv im »Unbedeutenden« und im »Schützling«. Ist beim Vorbeiziehen dieser Stücke das Gefühl rege geworden, daß sich eine andere Welt anbahnt, in der das Geld regiert und wo dem Unverschämten das Glück lächelt – ein Gesellschaftssystem, in dem die bisher herrschenden Adelskreise auf nur dekorative Höhen hinaufgeschoben und ihres Glorienscheins entkleidet sind – dann meldet sich zugleich die Überzeugung, jene alte Welt habe zusammenbrechen müssen, weil sie, wie einst die *happy few* des ahnungslos und vergnügt dahinsterbenden Rokoko, der eigenen Hinrichtung Beifall spendete.

Während der Autor, stets dem Zug der Zeit gehorchend, von Jahr zu Jahr schärfer, schneidender wurde, hat sich beim Darsteller eine umgekehrte Entwicklung gezeigt. Der junge Schauspieler, der in Graz den Sansquartier spielte, trachtete mit den stärksten Mitteln zu wirken. Er übertrieb, er unterstrich und lärmte. Noch den Schuster Knieriem im »Lumpacivagabundus« hat er anfangs so aufgefaßt. Mit den Jahren wurde der Künstler zurückhaltender; er lieh der Satire größere Kraft, indem er auch das Ungeheuerlichste maßvoll vorbrachte. Statt durch dröhnendes Lachen die Heiterkeit der Zuhörer zu dämpfen, enthüllte er eben durch den Kontrast zwischen seinen wohlabgewogenen Gebärden und dem, was diese gleichsam unbewußt verrieten, die Tücke des Objekts und der Subjekte, das Tragikomische der menschlichen Existenz. In seinem zweiten Stil weist er überraschende Parallelen zu den überragenden Komikern des amerikanischen Films auf.

Der Bühnenschriftsteller und der Mime Nestroy zeigen eine nach entgegengesetzten Richtungen strebende Taktik und Strategie im Kampf ums theaterbeherrschende Dasein. Doch der Mensch Nestroy verbleibt in seiner echt-österreichischen, wohlig empfundenen ängstlch gehüteten Ruhe. Zwischen dem jungen Eroberer der Wiener Szene von 1831 und dem zur stadtbekannten Figur gewordenen reifen Mann von 1847 werden wir keine wesentlichen Unterschiede entdecken. Seine Überzeugung von der Unwandelbarkeit des menschlichen Charakters hat er an sich selbst erprobt. Schon die äußere Erscheinung des Künstlers hat sich kaum verändert. Seine hohe schlanke Gestalt trotzte den Jahren, sein verschmitzt-freundliches, behäbige Bürgerlichkeit vortäuschendes Antlitz, in dem nur die großen, klaren, glänzenden Augen die dämonische Leidenschaftlichkeit einer großen Seele verrieten, sein verkniffener, genußgieriger Mund, aus dem mühsam gehemmte, faunische Sinnlichkeit sprach, seine schüchternen, abgemessenen Bewegungen sind die gleichen wie einst. Sein Temperament, die unbezwingbare Heiterkeit eines Mannes, der über den Wechselfällen des Glücks seinen Gleichmut bewahrte, die Herzensgüte eines Unverblendbaren, der den Einzelnen das nicht entgelten ließ, was er an der gesamten Gattung verachtete, seine aufbrausende Heftigkeit, die schnell durch Erwägungen des Verstands und durch mildere Regungen des Herzens besiegt wurde: diese Wesenheit des Sanguinikers vermochte kein Sturm zu erschüttern.

Der reiche Briefwechsel, den Nestroy hinterlassen hat, bestätigt uns, daß die Zeitgenossen den Menschen ebenso richtig erkannten, wie sie ihn als Schöpfer mißdeuteten. Liest man die vertrauten Schreiben an den Kassenverwalter des Theaters in der Leopoldstadt Ernst Ritter von Stainhauser, den besten, treuesten Freund, dann erscheint vor uns das Bild eines großen, verzogenen und verwöhnten Knaben. Nicht nur um Zwerchfelle zu reizen, sondern aus einer im Unbewußten verborgenen Regung hat der hünenhafte Schauspieler so gerne Kinder gemimt. Denen glich er in seiner oft rührenden Hilflosigkeit vor dem Alltag, mit seiner Schüchternheit, die ihm verbot, im Kaffeehaus laut den vorbeihastenden Kellner zu rufen, wie auch in große oder gar in vornehme Gesellschaften zu gehen, mit seinem, der Herzensgüte ungeachtet, eigensinnigen Beharren auf den augenblicklichen Anwandlungen seiner Laune und mit seiner Angst vor dem Ausgescholtenwerden durch die ›Frau‹, die je länger umso mehr aus der Rolle der Geliebten in die der gestrengen, fürsorglichen Mama, also bei den hämischen, spottsüchtigen Theaterleuten und Literaten, in die einer komischen Alten hinüberwechselte. Nestroys Korrespondenz zeigt ferner einen unverbrüchlich anständigen

Menschen und ehrenhaften Staatsbürger – oder setzen wir ruhig: Untertan –, der vor dem Kaiser, dem Gesetz und vor echter Würde ungeheuchelte Ehrerbietung empfindet. Wir erblicken vor uns einen Angehörigen des gebildeten mittleren Bürgertums, der außerhalb der Bühne, auf der sich sein Dämon austobt, auf Reputation hält, der zwar viel Geld für seine Passionen, vor allem für das Spiel und für die mannigfachen Amouren braucht, der kein Knauser und stets hilfsbereit ist, doch den es mit dankbarer Freude erfüllt, an seiner Lebensgefährtin eine vortreffliche Verwalterin seiner Finanzen zu besitzen. Jedenfalls ist Nestroy am Vorabend der Revolution nicht nur im Besitz reichlicher Lorbeeren, sondern auch eines Vermögens, das ihn vor dem Bettelstab schützt.

Zum Bildnis des wohlsituierten reifen Mannes der ›besseren‹ intellektuellen und wirtschaftlichen Kreise, und nicht etwa zu dem eines zügellos der freien Liebe huldigenden Kunstzigeuners passen durchaus die häufigen ›Bekanntschaften‹ des nach Abwechslung verlangenden, von seinem starken Sexualtrieb geradezu Besessenen. Diese Liaisons, um das Ding bei einem distinguierten Namen zu nennen, waren eine rein physische Angelegenheit. Sie hinderten in Nestroys Augen nichts an seinen eheähnlichen, ethisch und – um das so zu nennen – staatsbürgerlich-soziologischen Beziehungen zur Weiler, der Mutter seiner zwei jüngeren Kinder und der ausgezeichneten Ziehmutter seines von der leiblichen Mutter verlassenen Sohnes aus legitimem Bund. Wir haben schon das gültigste Zeugnis dafür aufgerufen, wie Nestroy über sein »innigstgeliebtes theures Weib« dachte (Brief vom 24. August 1844). Doch nun müssen wir ihm nochmals das Wort erteilen, um seinen Standpunkt gegenüber den ›Verhältnissen‹ authentisch zu erfahren: »Meine Ansicht ist die: junge schöne Damen mögen in was immer für Lebensverhältnissen seyn, ein im Stillen begünstigster, beglückter und dafür dankbarer, discreter Freund ist nie unbedingt zu verwerffen, und selbst, wenn Sie Braut seyn sollten, dürfte Ihnen, nach den Flitterwochen, ein derart geheimer Freund nicht ohne Nutzen seyn[6].« Dieser Brief vom 12. März 1855 ist an eine ephemere Flamme gerichtet, doch hat Nestroy diese Ansicht immer gehegt, es sei denn, daß es seine eigene Gattin betraf. Wir sollten aber noch ergänzen: selbstverständlich ist die Treuepflicht für Frauen aus dem gebildeten Mittelstand und aus noch höheren Klassen absolut; dagegen sieht das bei Künstlerinnen oder bei Personen aus dem Volk anders aus. Womit sich Nestroy eben als echtes, rechtes Glied seiner Klasse, als ›studierter‹ Advokatensohn und Großkaufmannsenkel erweist.

Wir beschäftigen uns nicht weiter mit dem Reigen der Schönen, die dem diskreten Gönner zumeist – wie wir aus einzelnen Fragmenten wissen – auf Grund förmlicher Außer-Ehekontrakte Arme samt Zubehör öffneten. Für Nestroys Art und für seine auch auf schlüpfrigem Geist bewährte Erzbürgerlichkeit ist eine kleine Episode jedoch so typisch, daß sie kurz erzählt sei. Einige Wochen vor dem Brief an sein »innigstgeliebtes theures Weib« ersuchte er einen zweiten adeligen Freund aus der Bühnenwelt – Stainhauser, der regelmäßige Vertraute dürfte nicht in Wien geweilt haben –, den Schauspieler Ignaz Stahl, recte Frech von Ehrenfeld, um einen kleinen Dienst: »meine Louise«, und es wird hinzugefügt, Ordnung muß sein und nur keine Verwechslung, »Rusa, nicht etwa Holzapfel« (eine zweite Favoritin, ihrerseits Louise bevornamt) wolle sich einen Schönheitsfehler, ein lästiges und rasch anwachsendes Kropferl, operieren lassen. Der vorsorgliche Nestroy bittet, wenn besagte Louise dabei stürbe, dann möge der Freund »Alles auf Begräbnis Bezug habende« anordnen. »Sarg sehr elegant, kirchliche Einsegnung einfach ... Totenwagen der eleganteste, der in Wien existiert, mit 4 Pferden, Grab ein apartes, ja nicht unter Creti und Pleti in ein Dutzendgrab hinein[7].« Die ›schöne Leich‹, wie man derlei in Wien nennt, als letzte Huldigung an eine ›Bekanntschaft‹, nein, als Selbstbestätigung des gesellschaftlichen Ranges für den nicht im stillen, sondern offenbar notorischen, beglückten und dafür dankbaren Freund: Freund, was willst du noch mehr an vormärzlichem, biedermeierischem Konformismus?

Sieht man von den Störungen ab, die Pech im Spiel und, als sprichwortgemäßes Gegenstück, zu viel auswärtiges Glück des Familienvaters in der Liebe periodisch verursachten, dann war die freie Verbindung Nestroys und, verzeihen Sie das harte Wort, seiner Konkubine trotz allem inniger und ehrbarer als die meisten amtlich anerkannten Ehegemeinschaften. Der beiden Hauswesen war bürgerlich geregelt. In seiner Wohnung führte das Paar ein angenehmes, doch unauffälliges Dasein. Die Zimmer waren geräumig und mit Geschmack eingerichtet, Küche und Keller waren gut bestellt. Der ›Privatier‹ teilte die Zeit, die ihm das Theater übrigließ, zwischen dem Hauptheim, dem nicht nur in Wien üblichen Nebenheim und dem allerdings nur in Österreich so unvermeidlichen Kaffeehaus. Dort las er die Zeitungen, pflegte er sein Spielchen zu machen, erledigte er Geschäfte, verhandelte er mit Zeitungsleuten Dort auch beobachtete er die Damenwelt, stets bereit, der lockenden Spur einer Vorbeigehenden oder Vorbeifahrenden ohne Erröten zu folgen. Zuhause wurden nur einige Intime bewirtet; man plauderte im Familienkreis, und hier vor allem arbeitete der Dramatiker und Darsteller für seinen doppelten Beruf.

Er lernte mit unglaublicher Schnelle und Leichtigkeit neue Rollen; er las, was ihm der Zufall, die eigene Spürnase oder der Rat willig gehörter sachverständiger Freunde auf den Tisch brachte. Manchmal versenkte er sich auch, zunächst des Vergnügens wegen, in absonderliche Schriften: Traumbücher, astrologische Schmöker, naturwissenschaftliche oder philosophische Abhandlungen. Aus allem konnte er für seine Stücke schöpfen. Seiner wichtigsten Aufgabe, der des Bühnendichters, widmete er die Morgenstunden. Die Lichter wurden entzündet, eine Schüssel den Gaumen reizender Leckerbissen war vorbereitet. Auf dem Schreibtisch lagen ein Dutzend Bleistifte, daneben viel Papier. Nun schloß sich Nestroy ein und begann, seine Einfälle zu notieren, oder aus einem wohlassortierten Vorrat von Ideen, Aussprüchen und Situationen den Dialog aufzuzeichnen. Das währte zwei, drei Stunden; dann meldete sich der Schlaf, dem Nestroy in der Nacht nur eine knappe Frist zugebilligt hatte. Eine kleine Siesta und es ging mit neuer Kraft ans Tagewerk.

Gesellschaftliche Verpflichtungen unterbrachen nur selten das liebgewonnene Einerlei dieses emsigen Schaffens. Nestroy betrachtete seine Arbeit als Vergnügen und als Bedürfnis, doch nach dem zweifelhaften Vergnügen mit hundert »Herren von Adabei« und »Frauen von Cypressenburg« bei festlicher Beleuchtung metaphorisches Stroh zu dreschen, spürte er keinerlei Bedürfnis, und der Besuch des Markts der Eitelkeiten war ihm, wenn er dem nicht entrinnen konnte, die lästigste Arbeit. Es war nicht etwa die schon erwähnte Schüchternheit und Bescheidenheit, die ihn von den bürgerlichen Salons fernhielt. Er wollte vielmehr mit seiner kostbaren Zeit sparen und sah nicht ein, warum er davon an Begegnungen vergeuden sollte, die ihm weder Freude noch greifbaren Nutzen bescherten. Gesellig ist er trotzdem gewesen. Er war weder ein Misanthrop, noch ein griesgrämiger Einsiedler. Mit ausgewählten, gleichgestimmten Personen aus der Wiener ›Zweiten Gesellschaft‹, mit Künstlern und Schriftstellern und mit den Gegenständen seiner wandelbaren Gunst war er oft und froh beisammen, wobei der Becher gelegentlich nicht nur schäumte, sondern auch überschäumte.

Die herzlichste Liebe galt dennoch den Kindern. Der fürsorgliche Vater suchte ihnen mit zähem Nachdruck einen Platz in der bürgerlichen Oberschicht zu sichern. Für sie gab es keinen Komödianten, nur den Advokatensohn und hablichen Bürger, hernach dann noch den Theaterdirektor Johann Nestroy. Aus den Söhnen wollte er juridisch gebildete Beamte oder Offiziere machen, die Tochter an einen Offizier verheiraten. Die hochfliegenden Pläne sind zwar im einzelnen nicht alle geglückt, doch als Ganzes hat er das Ziel seines bürgerlichen Ehrgeizes erreicht. In den Vormärz fällt nur ein einziger Erfolg, der den schon berühmten Vater mehr entzückt als gar mancher Beifall für den Dichter oder für den Schauspieler: Gustav, der Sproß aus legitimer Ehe, wird im April 1839 in die Ingenieurakademie aufgenommen. Man muß den Brief gelesen haben, in dem der strahlende Papa die »Gnade« des »Herrn Generals« schildert, der den Filius sogleich »in Vormerkung gebracht« hatte, um nochmals einen tiefen Einblick ins andere, tief sitzende Ich des dämonischen Spötters und Zertrümmerers zu gewinnen. Oder war die Bürgertugend des Künstlers nur Verstellung, Selbsttäuschung? Nein, sie wurde vom illusionsfreien Verstand dem brennenden, aufbegehrenden Gefühl als Schutzmauer dargeboten, damit nicht aus Untiefen die gärenden, an den Schranken rüttelnden Kräfte hervorbrächen, in denen Nestroy, mehr ahnend als wissend, die Schöpfer jeder großen, fruchtbringenden Umwälzung, doch auch die Vernichter eines jeden *petit bonheur* des Einzelmenschen erkannte.

FÜNFTES KAPITEL

Gleich seinen Landsleuten hatte Nestroy die Revolution kommen sehen, und in seinem Bereich hat er mitgeholfen, sie vorzubereiten. Weder er selbst, noch die Wiener ahnten jedoch, welche Geister sie herbeiriefen, noch welchen Hexensabbat diese, einmal entfesselt, veranstalten würden. Die Mitwirkung des Schauspielers und Autors erklärt sich zudem weniger aus einem, nicht vorhandenen, Hang zum Umsturz, als eben aus einem Konformismus, der, um nicht mit den jeweils Herrschenden in Konflikt zu geraten, stets mit der Strömung schwamm und der sich nur herausnahm, während er die allgemeinen Richtlinien eines Systems nicht antastete, Einzelnes und Einzelne als Zielscheibe des Spottes zu wählen. Dieses Leitmotiv ist vielleicht noch mehr aus den Werken und aus dem Verhalten Nestroys im tollen Jahr 1848 und sofort danach herauszufühlen als ein zweites, unverkennbares Moment, nämlich der Gegensatz zwischen hochgespannten Erwartungen und einer ganz andere Wege beschreitenden Wirklichkeit.

Am 12. März 1848 beseitigte ein seit Wochen vorauszusehender, vorausgesehener und dennoch nicht verhüteter Putsch, den niemand recht ersehnt hatte, das altersschwache Regime der regierenden Dreiuneinigkeit. Es war ein urösterreichischer ›Pallawatsch‹, der den Staatskanzler Metternich hinwegfegte, ein Durcheinander, bei dem der Hof den greisen Kutscher Europas im Stich ließ, der zwar seine Würden verlor, doch seine Würde bewahrte. Gerade das verübelten ihm die Männer von der Straße. Gegen ihn kehrte sich ein künstlich aufgepulverter Haß, den, zumeist eingeschleuste, Agitatoren in den politisch gleichgültigen Gemütern der Wiener entzündeten. Nestroy tat das, was Österreicher in öffentlicher Stellung fast immer angesichts ähnlicher Sachlagen zu unternehmen pflegen: da er sozusagen ein geistiger Führer war, folgte er den Geführten, Angeführten. Nachdem er noch geschwind in ein bereits fertiges Stück »Die Anverwandten« einige zeitgemäße politische Anspielungen eingefügt, dadurch aber statt zu begeistern nur einen Skandal samt Durchfall der als zuwenig revolutionär abgelehnten Posse bewirkt hatte, schmeichelte er sich wieder in die

Gunst des Publikums zurück, indem er dessen damals stärksten Neigungen und Abneigungen Rechnung trug. Am 1. Juli 1848 bejubelte man »Die Freiheit in Krähwinkel«. Er flickte also ohne inneres Widerstreben den Bürokraten, mit Wollust den Jesuiten und kaum aus tiefer Überzeugung dem Fürsten Metternich alles Erdenkliche ans Zeug. Der dick aufgetragenen Tendenz halber schlug das an Lacheffekten pralle und prächtig inszenierte Stück ein, obwohl es keine so großartigen Tiraden und profunden Gedanken birgt wie die verschmähten »Anverwandten«. Der populäre Komiker sorgte auch außerhalb des Theaters dafür, daß ihn die Volksmeinung als im nunmehrigen Begriff gutgesinnt kennenlernte. Eines Tages durfte man ihn und Freund Scholz als Nationalgardisten bewundern. Da schritt er einher, lang und würdevoll wie im Zivil, doch mit gezücktem Säbel und bewachte irgend etwas nicht näher Bestimmbares, das zu den neuesten Errungenschaften gehörte. Bald glitt indessen die Wiener Revolution in ein Fahrwasser hinüber, auf dem der entrüstete Bourgeois, der empörte Altösterreicher nicht mitsegeln konnte. Er vermochte sich weder für alldeutsche Hochziele, noch für die heraufsteigende Diktatur des Proletariats zu erwärmen. Wohl spielte er den maulfertigen Journalisten Ultra in der »Freiheit in Krähwinkel« bis Anfang Oktober, als diese Revolutionsposse samt der Freiheit, wie man sie im schönen Lenz gemeint hatte, und der Revolution aus der von Windisch-Graetz, Jellačić und Schwarzenberg dem Kaiser wiedergegebenen Hauptstadt vertrieben waren. Das verschlug dem behutsamen und über den Verlauf der Ereignisse entsetzten Nestroy auf längere Zeit die Rede. Nicht aber die Schreibe, denn es entstanden in dem einen Jahr 1849 vier Meisterwerke, in denen der Satiriker nun die Geschosse seines tödlichen Witzes gegen die unterlegenen Freiheitskämpfer offen, gegen die siegreiche Reaktion in allerdings durchsichtiger Umhüllung schleuderte. Der brausende Wasserfall ihrer Wortfluten hat diesen wahrhaft aristophanischen Bühnenwerken eine zugleich abkühlende und ernüchternde Wirkung verliehen. Freilich haben zwei von ihnen nur einen sehr mäßigen Theatererfolg gehabt, ein drittes blieb unaufgeführt und nur die grandiose Parodie auf Hebbels »Judith« löste einen Beifall aus, dessen Ursachen zum Teil außerhalb der Bühnensphäre zu suchen waren.

Das geringe Verständnis, das die eminent politischen dramatischen

Werke Nestroys in jenem Jahr des auf den Freiheitsrausch folgenden Katzenjammers weckten, ist um so bedauerlicher, als seit jener Zeit die bisher unerschöpflich scheinende schöpferische Kraft des Autors deutlich im Abnehmen war. Wohl sind ihm nach »Lady und Schneider«, »Judith und Holofernes«, »Höllenangst« und »Der alte Mann mit der jungen Frau« noch zwei Possen vortrefflich geraten, von denen »Mein Freund« (1851) einen leidlichen Erfolg, »Kampl« (1854) große und dauerhafte Anerkennung fand. Doch die Durchfälle häufen sich – vier nacheinander im Jahr 1850 –, und sie sind nicht immer unverdient. Die Leistungsfähigkeit des Verfassers und sein Arbeitswille erlahmen. Zwischen dem Frühjahr 1852 und dem von 1857 hat er nur drei Stücke vollendet, die aufgeführt wurden, und eines, das in der Schublade begraben blieb. Freilich hatte sich inzwischen ein bedeutsamer Wandel in der persönlichen Stellung Nestroys vollzogen.

Im August 1854 starb Direktor Carl und hinterließ ein für die damalige Zeit sehr beträchtliches Vermögen von zwei Millionen Gulden (etwa 15 Millionen heutiger DM Gegenwert). In seinem Testament verbot er den Erben, das ihnen nunmehr gehörende Theater selbst zu leiten. Der letzte Wille des rücksichtslosen Unternehmers, dem es vor allem darauf ankam, den virtuos zusammengebrachten Reichtum nicht zerflattern zu sehen, gab zudem den Erben mannigfache Ratschläge, etwa den, die Gelegenheit zu benützen, um abgebrauchte Schauspieler vor die Tür zu setzen. Carl war noch im Tode derselbe darin, daß seine Knausrigkeit und sogar ein wenig von seiner Herzlosigkeit verstummten dem gegenüber, der ihm zur finanziellen Blüte wesentlich mitgeholfen hatte, und dessen geschäftliche Tüchtigkeit – eigentlich die der ›Frau‹ – er zu schätzen wußte. Es war durchaus in Übereinstimmung mit den Wünschen des von so vielen bewunderten und von so wenigen beklagten Theatergewaltigen, daß Nestroy, der unterdessen seinerseits ein Erkleckliches an Barmitteln angesammelt hatte, die Nachfolge Carls als Direktor zufiel. Seit Carl 1838 das Leopoldstädter Theater übernommen hatte und 1847 ein prächtiges neues Haus eröffnen konnte, ist Nestroy, als Autor wie als Schauspieler ganz diesem Musentempel verpflichtet und, außerhalb Wiens nur auf Gastspielen tätig, zusammen mit Scholz die Hauptstütze dieser Bühne gewesen. Der im Geschäftlichen völlig unbrauchbare Scholz kam für eine Theaterleitung nicht in Betracht. Nestroy dagegen besaß, trotz seiner sonstigen Schüchternheit, seiner liebenswürdigen Natur, die zu keinem Aug in Aug gesprochenen Nein fähig war, alle Gaben, um ein ausgezeichneter Direktor zu werden. Ihm eignete die nötige Autorität gegenüber den Bühnenmitgliedern wie gegenüber dem gesamten administrativen und technischen Personal. Er wirkte repräsentativ und er war ›oben‹ trotz alles früheren Extemporierens und trotz aller abgebüßten Polizeistrafen sehr gut angeschrieben. Er stand nun, da Saphirs Stern im Erlöschen war, und die jüngeren Kritiker in Nestroy bereits so etwas wie eine Institution sahen, auch mit der Presse und speziell mit der Kritik nicht schlecht. Vor allem aber hatte er den richtigen Instinkt für die Auswahl der darzubietenden Stücke, für die passende Verwendung der Schauspieler, für Inszenierung, Propaganda und Behandlung des Publikums. Man konnte allerdings der Ära Nestroy, die vom 1. November 1854 bis zum 31. Oktober 1860 währte, mancherlei vorwerfen. Vielleicht weniger das unleugbare Nachlassen der Disziplin unter den Schauspielern – die vor dem geliebten und hochgeachteten Direktor nicht erbebten wie vor dem harten Tyrannen Carl und die zwischen sich und dem einstigen Kollegen nicht jene Distanz empfanden, die der Herr Baron seines Auftretens als Komödiant ungeachtet zu betonen wußte – denn die Gefügigkeit gegenüber dem Geschmack der Theaterbesucher. Wenn wir am Direktor Nestroy die Treffsicherheit gerühmt haben, mit der er sein Programm zusammenstellte, so möge das nicht als Urteil über den literarischen, ästhetischen, moralischen Wert der Novitäten begriffen werden. Er irrte eben nicht oder selten in der Ansicht über die Aufnahme, die ein Stück finden werde. Daß er unter den Autoren keinen zweiten Nestroy entdeckte, wer dürfte ihm das verübeln? Die Weichheit gegenüber seiner ›Bande‹ hat nicht gehindert, daß die starken Talente eines Grois und eines Treumann, den Nestroy anfangs mißtrauisch betrachtet hatte, dann aber zum Freund gewann, von ihm gehegt und gepflegt wurden. Und er selbst war sein bester Schauspieler. Der Verlust des herzlich betrauerten Scholz (5. Oktober 1857) hinterließ allerdings eine unersetzliche Lücke. Während fast dreier Jahre hatte Scholz in ungetrübter Freundschaft mit dem emporgestiegenen Gefährten, der ihm einen glänzenden Kontakt zuschanzte, seine unverminderte Darstellungskunst dem Leopoldstädter Theater gewidmet.

Ein ungemein populärer Bühnendichter und Direktor, über dem man nicht das stille Wirken der Frau Marie und – bis Ostern 1859 – des Freundes Stainhauser vergessen sollte, ein wohlgefügtes Ensemble und eine auf den Geschmack eines weder banausischen noch vulgären Publikums zugeschnittenes Repertoire: das ergab für Nestroys Privatleben den Übergang vom Wohlstand zum Reichtum. Um die erste Pacht zu bezahlen, hatte Nestroy noch 15 000 Gulden entlehnt; nicht weil sie ihm überhaupt fehlten, sondern weil es ihm an Bargeld mangelte. Nach Abdeckung dieser Schuld und bei Bezahlung von 24 000 Gulden jährlicher Pacht an Carls Erben – eine immer kostspieligere Lebensführung ungerechnet – durfte Nestroy am Ende seiner Direktionstätigkeit einen Überschuß von 300 000 Gulden (über zwei Millionen DM von heute) buchen.

Sind wir befugt zu beklagen und anzuklagen, daß diese Goldströme die schriftstellerische Leistung Nestroys nicht oder nur wenig befruchtet haben? Keine Epoche seines Daseins war so arm an dichterischem Gewinn wie diese Zeit wirtschaftlicher und sozialer Prosperität. Der relative Erfolg von »Umsonst«, der nachhaltige der »Tannhäuser«-Parodie, beide von 1857, täuschen nicht darüber hinweg, daß der Alternde nicht mehr der alte war. Es scheint, daß ihn die direktoriale Würde irgendwie hemmte. Denn als er ihrer ledig war und einen kurzen Lebensabend fern von Madrid, fern von Wien in Graz genoß, ist die volle satirische und wortkünstlerische Begnadigung noch einmal wiedergekehrt: in zwei ebenso lustigen wie tiefen politischen Satiren, die wenige Monate vor Nestroys Tod über die Bretter gingen: »Frühere Verhältnisse« und »Häuptling Abendwind«.

Als Schauspieler ist Nestroy bis zuletzt auf der Höhe seiner Meisterschaft gewesen. Nach dem gebändigten realistischen Stil seiner Reifejahre wirkte die übertreibende Manier des Endfünfzigers und Sechzigers wie eine Rückkehr zu seinen Anfängen. Doch diese Ähnlichkeit war nur äußerlich. In den Jugendtagen waren die Ungeheuerlichkeiten der Darstellung feuriger, titanischer Trotz. Nun quoll der ätzende Spott aus überlegener und überlegter Menschenverachtung, aus dem Zweifel an jeder irdischen Größe als Ergebnis eines im Grunde glücklichen Lebens. In den Gestalten Nestroys höhnte etwas von der Skepsis des Kammerdieners gegen seinen Herrn, etwas vom Cäsarenwunsch, dem gesamten Geschlecht der Erdgeborenen mit einem Hieb das Haupt abzuschlagen. Das alles wurde aber durch die Wiener Weisheit gemildert, daß nichts zu übertriebener Aufregung Anlaß biete. In dieser grimmigen Altersstimmung begegnet Nestroy den Offenbachschen Göttertravestien. Der Jupiter aus »Orpheus in der Unterwelt«, die letzte der vom Direktor an seinem eigenen Theater gespielten Rollen, ist die repräsentative Gestalt der Schauspielkunst Nestroys aus dessen dritter Epoche.

Dieser Olympier, der sich unterschiedlichen Alkmenen und Danaen im Goldregen naht, um sie zu betören, der mit seiner Juno nie endende Ehezwiste ausficht und der vor ihr die Flucht ergreift, sooft sich dazu Gelegenheit ergibt, obzwar er doch über Donner und Blitz verfügt, er hat auch mit dem Menschen Johann Nestroy gar manches gemein. Je älter er wurde, umso trotziger muckte der abenteuerlustige Pantoffelheld gegen die kreuzbrave Vormünderin. Jetzt, da er Geld in Hülle und Fülle besaß, wollte er sich nichts versagen. Die sparsame Hand der ›Frau‹ lastete schwer auf der wohlgefüllten Kasse. Häuslicher Krach kehrte so oft wieder, daß er beinahe in Permanenz war. Zumeist nahm er von Liebesaffären den Ausgang, die sich bei Nestroy mit Finanzangelegenheiten verquickten. Einmal drohte ganz ernstlich der Bruch mit der Lebensgefährtin. Ein williges Dämchen hatte im März 1855 die Aufmerksamkeit des stets nach Eroberungen ausblickenden ›Ehekrüppels‹ erregt, und sie wurde von ihm durch einen in seiner Nüchternheit entwaffnenden Brief eingeladen, mit ihm ein Verhältnis anzufangen. Die mit falschen adeligen Initialen gezeichnete Aufforderung hatte Erfolg und führte zu einem der bei Nestroy üblichen Außer-Ehekontrakte, in denen die geldlichen Leistungen des diskreten Freundes genau und mit Terminen aufgezählt waren. Nun hielt der um die Dehors stets besorgte Familienvater darauf, daß der Gegenstand seiner sexuellen Bedürfnisse nicht die Ruhe und die Ehrbarkeit im bürgerlichen Heim des Herrn Direktors störe. Die übermütige, vermutlich auch ehrgeizige Pläne hegende Favoritin trachtete indessen gerade danach. Sie schrieb beleidigende, anonyme Briefe an Marie Weiler. An der Urheberschaft dieser Schreiben obwaltete kein Zweifel. Die Wirkung war der von dem leichten Mädchen in völliger Verkennung der Sachlage und der Natur Nestroys erwarteten entgegengesetzt. Dieser hatte sich zwar auf einige Zeit von der ›Frau‹ getrennt und ver-

handelte mit ihr, durch Freund Stainhauser über einen Friedens-
schluß auf der Basis einer reinlichen Scheidung der Wohnung
und der Finanzen und unbegrenzter Freiheit für die erotisch-
sexuelle Sphäre des Hausherrn, doch die ›impertinente Noncha-
lance‹ der dummen Gans, die sich einen stolzen Aar dauernd ein-
zufangen hoffte, renkte die Beziehungen zwischen den beiden
Gatten schneller ein, als das die Vermittler Stainhauser und
Treumann getroffen hätten. Caroline Köfer, so hieß die ge-
scheiterte Intrigantin, bekam sofort den Laufpaß samt geziemen-
der Abfertigung in bar; der Friede im Hause Nestroy war wieder
einmal gerettet. Was nicht hinderte, daß bald darauf dem Unver-
besserlichen eine Vaterschaftsklage zuflatterte und daß er weiter
von Blume zu Blume naschte. Die peinliche Sonderung des sexuellen Trieblebens von der würdigen Existenz im Familienkreise be-
glaubigten Nestroy als das, was er – mochten seine Dichtung und
seine Schauspielkunst an allem rütteln, an allem zweifeln oder
gar verzweifeln lassen – nie aufgehört hatte zu sein, als Bekenner
der geheiligten Ruhe und Ordnung: jetzt, da er dem Greisenalter
zustrebte, stärker denn je. Er war bemüht, die Beziehung zur Ge-
nossin seines Aufstiegs in den Rahmen einer respektablen Bürger-
ehe zu zwängen. Für die Kinder aus dieser Verbindung tat er die
nötigen Schritte, um sie dem ehelichen Sohn gleichzustellen. Auf
sein Ansuchen wurden sie durch »die Gnade des Allerhöchsten
Landesfürsten« im Vorfrühling 1858 legitimiert. Gustav, der
Älteste, war weniger begabt. Statt, wie es ihm ursprünglich zu-
gedacht war, Offizier, wurde er Beamter der Nordbahn; er heiratete eine Wiener Bürgerstochter und starb fünfundvierzigjährig
1869. Der sehr begabte Sohn der Weiler, Karl, wurde durch ein
Herzleiden aus einer brillanten militärischen Laufbahn geworfen.
Noch vor dem dreißigsten Geburtstag mußte er, damals schon
Hauptmann im Geniestab, den Abschied nehmen. Er heiratete
eine Ungarin, ein adliges Fräulein von Bene, und er ist 1880, wie
sein Bruder kinderlos, dahingeschieden. Nestroys Tochter, sein
Liebling Marie, reichte siebzehnjährig einem Hauptmann Sluka
die Hand, der später geadelt und Generalmajor wurde. Die Familie
Nestroy ist also nach einem rühmlichen Zwischenspiel im Bereich
der Kunst dorthin gelangt, wo sie der Ehrgeiz ihrer Vorfahren
hingeträumt hatte: unter die k. k. oder k. u. k. privilegierten
Stützen des Throns.

Der große Satiriker aber, der das Zielobjekt seiner Pfeile weniger in den Einrichtungen seines Vaterlandes als in der Unzulänglichkeit der Menschen gegenüber den Ideen und den Institutionen erblickt hatte, war mit dem Ausklang seines Erdenwallens durchaus einverstanden. Sein Patriotismus zeigt in vertraulichen Privatbriefen leidenschaftliche Akzente. Auf Helgoland erfährt der unerbitterliche Spötter den Waffenstillstand von Villafranca. Frolockt da der Demokrat über den schmählichen Zusammenbruch des reaktionären Systems, höhnt der Freigeist über die finstere Pfaffenherrschaft? Ach, es spricht nur der ewige Österreicher, entrüstet und verzweifelt: »Unterhandeln müssen mit einem Lumpen, wie dieser Napoleon, das ist arg. Es ist dieß der klarste Beweis von der Niederträchtigkeit der anderen Großmächte, die uns theils im Stiche lassen, theils directe im Interesse dieses revolutionären Schuftes Napoleon handeln. Übrigens, wo auch die Regierungen etwas im Österreichischen Interesse thun möchten, ist wieder Volk und Armee, namentlich die letztere, entgegen. In Berlin sagen die Soldaten: ›Wir können den Österreichern nicht helfen in Italien, denn wenn wir fielen bei der Hitze, so würden wir ihnen die Luft verpesten, da man uns als Ketzer im Concordat'schen nicht begraben darf.‹ Wenn man einen Ausländer aufklären will, daß Concordat und Inquisition noch ein himmelweiter Unterschied ist, so glaubt er es nicht. Der Haß gegen das Concordat ist so groß und so eingewurzelt im Auslande, als ob schon Tausend Norddeutsche bei Autodafés gebraten worden wären[8].« »Der Schuft Napoleon«: wo können wir denn ebendiese Worte gleichfalls in einem vertrauten Brief lesen? In Franz Josephs Korrespondenz mit seiner Mutter Erzherzogin Sophie aus derselben Zeit. Und die Wesenseinheit zwischen Kaiser und Theatermann wird offenbar; bis in die Wahl der Ausdrücke, bis in die kleinsten Neigungen und Abneigungen. Man beachte auch dieses, geschrieben vier Tage später, am 16. Juli 1859 auch aus Helgoland: »Es ist der widerwärtigste Gedanke, Friede mit diesem Louis Napoleon, aber es konnte leider nicht anders sein. Ich wünsche nur, daß Kaiser Franz Joseph hinter diesem Frieden einen Racheplan an dem elenden ultraschuldigen Preußen reserviert; ein Austritt Österreichs aus dem Deutschen Bund, wovon man hier allgemein spricht, wäre wohl die erste Hinweisung auf gerechte Vergeltung an elenden Freunden, die weit schlechter als die ärgsten Feinde sind[9].«

Nichts hat dem Menschen Nestroy den Character indelebilis als Österreicher aus gutem Bürgerhaus weggewaschen: nicht seine häufigen Reisen – er ist als unabhängiger Unternehmer und wohlsituierter Kapitalist nicht nur zu Gastspielen oft in die Fremde gefahren: nach Deutschland, Frankreich, Holland und in die Schweiz; ein Islandbesuch war sein nie verwirklichter letzter Wunsch –; nicht seine klare Erkenntnis von den Schattenseiten eines Regimes und von den Unvollkommenheiten, von den Fehlern, den Lastern der Österreicher im allgemeinen, der Wiener im besonderen. Er liebte eben seine Heimat, ihre Bewohner, ihren Lebensstil, ihre Art, nicht blind, doch mit heller Einsicht in ihre Mängel.

Still, bescheiden, urösterreichisch ist denn auch der Ausklang seines Daseins gewesen, den er selbst sich vorbereitet hatte. Mit seinem untrüglichen Scharfblick fühlte er die Notwendigkeit, sich zurückzuziehen. Unersättliche Gier nach Reichtum war nie Nestroys Sache. So ergriff er mit Vergnügen den Anlaß, den ihm hochgeschraubte Forderungen der Carlschen Erben boten, um eine Erneuerung des Pachtvertrags abzulehnen. Schon im Juli 1859 stand sein Entschluß, ins beschauliche Dasein eines Privatiers überzugehen, unwiderruflich fest. Er kaufte sich eine schöne Villa in Ischl, der damals hoch in die Mode kommenden kaiserlichen Sommerresidenz; doch zum ständigen Wohnsitz wählte er Graz, wo er seine ersten großen Triumphe gefeiert hatte. Am 31. Oktober 1860 verabschiedete er sich vom Publikum des Theaters in der Leopoldstadt. An diesem Abend spielte er Bruchstücke seiner berühmtesten Rollen, des Willibald aus den »Schlimmen Buben«, des Sansquartier, des Landgrafen Purzel aus der »Tannhäuser«-Parodie, des Jupiter aus »Orpheus in der Unterwelt«. In einer wahren Apotheose verließ er als Sieger die dramatische Arena.

Zu Graz, dem österreichischen ›Pensionopolis‹, am Fuß des Schloßbergs, inmitten von Herren Generalen, Stabs- und Oberoffizieren des Ruhestandes, ehemaligen Staatsbeamten und anderen Gewesenen, denen des Dienstes gleichgestellte Uhr nicht mehr schlug, führte er ein herrliches Schlaraffenleben zwischen Wohnung, Kaffeehaus und Theater wie in Wien, doch ohne berufliche Sorgen. Die Bühne betrachtete er ja nur noch als Zuschauer, nicht als Mitspieler. Das dünkte ihn freilich zu wahr, um schön zu sein. Dem Zirkuspferd gleich, das die Klänge der Musik vernimmt und zu tanzen anhebt, obwohl es sein Gnadenbrot in Ruhe verzehren könnte, vermochte der glorreiche Veteran der Szene nicht zu widerstehen, als ihn Freund Treumann, nun Direktor des neuen Kai-Theaters, zu Gastspielen einlud. Außer dem unerhörten Honorar von dreitausend Gulden (etwa 24 000 DM) monatlich lockten die künstlerischen Lorbeern. Nestroy durfte sich in Rollen ausleben, die seinem unbarmherzigen, spitzigen Altersstil vollkommen gemäß waren. In drei Offenbachiaden, zweien vom Pariser Meister selbst, einer von dessen gelehrigem Wiener Schüler, dann in einem eigenen Werk, den »Früheren Verhältnissen«. Diese Kreationen des als Darsteller noch immer Unübertrefflichen sind den Zuschauern unvergeßlich ins Gedächtnis eingeschrieben worden. Nicht minder der Häuptling Abendwind, die Hauptfigur aus Nestroys letztem, am 1. Februar 1862, zur Premiere gebrachten Stück. Was schadete es, daß er nicht mehr so beweglich war wie zuvor und daß sein früher unvergleichliches Gedächtnis sich abschwächte, so daß er nicht vom Souffleur loskam? Mimik, Sprachkunst, das Dämonische, Einmalige seiner Gestaltungen litten darunter nicht im leisesten. In unverminderter Meisterschaft beendete er am 4. März 1862, als Knierreim im »Lumpacivagabundus«, für immer seine Bühnenlaufbahn auf Wiener Boden.

Niemand dachte, daß er die Stadt seiner Geburt und seines unvergänglichen Wirkens lebend nicht mehr betreten werde. Er selbst war freilich seit langem von Todesahnungen geplagt, die ihm eine vor Außenstehenden ängstlich verhehlte Angst vor dem Verscheiden einflößten. Als er in Paris ein Gemälde betrachtete, das die dem Henker geweihten Girondisten zeigte, verlor er in plötzlichem Unwohlsein die Besinnung. Im Kreis seiner Nächsten durfte man nicht vom Sterben reden; worin er übrigens einem andern großen Österreicher und ihm trotz des Standesunterschiedes charakterlich verwandten Lebenskünstler, dem Staatskanzler Fürst Kaunitz, glich. Ihn schreckte die Möglichkeit, scheintot begraben zu werden. Davon und von seiner schier krankhaften Scheu vor dem Unvermeidbaren zeugt sein Testament, das er am 30. Januar 1861 zu Graz notariell beglaubigen ließ. Seine Gewissenhaftigkeit und seine zärtliche Sorge für die Familie hatten dieses Dokument den Hemmnissen einer sonst unüberwindbaren Phobie abgerungen. Bis in die letzten Apriltage 1862 schien Nestroys Todesfurcht eher Hypochondrie zu sein, eine der Wun-

derlichkeiten, die sich bei ihm, der physisch für seinen allzu reich-
lichen Genuß der Sinnesfreuden zu büßen hatte, seit dem Eintritt
ins siebte Jahrzehnt immer lauter meldeten. Noch am 29. April
spielte er den Willibald in einer Grazer Wohltätigkeitsvorstellung.
Doch am 16. Mai zeigten sich die Vorboten eines Schlaganfalls,
zwei Tage später verlor Nestroy die Sprache, und nachdem am
23. eine völlige Lähmung der rechtsseitigen Körperhälfte eingetre-
ten war, begann die Agonie, die am 25. Mai um elf Uhr vormit-
tags mit dem Tode endete. Der Leichnam wurde aus Graz nach
Wien überführt. Dort fand am 2. Juni das Begräbnis statt. Unter
einem Zulauf der Bevölkerung, dergleichen man für keinen andern
Dichter oder Schauspieler und auch nur wenige Jahre zuvor bei
der Bestattung des Feldmarschalls Radetzky gesehen hatte. Zehn-
tausende standen Spalier, der Zug brauchte eineinhalb Stunden
zum Vorbeiziehen. Wie Nestroy es gewollt hatte, war sein Lei-
chenbegräbnis ›elegant‹, vornehm-großbürgerlich und dem Ritus
der Römisch-Katholischen Kirche gemäß, in die er geboren, in
der er erzogen war und zu der er sich, obgleich gegen deren Katechismus oft ein arger Sünder und an ihren Lehren ein Zweifler,
durch Empfang der Sterbesakramente bekannte. Die Überreste
des Dichters kamen zunächst auf den alten Währinger Friedhof;
1881 widmete ihm die Gemeinde Wien ein Ehrengrab. Dort ruht
er, seine treue Lebensgefährtin ihm zur Seite.
Nestroys direkte Nachkommenschaft, die legitime und die legiti-
mierte, ist erloschen. – Daß noch Deszendenz aus mancherlei
flüchtigen Liebschaften vorhanden sein mag, die selbst nichts von
diesen ihren Ursprüngen weiß, ist möglich, sogar wahrscheinlich. –
Nur die Schwiegertochter, Karls Witwe, geborene von Bene, deren
Vermählung noch zu Johann Nestroys Lebzeiten stattgefunden
hat, ist bis in die Tage des Zweiten Weltkrigs als letztes Mitglied
seiner engeren Familie übrig gewesen. Sie starb fast hundertjährig
in der Ischler Villa, die der Vater ihres Gemahls einst Marie Weiler
geschenkt hatte. Die Nachkommenschaft von Nestroys Bruder
blüht bis heute. Sie hat es als Richter und als Offiziere zu hohem
Rang gebracht. Einer aus ihr ist kurz vor dem Untergang der
Habsburger-Monarchie als General geadelt worden. In seinem
Wappen ist die Erinnerung an den Größten des Geschlechts festgehalten. Auch Fernerstehende aus der sehr zahlreichen weiteren
agnatischen Verwandtschaft des Dichter-Schauspielers, deren

nächste Vorfahren längst den Zusammenhang mit denen Johann Nestroys verloren hatten, sind in den letzten Jahrzehnten auf ihn aufmerksam geworden, und sie zählen ihn mit Stolz zu ihrem Geschlecht.

Fast mochte es scheinen, daß es mit den geistigen Kindern nicht anders sein werde wie mit dessen leiblicher Deszendenz. Die Apotheose beim Leichenzug durfte nicht darüber hinwegtäuschen, daß nun der Ruhm des Mannes, in dem man vor allem und fast nur den Schauspieler ehrte, schnell verblassen werde. Die Kritik ist zwar mit dem Alternden artiger umgegangen als eine Generation zuvor, doch schon aus den Urteilen über »Frühere Verhältnisse« und »Häuptling Abendwind« war höchstens nachsichtige Milde mit einem von unbegreiflicher Publikumsgunst getragenen Jubelgreis herauszulesen. Die Nachrufe der Zeitungen stellten dem Liebling der Wiener ein vorzügliches Abgangszeugnis als erfolggekrönter Spaßmacher aus, doch die Wortführer der alles Nur-Österreichische über die Achsel ansehenden Literatur – wie Heinrich Laube, Hoffmann von Fallersleben und der Hebbel-Verkünder Kuh – erneuerten das Verdammungsurteil über den Verderber des guten Geschmacks, den Verführer der Jugend, den Zyniker; über ihn, der laut Hebbel eine Rose stinken machte, wenn er sie berührte. Man erneuerte den Bannfluch gegen den Schwarzgelben, den Reaktionär und man trachtete andererseits den tiefsten, den klügsten Abschätzer der Menschen als einen naiven, von der fortschreitenden Zeit in den dauernden Ruhestand versetzten Aberwitzbold abzutun.

Zwei Jahrzehnte jener greulichsten Periode deutscher Literatur, die man höflich den »Kampf um die Tradition« genannt hat, die man aber eher die Zeit der herabwallenden Bärte – oh, *quelles barbes!* – und der mahnend zum den Spatzen überlassenen Himmel erhobenen Zeigefinger oder auch die der Aristarchie nennen mag, ... rund zwanzig Jahre währte Nestroys Verbannung aus dem entzauberten Reich der gesinnungstüchtigen Literatur, in dem der Grundsatzlose kein Heimatrecht erlangte. Nur ein paar Lokalpatrioten erinnerten mitunter in den Wiener Tagesblättern an den Abgott des vormärzlichen Theaterpublikums. Die Wissenschaft ignorierte vornehm den versunkenen Possenreißer. Er fehlt in den gelesensten Literaturgeschichten von Julius Schmidt, Robert Prutz und Gervinus, Gottschall. Der Ästhetiker Vischer, dessen humoristisch vermeinter Alpdruck »Auch Einer« als Albdruck auf uns Heutigen lastete, wäre diese verschnupfte Geschichte noch des Nießbrauchs, nimmt von Nestroy nur Kenntnis, um ihm moralische Fußtritte ins geleugnete Jenseits mitzugeben. Diese Überlieferung wird als Gebot bis ins 20. Jahrhundert mitgeschleppt. In den Büchern von Martersteig, Holl und Witkowski über das deutsche Drama kommt der Erbe des Hanswursts übel davon. Die populären Handbücher der deutschen Literaturgeschichte von Leixner, Biese, R. M. Meyer, Eduard Engel schweigen und zeigen sich gänzlich abgeneigt, Nestroy den Zutritt zur guten dichterischen Gesellschaft zu gewähren.

Mit dem Beginn der Achtzigerjahre nahm indessen von Wien aus die Rehabilitierung des beinahe zur Unperson Gewordenen ihren Anfang. Damals wurde am Carl-Theater unter außerordentlichem Zulauf ein Zyklus von zwanzig Stücken des einstigen Lieblings der Besucher dieser Bühne aufgeführt als Geschenk, das sie sich zu ihrem hundertsten Geburtstag bescherte. Der feinsinnige Kritiker Speidel zeigte in einem schönen Bildnis dem jüngeren Geschlecht, was der Halbvergessene, Ganzverfemte den beiden vorigen Generationen gewesen war. 1890/91 erschien, von Ludwig Ganghofer, dem dafür vieles vergeben sei, und vom vortrefflichen Wiener Feuilletonisten Vincenz Chiavacci betreut, eine zwölfbändige Gesamtausgabe der zumeist verschollenen und nur selten im Druck erhaltenen dramatischen Werke Nestroys. Unkritisch und unvollständig, vermittelte sie dennoch eine Ahnung vom verwirrenden Reichtum, der in dem Werk des Satirikers geborgen war; sie enthielt auch eine von Moriz Necker verfaßte Lebensbeschreibung Nestroys, die erste, aus der man über ihn mehr erfuhr als Tratsch und Theatermythos, freilich keine auch nur andeutungsweise Würdigung des Denkers, Sprachkünstlers und Schauspielers. Es häuften sich fortan die volkstümlichen Ausgaben, darunter die des Wiener Buchhändlers und Bühnenenthusiasten Leopold Rosner. Dann folgte eine Ehrung, über die der Autor, hätte er sie erlebt, sicher am meisten überrascht gewesen wäre. Auswahlbände, die in den literarischen Verlagen von Bong und Hesse erschienen, reihten ihn unter die deutschen Klassiker ein.

Doch es war die Tat des Nestroy wahl- und qualverwandten, ihm kongenialen Wortkünstlers, Satirikers und Menschenkenners, es war ein in der »Fackel« 1912 veröffentlichter Essai »Nestroy und die Nachwelt« von Karl Kraus, der den großen österreichischen Schriftsteller des Vormärz, den man nun im ganzen deutschen Sprachraum zu kennen anfing, als das anerkannte, was er war: ein Kämpfer, der sich aus innerer Berufung das Entlarven falschen Glanzes und echter Dummheit, das Gegenüberstellen der erhabenen Idee und ihrer kläglichen Verwerter zur Lebensaufgabe erkoren hatte. Karl Kraus, der Streiter für den jungen Gerhart Hauptmann, für Liliencron, Wedekind, Trakl und Theodor Haecker, hat in seinem zürnenden, mahnenden und erleuchtenden Versuch mit den tauglichsten Mitteln das endliche, endgültige Bild des Magiers des Worts und Abschätzers der durchschauten Wirklichkeit heraufgezaubert. Karl Kraus mahnte eine kleinere Nachwelt an jenen Weisen und an dessen Weisheit im Narrenkleid, die tadelnd und tändelnd, witzig und wehmütig durch die Schale hindurch in den Kern der Seienden und des Seins Einsicht geboten haben. Damit war in Österreich bei denen, auf die es ankam, alles gewonnen. Kraus' unübertreffliche Vortragskunst, die er sehr oft in den Dienst Nestroys stellte, bestärkte nur noch den im ersten mächtigen Stoß erzielten Durchbruch. Die Pracht und die Macht des wiederentdeckten Kleinods wurden gleichermaßen Dichtern und Kritikern wie Richard von Schaukal und Otto Stoessl, Literaturgeschichtsschreibern vom Rang Oskar Walzels und – mit Vorbehalt – Josef Nadlers gepriesen.

Eines blieb noch zu tun. Otto Rommel und Fritz Brukner haben es vollbracht. Sie haben gemeinsam die Werke Nestroys, die nur in der unzulänglichen Bearbeitung Ganghofers und Chiavaccis als eine grundsätzlich vollständige Sammlung vorlagen, in einer mustergültigen, fünfzehnbändigen Ausgabe wirklich vollzählig dargeboten. Deren letzter Band enthält Rommels aus den Quellen schöpfende, ein überreiches archivalisches Material verwertende Biographie des Wiener Aristophanes und zugleich eine tief eindringende Analyse seines Wesens, seines Schaffens und des historisch-gesellschaftlichen Hintergrunds dieser Werke. Brukner hat, sieben Jahre nach Abschluß der Nestroy-Gesamtausgabe, 1937 ein schmales Bändchen mit der erhaltenen Korrespondenz des Autors veröffentlicht. Nach dem Zweiten Weltkrieg legte Rommel eine Auswahl aus Nestroys Theaterstücken vor, die auch dessen Aphorismen und Couplets brachte, und eine neubearbeitete Einleitung über des Dichters Leben und Leistung bescherte (1948). Noch einmal hat Rommel, in seinem monumentalen Werk »Die Alt-Wiener Volkskomödie« (1952), Nestroy als Abschluß und Vollender dieses Genres geschildert. Franz Mautner, der sich viel mit dem genialen Wiener Satiriker beschäftigte, steuerte zu einer guten einbändigen Volksausgabe, die schon 1937 erschienen war, eine wertvolle Untersuchung über »Nestroy und seine Kunst« bei.

Unterdessen hatte der einst von der Germanistik beiseitegeschobene Unbedeutende seinen Einzug in den Universitätsbetrieb gehalten. Man widmete ihm Dissertationen, darunter manche sehr gute. Aus ihnen ragen eine norddeutsche von Max Bührmann, 1933 in Kiel approbiert, über »Nestroys Parodien«, und eine Wiener von Liselotte Bujak, über »Nestroys Beziehungen zum Biedermeier« (1948), hervor. An größeren Monographien ist freilich nur eine einzige (1932) erschienen. Den daran Schuldigen möge der geneigte oder abgeneigte Leser erraten. Zu nennen wären noch einige Aufsätze von Belang; sie stammen von dem Freund und Herold Karl Kraus' Leopold Liegler, vom Kulturhistoriker Egon Friedell, der auch eine Anthologie aus Nestroy veröffentlicht hat, von Franz Glück, Franz Hadamovsky, Jörg Mauthe, Hans Weigel, Friedrich Torberg, der besonders Gescheites über den Österreicher Nestroy im Sammelwerk »Spectrum Austriae« (1957) sagte. Dazu kommen zuständige und gerechte Urteile in allgemeinen Darstellungen wie in Josef Gregors ausgezeichneter »Geschichte des österreichischen Theaters« (1948) und in Josef Nadlers »Österreichischer Literaturgeschichte« (1948 und 1950). Das alles ist erfreulich, doch es spiegelt bei weitem nicht die Umwertung wider, die Nestroy seit einem Halbjahrhundert zugebilligt worden ist. Sie äußert sich in der Eroberung der Bühne auch jenseits der österreichischen Grenzen überall im deutschen Sprachraum und schließlich auch in offiziellen Ehrungen.

Diese Erfolge haben dem Theatermann, der zwar viel gefeiert worden war, doch zum Beispiel keiner Ordensauszeichnung für wert erachtet wurde – er besaß nur die Salvatormedaille der Stadt Wien – in einer Briefmarkenserie von sechs Gipfelhöchsten der weiland k. k., jetzt Bundesliteratur einen Platz neben einem Herrenhausmitglied, zwei Großkreuzen des Franz-Josef-Ordens, einem

Hofrat und Schulinspektor und zwei behördlich privilegierten Volksschriftstellern zugebilligt. Man veranstaltete zum 150. Geburtstag eine Nestroy-Ausstellung; er bekam sein sehr bescheidenes Denkmal und in den Lesebüchern ist ihm die Unsterblichkeit bei der lieben Jugend gesichert. Er fand sogar Einlaß ins Burgtheater, was ihm anfangs nach einem glänzenden Auftakt von 1901, mit Kainz als Zwirn, nicht sehr gut bekommen war, dann jedoch unter der Zweiten Republik eine Reihe lobenswürdiger Vorstellungen zeitigte. Vor allem aber: in Österreich wenigstens und in den Kreisen der Literatur, die nicht als banausisch gelten möchten, ist es verpönt, von Nestroy abfällig zu sprechen. Und gerade in Norddeutschland, vorab in Berlin, dann in den Rheinlanden und in Westfalen hat er Kritik wie Zuschauer im Sturm gewonnen. Nestroys Ruhm hat nicht an den deutschen Sprachgrenzen sein Ende. Zwei große Dichter im Westen und im Osten haben ihn, der eine, Thornton Wilder, in die amerikanische, der andere, Julian Tuwim, in die polnische Sprache eingeführt.

Der Held dieser Renaissance, zugleich bescheiden und selbstbewußt, hätte diese späte und erneute Glorie vermutlich mit ähnlicher offener Skepsis und heimlicher Genugtuung aufgenommen wie das Huldigungsgemälde, das ihm ein wohlmeinender Verehrer, Professor Tewele – Vater eines hernach sehr bekannten Volksschauspielers –, übersandte. »Das Tableau hat auf mich individuell den Endzweck des Inverlegenheitgesetztwerdens gemacht«, schrieb Nestroy damals, im Januar 1861, an Stainhauser, »es sieht aus, wie ein aufdringliches Kokettieren mit lauter übertriebener Vorzüglichkeit und ich kann mich eines siedheiß aufsteigenden Beschämungsgefühls nicht erwehren, wenn ich denke: am Ende glauben doch viele Leute, ich habe im vorhinein darum gewußt und mir geschähe ein Gefallen mit dem Erscheinen dieses Bildes. Der größte Fehler dieses Bildes ist der, daß ich noch am Leben bin, und so angenehm mir dieser Fehler in anderer Beziehung ist, so macht er doch das Tableau zu einem mit dem Anschein einer meinerseitigen Aufdringlichkeit behafteten nimium. Es ist eine Apotheose, so ehrt man einen verstorbenen Erzbischof aber keinen lebendigen Mimerer[10].«

Die Nachwelt hat dem toten Mimen dennoch Lorbeerkränze geflochten. Sie huldigt dem geistigen nicht minder als dem geistlichen Führer; sie hört die frohe Botschaft, der wohl der Glauben an die

Menschen, nicht jedoch der an die Ideen mangelt. Sie bewundert im grausamen Züchtiger der österreichischen Wesensart, im Durchschauer seiner Mit-Erdgeborenen den Sprachkünstler, den Spender einer gleichermaßen aus metaphysischen Tiefen und von der liebenswürdigen, hassenswerten Oberfläche schöpfenden Heiterkeit. Ob mit Fug? Die nächsten Abschnitte dieses Buches versuchen darauf Antwort zu geben.

SECHSTES KAPITEL

Nestroys Dichtung ist vom Theater untrennbar. Jede Zeile, die er für die Öffentlichkeit bestimmte, ist im Hinblick auf die Szene abgefaßt, von der herab diese Worte durch den Mund eines Schauspielers zum Publikum reden sollten. Dem Dramatiker aus angeborener Begnadung widerstrebte jede andere Form als die bühnengemäße. Selbst zu Widmungen unter Bilder verwendete er Sätze aus seinen Stücken. Er behauptete, keinen ordentlichen Brief schreiben zu können, und er pries Stainhauser mit naiver Bewunderung wegen dessen Überlegenheit in der epistolarischen Kunst. Das war nun zwar Selbstverkenntnis, denn die vielen mitunter recht langwierigen Herzensergüsse Nestroys an Freunde und Bekannte sind geistreich und liebenswürdig, manchmal freilich so verwickelt wie Amtsentscheide im k. k. Bureaudeutsch. Das jedoch, was der Dichter in literarischer Absicht zu Papier brachte, gehörte ausschließlich dem Drama an. Hierzu eine weitere Einschränkung: Von seinen 83 bezeugten Stücken waren 82 im weitesten Sinne Komödien; nur ein mißlungenes Jugenderzeugnis des Zwanzigjährigen, »Rudolf (Friedrich) Prinz von Corsica«, gehört dem tragischen Theater an und beweist die völlige Unfähigkeit des Autors in diesem Genre.

Diese Beschränkung aufs Komische entsprach durchaus einer inneren Notwendigkeit. Zu einer ironischen Betrachtungsweise vermutlich schon durch Erbanlagen, sicher aber durch frühe Lebenserfahrung und durch Erziehung – oder Nichterziehung – vorbestimmt, läßt Nestroy Menschen und Dinge von der lustigen Seite erscheinen, auch wenn sie und wo sie tieftraurig sind. »Der Ernst hat eine feierliche Seite, eine schauerliche Seite, überhaupt sehr ernsthafte Seiten, aber ein elektrisches Fleckerl hat er doch immer und da fahren bei der gehörigen Reibung die Funken der Heiterkeit heraus[11].«

Eine dritte Grundvoraussetzung gesellt sich den beiden, der fest im Temperament wurzelnden dramatischen Artung und der keineswegs einem unbeschwerten Optimismus entsprießenden, ans Lachen und nicht an die Tränen appellierenden Zauberkraft hinzu:

die Gabe des Darstellens durch Gebärde und sinnvoll gesprochenes Wort, die höchste schauspielerische Befähigung. Nestroy erfüllte in ungewöhnlicher Vielfalt alle Bedingungen zu mimischer Vollkommenheit. Er war von stattlichem, schlankem Wuchs, und er wußte das je nachdem – wir sagen heute als sex appeal beim schönen Geschlecht und werbend, neidweckend, doch Bewunderung heischend bei den Männern – zu gebrauchen; er war gewandt in seinen Bewegungen, sein Antlitz, nicht von klassischem Ebenmaß, doch angenehm und beherrscht durch faszinierende, kluge, ausdrucksvolle Augen, gehorchte einem Mienenspiel, das vom Geist und vom scharfen Verstand blitzschnell gelenkt wurde. Berühmt waren Nestroys ironisches Zucken der Mundwinkel, seine Handgebärden, mit denen er – eben im Handumdrehen – eine seelische Landschaft zeichnen, eine Gestalt und eine konventionelle Lüge entlarven konnte. Und an seinem Leib spielte alles mit: die Knie, schlotternd oder steif; der Rücken dumm-hoffärtig, stolz-aufrecht, heuchlerisch oder demütig-arm gekrümmt; die Füße, einherschleifend, stapfend, vorsichtig oder leichthin gesetzt, ja die Haare und nicht zuletzt – wiederum noch nach Generationen in der Wiener Bühnenüberlieferung legendär – die Brauen, mit denen er, sie hochziehend Diabolik andeuten oder sie, zugleich mit dem Blitzen der Augen und den verzerrten Lippen, als Attribute des Teuflischen verwendend, in den faszinierten Zusehern wollüstig-unheimliches Grauen wecken konnte.

Die Größe, die Wirklichkeit des Schauspielers Nestroy ist uns durch zahllose Zeugnisse der Zeitgenossen beglaubigt. Nicht zuletzt durch die berufensten Urteiler, nämlich durch Rivalen und durch damals junge Bühnen-Novizen, durch Kritiker und durch kunstverständige Theaterbesucher aus allen Gesellschaftsschichten. Dennoch müssen wir betonen, daß es nicht die Schauspielkunst ist – wie außerordentlich sie gewesen war –, die den Platz Nestroys bei der Nachwelt und in der Kulturgeschichte, in der Literaturgeschichte seines Vaterlands, des deutschen Sprachraums und der Menschheit sichert oder sichern sollte, sondern seine Sprachgewalt und seine, nur wenigen im gleichen Maße beschiedene Meisterschaft, den Witz als Mittel eines Gesellschaftsschilderers und als Waffe eines Gesellschaftskritikers zu gebrauchen. Dem Schauspieler Nestroy ist trotzdem unsere bestaunende Aufmerksamkeit zugekehrt; ohne ihn zu verstehen, bliebe uns auch der Zugang zum Magier des Worts, zum Abschätzer der Menschen, wenn nicht versperrt, so doch schwieriger und eingeengt. Seien wir uns aber darüber klar, daß es sich mit dem Mimen, auch wenn ihm die Späteren Kränze flechten, nicht anders verhält als mit Helena bei Homer, deren Schönheit wir nur an dem Eindruck ermessen, den sie laut der »Ilias« auf Greise ausgeübt hat. Wir haben keine Möglichkeit, uns unmittelbar vom Eigentlichsten eines toten Schauspielers zu überzeugen; seine Leistung ist einbalsamiert – wohl ihm, wenn das durch kundige, den Jahrtausenden trotzende Fachtüchtigkeit geschah! – oder gar nur ausgestopft, und dann harrt sie im Museum des nie fernen Augenblicks, da das allzu Sterbliche den Tribut an die Vergänglichkeit zollt.

Die Erinnerung an Nestroys Schauspielkunst ist einbalsamiert; nicht gerade von Großmeistern dieser begrenzten Überlebensversicherung, immerhin aber von nicht wenigen und erprobten Gewerbsleuten. Das, was sie berichten, genügt, um ein Bild des Komikers zu zeichnen; stets mit dem Vorbehalt, als hätte ein Porträtmaler – greifen wir nochmals zum Gleichnis – nach einer alten Photographie, nach einem Daguerreotyp eines Verstorbenen zu arbeiten. Wir vermögen drei Stadien im schauspielerischen Stil Nestroys zu unterscheiden: den stürmischen, übertreibenden, karikierenden der Jugendzeit bis um 1838; den der reifen Jahre bis 1852 mit seinem humanen Realismus, seiner Beachtung des Maßes und seiner auch in der Darstellung durchdringenden Resignation; endlich die Altersperiode, das letzte Lebensjahrzehnt Nestroys, da er von einer Art Johannistrieb gestachelt, der ja auch außerhalb der Bühne bei ihm sehr stark war, eine zweite stürmische Jugend voragierte, allerdings mehr durch Unterstreichen des Grotesken als durch eine Beweglichkeit der Glieder, zu der er physisch nicht mehr imstande war. Seine phlegmatische Ruhe hat von der Resignation der reifen Jahre herübergedauert; als Gegensatz zur geistigen Regsamkeit und zur Wandelbarkeit der Gestalten war sie von besonders eindringlichem künstlerischem Reiz.

Durch alle drei Epochen sind einige unvergleichliche Vorzüge Nestroy zu eigen gewesen. Vor allem sein stupendes Gedächtnis. Er lernte Rollen im Eiltempo: 880 davon sind bisher bekannt, und es ist möglich, daß man noch die eine oder andere entdecken wird, wie zuletzt eine in Prag auf einem Gastspiel beim dortigen tschechischen Theater übernommene. 450 Rollen hat er in dem Jahrzehnt seiner schauspielerischen Anfänge bis zum Engagement in Wien bei Carl erlernt; 430 in den folgenden drei Dezennien. Mit dieser weiten Spannkraft seines Gedächtnisses verknüpft sich ein anderes Göttergeschenk: die Zungenfertigkeit. Die Gestalt des Tratschmiedls aus »Tritschtratsch« ist in Wien sprichwörtlich für einen Menschen geworden, der seine Mitmenschen, an sich ohne böse Absicht, im Tempo eines Maschinengewehrs ausredet. Nestroy hat an seiner Wortequilibristik selbst Spaß gehabt. Um sie zu zeigen, hat er für seine Possen Wortungeheuer ersonnen, bei denen dem einstigen Schottengymnasiasten zweifellos Aristophanes als Muster vorschwebte, und die er dann zur entzückten Freude der Zuhörer, ohne sich je zu versprechen, pfeilschnell herausschleuderte. Ein freundliches Schicksal verlieh ihm ferner die vielbejubelte, wenn auch mitunter etwas gefährliche, Fähigkeit zur Improvisation, zu den in Wien berühmten und gefeierten Extempores. Sie waren sozusagen die gaumen-reizenden Gewürze in der von Nestroy dargebotenen geistigen Nahrung: Überraschungen, die als Damen- und Herrenspende auf dem Feenball seines Genies dargeboten wurden; die man erwartete, doch ohne zu wissen, wie sie aussehen würden.

Imponierend und fast unbegreiflich wie die Fülle der szenischen Begnadungen, die Nestroy zuteil wurden, und wie die Zahl seiner Rollen war auch deren Mannigfalt. Wiederum mit einer Begrenzung: So, wie der Mensch, der Geistesschaffende Nestroy nichts vom tragischen Standort aus betrachten konnte, wie trüb es ihm auch zumute und wie trist das Beschaute gewesen sein möge, so hat der Schauspieler keine als ernst gedachte Rolle seiner würdig verkörpert. In den Lehr- und Wanderjahren, als er zwar seinen Beruf, nicht aber seine eigentliche, abgehegte Berufung gefunden hatte, war der junge Thespiskärrner von seinen Direktoren als eine Art dramatisches Männchen für alles verwendet worden. Er selbst wiegte sich ja viele Jahre lang in der Täuschung, zum Sänger geeignet zu sein. Doch seit Nestroy in Wien mit Beginn der Dreißigerjahre sich seiner Wesenheit und seiner Sendung völlig bewußt geworden war, weigerte er sich, sein Genie, seine Zeit, seinen Ruf an ihm nicht gemäße Aufgaben zu vergeuden. Und er behielt sogar gegenüber dem tyrannischen Dickkopf Carl recht. Eine köstliche Theateranekdote von Nestroy und Scholz als den Geßlerhut bewachende Landsknechte im »Wilhelm Tell« erzählt uns den endgültigen Schlußstrich, den sie beide unter ihren ebenso unerwünschten wie nutzlosen Aufenthalt in Melpomenes Bezirken zogen. Fortan durfte der sonst so flatterhafte Nestroy Thalia unverbrüchlich treu bleiben.

Doch da war der Spielraum, in dieses Wortes bester Bedeutung, sehr ausgedehnt. Der Wandlungsfähige legte mit unüberbietbarer Verve Intriganten hin, und sie standen, Verleibung schlimmer Ideen und schlimmerer Taten, im Stück nicht wieder auf; ihre Auferstehung geschah erst im Gemüt der hingerissenen Zuschauer. Falsche Freunde, Erbschleicher, ungetreue Verwalter, hämischüberhebliche Beamte, schuftige Wirte, gaunerische Diener bezeigten mitunter in Nestroys Darstellung jene sonderbare Anziehungskraft hervorragend häßlicher Menschen, von denen man wider Willen den Blick nicht loszureißen vermag. Sodann die Schlemihle und die in ihrer dünkelhaften Beschränktheit beinahe bemitleidenswerten Scheusale: die Enterbten im Liebeskampf bei der freien Zucht- oder Unzuchtwahl, die sich verspekulierenden Betrüger, die lebensuntüchtigen Literaten und Künstler, endlich die biederen Unmenschen, die ›Wurzelteppen‹, die vermeinen, ihnen könne nichts geschehen, und die darum so gerne den andern alles Übel geschehen lassen, ohne mit der Wimper zu zucken, ja sich hart an deren Unheil freuen, wenn sie davon für sich Vorteile erhoffen. Es fehlen aber auch nicht die eher liebenswürdigen Lumpen, die ›Früchterln‹, angefangen vom negativen Musterknaben Willibald – früh übt sich, wer ein Meister werden will – über den mit allen Salben geschmierten österreichischen Gil Blas, Titus Feuerfuchs, zum unheilbaren erst jungen, dann alten Sünder, Saufbold und Sternenkundigen Knieriem. Und endlich die Würdigsten, die menschlich das allzu Menschliche mild begreifend, grundanständig sind, ohne gegen die unvermeidbaren ewigen Schwächen der Einzelnen und die zeitbedingten Unzulänglichkeiten der Gemeinschaften Aufstand zu predigen: die Schnoferl, Kern, Kampl. Fast alle Bühnenfiguren Nestroys, die den Wienern im Gedächtnis haften geblieben sind, entstammen dessen eigenem Werk. Nur der Invalide Sansquartier aus der an sich unbeträchtlichen deutschen Bearbeitung eines nicht minder unbedeutenden französischen *Vaudeville* und der Jupiter aus »Orpheus in der Unterwelt« Offenbachs fügten sich ebenbürtig in diese glänzende Reihe ein. Zu seinen großen Rollen zählen allenfalls auch der gebildete Hausknecht und die Hausmeisterin Frau Maxel aus zwei läppischen, durch Nestroys Zauberkraft in ungeahnte Höhen emporgehobenen Posen Kalischs und der unter dem Decknamen Alexander Bergen schreibenden Marie Gordon-Calafati, der zeitweiligen Lebensgefährtin des verhaßten Saphir.

Vielleicht das Gewaltigste an Nestroys schauspielerischer Kunst waren die geistige Disziplin und die in der Wandelbarkeit gewahrte Beachtung einiger Leitnormen, die der wache, helle, untrügliche Verstand seinem überbordenden, genialisch-unbotmäßigen Gefühl aufzuerlegen wußte. Er hatte zwei mit eiserner Konsequenz erstrebte Ziele: ein, wenn man das so nennen will, niedrigeres und ein höheres, hohes; darin dem Schriftsteller Nestroy durchaus gleich. Das eine war der Erfolg beim Publikum und zwar konkret das Lachen der Zuschauer, die von ihrem Lieblings-Bühnendichter entspannende Heiterkeit verlangten. Diesem Zweck brachte der oft darüber Ergrimmte, in seinem berechtigten Stolz Getroffene viele Opfer, mitunter sogar das seines überragenden Intellekts und das häufig erzwungener Zugeständnisse, auch im Spiel, an Freund-Feind Publikum, an Kritiker und an Aufsichtsbehörden. Nicht selten jedoch bäumte sich das Selbstgefühl dagegen auf, und dann ereigneten sich die ungezählten tragikomischen Zwischenfälle, von denen Mitlebende vergnügt erzählten und die noch heute in der Wiener Bühnentradition unvergessen sind. Im Vormärz endete derlei je nachdem mit einer kurzen Arreststrafe oder mit einer Geldbuße, später nur mehr mit einer in bar auszudrückenden Ahndung, das alles, wenn die Polizei an einem Extempore, an ärgerniserregender Mimik und gelegentlich auch an absichtlich schlechtem Spiel Anstoß nahm. Nestroy ertrug diese Sanktionen mit ironischem Gleichmut.

Da nun die Behörden nur Gefängnis und Geldstrafe verhängen, das Publikum aber, ein noch mächtigerer Gebieter, durch Stampfen, Heulen, Pfeifen ein Stück und, wenn sich das lärmende Mißfallen mehrmals wiederholte, einen Mimen, einen Autor zu Fall bringen konnten, mußte der Klügere und Schwächere, also der Schauspieler, der Dichter, nachgeben. Nestroy wurde es nicht erspart, manchmal Abbitte zu leisten. Er tat das, wenn möglich, unter dem Vorwand, er sei zu erschüttert, durch einen Bühnen-Prügelknaben. Kein Wunder, daß er, der so manches hinunterzuschlucken hatte, in psychologisch begreifbarem Ressentiment denen im Zuschauerraum zeitweise selbst dann grollte, wenn sie ihm Ovationen bereiteten, und daß er, wie ein Ohrenzeuge meldet, einmal, während er sein liebenswürdigstes Antlitz zeigte, vor sich hinmurmelnd nach Kanonen rief, um das Gesindel da drunten und da droben zusammenzuschießen. Doch das waren nur vorüberhastende Anwandlungen des romantisch-revolutionär-bohèmehaften Gefühls. Der bürgerliche Hausverstand gewann stets das Übergewicht, und der Schauspieler hielt es mit dem Poeten, der König der Bühne mit dem Sänger aus der Holtei-Parodie »Weder Lorbeerbaum noch Bettelstab«: »Lachen sollen d'Leut und mir soll die Gschicht a Geld tragen, daß ich auch lach[12].«

Die überaus heikle und stachelige Aufgabe des Schauspielers Nestroy bestand nun darin, seine höheren, hohen Ziele zu erreichen, ohne dadurch die niedrigeren zu gefährden. Wie war es denn zu erreichen, daß die Leute an einem Spiel sich entzückten, das ihre eigenen Schwächen und Mängel, ihre Sünden und Laster in überzeugender Naturtreue bloßlegte und sie verspottete? Allen Behinderungen durch die Zensur zum Trotz, aller Vorsicht des wenigstens der Absicht nach nur bis hart an die Grenze des Zumutbaren gehenden Nestroy ungeachtet, war ja seine gesamte Bühnentätigkeit ein einziges kleines Welttheater, auf dem der Menschheit und der Unmenschheit ganzer Jammer enthüllt wurde, besehen durch das Prisma und gestaltet durch die mimische und im Wort entbundene Aussage seines österreichischen Temperaments. Da hieß es eben, und das ist das letzte Geheimnis dieser Kunst, an eine Eigenschaft appellieren, die im Österreicher, im Wiener besonders ausgeprägt ist: an die selbstgefällige Täuschung, daß diese Unzulänglichkeiten und diese Auswüchse am sozialen Körper, daß soviel Dummheit und Bosheit zwar des Belachens, der Mißachtung, ja des Abscheus würdig sind, daß sie sehr getreu dargestellt werden, daß man aber selbst nicht so geartet ist wie, und sei das die Mehrzahl der Mitbürger, die Gestalten auf der Szene.

»Was wollen S' scho' von die Leut'«, pflegt der Wiener zu entschuldigen, »dö san halt aso«, und er setzt damit als gegeben, daß er, der genau so ist, eben nicht so ist wie andere, die in irgendeinem Moment, aus irgendeinem Grunde sein Mißbehagen wecken. Nur wenn er mit unverkennbarer Deutlichkeit wahrnehmen muß, daß er persönlich auch in die Kategorie der Abgeurteilten einbezogen wird, regt sich in ihm die Galle. Und dann gedeihen Theaterskandale wie der, als Nestroy in »Eine Wohnung ist zu vermieten« zu unbehutsam die von ihm sonst beachteten Schranken überschritt. Sonst aber, um sich zu ergötzen, haben die Wiener die darstellerische Kritik, die ihr Günstling an ihnen vollzog, mit rauschendem Beifall bedacht und sie taten ein Gleiches, wenn sie allgemein-menschliche, sittliche und geistige Gebrechen oder Verirrungen der damaligen Gesellschaftsordnung von Nestroy, ausnahmsweise ohne lokale Einkleidung, zu sehen bekamen.

Um den Preis der so oft sich selbst abgetrotzten Fügsamkeit an die von ihm nicht abzuändernden Gegebenheiten erkaufte und durch ein Unerklärbares seiner schauspielerischen Magie erlistete sich Nestroy die Möglichkeit, wahr zu sein; wahr auch in der karikierenden Übertreibung wie im noch grausameren Realismus. Wahr, wenn die Zuschauer das nicht wahrhaben wollten und er seinen Refrain »'s ist alles nit wahr« so dämonisch vortrug, daß die davon, doch nicht darüber, Betroffenen schadenfroh bejahten, das alles sei wahr, nur nicht für sie, und es ist dennoch auch auf sie passend wahr gewesen.

Doch zurück aus einem Nestroyschen Sprach- und Gedankenlabyrinth, in das uns der Schauspieler gelockt hat, und hin in die Werkstatt des Bühnenschriftstellers! Wiederum hat hier nur das Zutritt, das sich in komisches Kleid einhüllen läßt. Diese Toilettevorschrift war aber die einzige Einschränkung, die bei den Galafesten des Wiener Aristophanes galt. An sich durfte jedermann und alles die Schwelle seines hellwachen Bewußtseins überschreiten. Die einströmenden Ideen, Geschehnisse, Menschen wurden darauf in sehr individueller Behandlung geprüft, gemodelt und einexerziert, bevor sie wieder, mit unauslöschlichem Merkmal versehen, als sofort unverkennbares Erzeugnis des Umschöpfers hinaus in jene Welt gelangten, welche die Bretter des Theaters bedeutete. Das Sammeln von Eindrücken aus Begegnung, Lektüre und Spaziergängen im Reich der eigenen Gedanken bildete den Inhalt von Nestroys Tagwerk. Wie heiter es in seiner Bestimmung und Wirkung auch war, der Dichter verrichtete es mit gewissenhaftem Ernst. In seiner Arbeitsweise ist etwas von der Sorgfalt des Gelehrten, des Juristen, der seine Akten peinlich in Ordnung hält. Nestroy zeichnete seine Einfälle behutsam auf; er verwahrte, zum späteren Gebrauch vorgemerkt, Hunderte, Tausende Blätter mit

Aphorismen, Bruchstücken von Dialogen, Skizzen zu dramatischen Handlungen. Das wurde säuberlich numeriert und im Schreibtisch oder in Kästchen aufbewahrt; als eine Art Notariatsregister über die geistigen Einnahmen. Zu diesen stillen Rücklagen griff der Autor, sobald er daran ging, ein neues Stück zu schreiben. Der Reichtum des vortrefflichen Verwalters seiner gedanklichen Schätze war so groß, daß diese Reserven nie versiegten. Viele Notizen, darunter Perlen des Nestroyschen Witzes, sind nie in Bühnenstücken verwertet und erst durch die große Gesamtausgabe bekannt geworden.

Witzworte, Aphorismen, Bühneneinfälle schenkte dem Begnadeten die schöpferische Inspiration. Die Stoffe aber mußte er suchen; denn seine Erfindungsgabe war geringer als seine gestaltende Kraft und als seine Findergabe. Nestroy las durcheinander Theaterstücke und Romane, deutsche, französische, mitunter – und dann wohl in Übersetzungen – englische Autoren. Frau Weiler half dabei mit; Freunde sandten Bücher, die ihnen zur Verwertung geeignet schienen. So ist Nestroy auch einmal auf ein ungarisches Bühnenwerk aufmerksam gemacht worden. Hatte ein Stoff Nestroys Interesse gefesselt, dann benutzte er ihn zur Niederschrift eines knappen Entwurfs, der in erzählender Form den Kern des künftigen Dramas festlegte. Schwierige Stellen wurden sofort als Dialoge geformt. Die Personen trugen zunächst die Namen des Schauspielers oder der Schauspielerin, die sie darstellen sollten. Figuren zweiten Ranges wurden nach der für die Bühne geplanten verwandtschaftlichen oder anderweitigen Beziehung zu den Hauptgestalten benannt. Eine Scholz-Tochter heiratet einen Nestroy-Neffen, eine Grois-Tochter einen Scholz-Sohn. Nun entsteht ein Gesamtentwurf. Es spricht für die unglaubliche Leichtigkeit und Sicherheit eines Meisters und Beherrschers der Szene, daß zwischen diesem Urmanuskript und der späteren Reinschrift fast nie Abweichungen von Belang klaffen. An den Einzelheiten feilte und änderte der Autor dagegen unaufhörlich. Manches mußte auf Wunsch des Direktors beseitigt werden, die behördliche Zensur sprach ihr Machtwort, und Nestroy verwendete die bei den ersten Aufführungen gesammelten Erfahrungen, indem er Stellen, die mißfallen hatten, strich, andere, die Zustimmung geweckt hatten, weiter ausspann. War ein Stück unter Zeitdruck eilig fertig geworden, dann verwischte Nestroy nachträglich die Spuren flüchtiger Terminarbeit. Stoffe, die ihm besonders behagten, hat er mehrmals vorgenommen; der »Lumpacivagabundus« hatte drei Fassungen; wohlgeratene Szenen übernahm er aus einem älteren in ein späteres Werk.

Um das Schicksal seiner Komödien außerhalb des Theaters kümmerte er sich wenig. Nur ein Dutzend unter ihnen ist bei Lebzeiten des Verfassers im Druck erschienen, zuerst 1835 der »Lumpacivagabundus«. Dadurch waren der Entstellung des Textes alle Wege geöffnet. Die Schauspieler stürzten sich auf die Witzworte und auf die Szenen, von denen sie beim Publikum einen Lacherfolg erhofften. Man entfernte das, was nicht dem örtlichen Geschmack entsprach. Ganze Sätze und Episoden sind unbekümmert eingefügt worden. In Norddeutschland entwienerten die Spielleiter öfters Sprache und Handlung, wenn und soweit beide den Theaterbesuchern jenseits der Mainlinie unverständlich waren oder es zu sein schienen. Begreiflicherweise unterscheiden sich die so zugerichteten Bühnenmanuskripte erheblich von der Urfassung. Es genügt, die Wittmannsche Ausgabe der »Tannhäuser«-Parodie mit dem von Rommel abgedruckten Originaltext zu vergleichen, um den Grad der Verballhornung Nestroyschen Geistesguts zu ermessen. Ähnlich barbarische Rücksichtslosigkeiten sind übrigens in neuerer Zeit und aus anderen Gründen sogar im Österreich der Ersten Republik vorgekommen, sie wurden durch Verfilmungen auf die Spitze getrieben, und sie feierten im Rundfunk gräßliche Orgien.

Der, dem sich der unverfälschte Genuß des Sprachkunstwerks und des Witzes Nestroys erschließen soll, der muß zu den drei zuverlässigen Ausgaben greifen, den »Sämtlichen« und den »Ausgewählten Werken«, die unter der Obhut Otto Rommels und, die erstgenannten, Fritz Brukners erschienen sind, dann zu der von Franz Mautner getroffenen Auswahl. Nur in der großen, fünfzehnbändigen Gesamtausgabe offenbart sich uns der verschwenderische Reichtum eines Wortkünstlers, Denkers und Seelenforschers, der zwar stets vom Schauspielerischen, Bühnenwirksamen den Ausgang nimmt, dessen Unsterbliches jedoch nur im Witz seiner Kritik am Menschen und an der Gesellschaft, im Aberwitz alles Irdischen, nicht zuletzt der Sprache, und in seiner Zeugenschaft als Kulturgeschichtsschreiber begründet bleibt. In dieser Gesamtausgabe vermögen wir ferner die weite Skala der

Ausdrucksmittel zu studieren, die dem Schriftsteller zu Gebote standen, während uns doch der Schauspieler nur mittelbar bekannt sein kann. Vor dem Anblick des Gesamtwerks ergeben wir uns endlich der Bewunderung eines viele Register aufweisenden Instruments, das mit seiner Tastatur vom schrillen Ton der hinausflatternden Unterhaltungskomik sich hinüber erstreckt bis zur Tiefe weltanschaulicher, politischer, psychologischer und gesellschaftskritischer Problematik.

Da sind die seichtesten der Unterhaltungsstücke: Quodlibets, die den Heutigen ein unerträgliches Durcheinander von zusammenhanglosen Ideen und an den Haaren zusammengezogenen Helden dünken. Im einzigen Vertreter dieser Gattung, der aus achten Nestroyscher Provenienz erhalten ist, schließen die Jungfrau von Orléans, Don Carlos, Turandot und Kasperl einen Reigen. Für ein satirisches Wachsfigurenkabinett der Literaturgeschichte ist das zuwenig; die Anspielungen an örtliche Ereignisse von Anno dazumal und an die Theatergeschichten des Vormärz sind uns unverständlich geworden. Wir wissen mit diesem Genre nichts anzufangen. Es ist zur Kuriosität für den Fachgelehrten geworden.

Eine zweite Gruppe der Unterhaltungsstücke blickt auf alte Tradition zurück; sie bewahrt gleichwohl Reiz und Wert bis in unsere Tage. Das sind die Zauberspiele, Zauberparodien und Lokalpossen. Bei den zwei ersten Abarten erinnern bereits die langatmigen Titel an die Barocküberlieferung aus dem 17. und dem frühen 18. Jahrhundert. »Der Zauberer Sulphurelektrimagnetikophosphoratus und die Fee Walburgisblocksbergiseptemtrionalis oder des ungeratenen Herrn Sohnes Leben, Taten und Meinungen, wie auch dessen Bestrafung in der Sklaverei und was sich alldort Ferneres mit ihm begab« hat zwar, wiederum im Titel, Anklänge an das naturwissenschaftliche 19. Jahrhundert, doch das Grundmotiv vom verlorenen Sohn und die Kasperlrolle des Dieners Plumpsack stammen aus der früheren Überlieferung. Nestroy hatte darin eine Prachtrolle als gemütlicher orientalischer Tyrann Alib Memek. »Der Zauberer Februar« ist verlorengegangen; »Der konfuse Zauberer« mit seinem Barockrüstzeug von Allegorien und Personifikationen ist erhalten und er kreist bereits um eine echt Nestroysche Figur, den ungeschickten Tölpel Konfusius, der alle magischen Vorschriften verkehrt anwendet, die Verkörperung des österreichischen ›Pallawatsch‹.

Die Zauberparodien »Der gefühlvolle Kerkermeister« und »Nagerl und Handschuh« unterscheiden sich von den Zauberpossen nur dadurch, daß sie ihren Stoff einer von ihnen verulkten Vorlage entleihen; die erste einem verschollenen Ballett, die zweite dem Märchen vom Aschenbrödel. Im »Gefühlvollen Kerkermeister« wird die verlogene Gefühlsseligkeit der romantischen Oper verhöhnt. Die Schicksale der verfolgten und dennoch lustigen Witwe Adelheid und des ungefügen Vatersöhnchens Dalkopatscho rollen in einer Welt von gezückten Theaterdolchen, tiefblödsinnigen Eremiten und gutmütigen Schergen, patentierten Mördern und geprellten Tyrannen ab. »Nagerl und Handschuh« nimmt nur nebenbei die italienische Musik und den Bel-Canto aufs Korn. Hauptmotiv sind hier die Bemühungen eines finanziell tief herabgekommenen und hoch verschuldeten Papas, seinen zwei recht aktiven und versorgungsbegierigen Töchtern reiche Männer, sich aber freigebige Schwiegersöhne zu finden. Allein der Erbe ungezählter magischer Herrschaften Rampsamperl, um den sich die Familie Maxenpfutsch – das Geld ist dahin – reißt, verliert sein Herz ans Aschenbrödel, an die »miserable gehaltene (dritte) Tochter und enorm malträtierte Schwester«, die durch eine Zaubernelke plötzlich in eine geistreiche Salondame verwandelt wird. Ein anderer Konfusius, der Magier Semmelschmarren, Rampsamperls Erzieher, hat die Zaubermittel verwechselt. Den Wienern ist diese spaßige Hexerei vor allem durch einen Reigen in Erinnerung geblieben, den Rampsamperl, Semmelschmarren und Maxenpfutsch als Ballerinen verkleidet tanzten.

Das zauberische Beiwerk abgerechnet, trennt dieses Stück nichts von den eigentlichen Possen, die zumeist lokale Züge zeigen. Nur eine von ihnen, »Eulenspiegel«, die an sich zu den minder gelungenen zählt, hat einen großen Publikumserfolg errungen, ohne sich ganz dem Genius loci zu verschreiben. Es ist das eine volkstümliche Komödie, wie es deren in Deutschland zu Hunderten gab. Die konventionelle Gestalt des Helden entstammt dem mittelalterlichen Volksbuch, die Verwechslungsszenen, die männersüchtige alte Kokette, der getäuschte Vormund sind echte Commedia dell'Arte; nur die vom Verfasser gespielte Figur des Natzi, einer der bei Nestroy häufigen, dummschlauen, unterdrückten und nach Selbständigkeit verlangenden großen Bengel, hat eigenes Leben.

Als beste der Lokalpossen, die nichts erstreben als Lachen zu wecken, hat »Einen Jux will er sich machen« seine Zugkraft bis auf unsere Tage bewährt. Die meisterhafte Schürzung eines doppelten dramatischen Knotens, die stets beherrschte Vielfalt der mit rasender Schnelle wechselnden dramatischen Situationen, die bis zuletzt gesteigerte Spannung machen die banalen Unmöglichkeiten der Handlung ganz vergessen. Das Trio des unternehungslustigen Kommis' Weinberl, des Stiftes Christopherl, die beide auch einmal verfluchte Kerls sein möchten, und des Hausknechts Melchior mit seinem, selbst klassisch gewordenen, »Das ist klassisch« mengt dieser Posse den Geschmack von gesellschaftskritischer Satire bei. Geschäft und Bildung, erotische Sehnsucht und Kommerz treffen zusammen, stehen im Widerstreit und enden mit einem Ausgleich, dessen Kosten die heutige Welt mit ihrer Standardisierung der Gefühle trägt. Nestroy löst den Konflikt im Rahmen der herrschenden Gesellschaftsordnung; ohne revolutionäres Pathos und mit der dauernden Heiterkeit, für die der Arm der sozialen Ungerechtigkeit sorgt, wenn man ihn nicht zu ernst nimmt und vor allem, wenn man von ihm nicht zu sehr gebeutelt wird. Wie anders aber sieht der gleiche Rattenschwanz von unbeantwortbaren sozialen Fragen aus, sobald er, wie durch die letzten zwei Generationen, mit dem Pathos der Nähe dargestellt erscheint. Dann macht man eben keinen Jux mehr, sondern Umsturz. In Nestroys Zeiten hatten die Wiener freilich noch Zeit, Lust und Laune zum harmlosen Vergnügen an gar nicht harmlosen Gestalten, an Neugierde weckenden Aktualitäten und an unbeschwerter Exotik.

»Tritschtratsch« wirkte durch die entfesselte Zungenfertigkeit Nestroys als Dämon des bösartigen Klatsches, den eine Schar unschuldig dreinblickender Erynnien, ein Halbdutzend schnatternder, eifersüchtig-neidischer Mädel umgibt. »Der Affe und der Bräutigam« nährte sich von der Gelenkigkeit eines Vierhänder-Imitators Klischnigg, hinter dem – nur einmal, nur diesmal in seinem Schauspielerleben – Nestroy beim Publikum zurücktrat. Daß ein Affe mit einem Menschen verwechselt werden kann, dafür hat Hauff in seinem «Jungen Engländer» ein Vorbild geliefert; daß dieses Tier uns eine schmerzliche Scham und nicht nur ein Gelächter zu sein vermag, derlei Nietzscheanische Betrachtungsweise lag den Backhendlzeitgenossen ferne. Übrigens haben zu dieser erfolggekrönten und wertlosen Farce noch andere illustre Anreger als Hauff beigetragen. Molières »Pourceaugnac« und

Kotzebues »Pächter Feldkümmel« steuerten die Figur des belämmerten Bräutigams bei.

»Moppels Abenteuer« beuten die Komik aus, die der wienerischen Luft einer fremdartig-überseeischen Landschaft inhärent ist; hier war Bäuerles »Aline« Muster. »Die Papiere des Teufels« verspotteten recht platt den Aberglauben. »Eisenbahnheiraten« holten ihre Wirkung aus zwei in Wien nie versagenden Quellen, dem Vergnügen an der Neuheit und dem am ›Böhmakeln‹, der Sprechweise das österreichische Deutsch redender Tschechen. Der Dampfwagen war damals so neu wie vor wenigen Jahren die Düsen-Transport-Flugzeuge. Das ›Böhmakeln‹ schien allerdings ewig, doch von einem Reiz, der, wie jener der Kaiserin im Text der Volkshymne, nie zu veralten schien und dennoch heute dahingeschwunden ist. »Alles will den Propheten sehen« verspottete den Meyerbeer-Rummel. »Sie sollen ihn nicht haben« und »Unverhofft« verleugneten auch in ihrer Lokalisierung nicht den französischen Ursprung. Im zweiten dieser schwächer geratenen Stücke sind einige brillante Aphorismen, ›unverhofft‹ aus einem angenehmen Mittelgebirge aufragenden, steilen Höhen zu vergleichen. »Theaterg'schichtn« verrät, wie später »Umsonst«, Ansätze zu einem karikierenden Gemälde des Schmierenkomödiantentums. »Das Haus der Temperamente« schützt eine Art von Problematik vor: das Nebeneinander, Miteinander, Ineinander der vier Typen Choleriker, Melancholiker, Phlegmatiker, Sanguiniker, verdankt aber seinen, bis in die Gegenwart nachhallenden Anklang vornehmlich den szenischen Möglichkeiten einer viergeteilten Bühne.

Innerlich den reinen Unterhaltungskomödien durch den wahren Zweck verbunden, äußerlich zur Verteidigung einer sittlichen These bestimmt, verwenden die sogenannten Besserungsstücke die Achtung vor der bürgerlichen Moral als Aushängeschild, hinter dem entweder gar nichts oder eine der offen verkündeten entgegengesetzte Meinung verborgen ist. Schon die Grundidee, daß jemand durch Erfahrungen geändert, gebessert werden kann, widerspricht – wie wir noch sehen werden – der innersten Überzeugung Nestroys. Was nun die Tugenden betrifft, zu denen sich der jeweilige Held bekehrt, so hat Nestroy manche von ihnen geschätzt, andere verabscheut, keine jedoch besessen. Denn gerade die Sucht zu Seitensprüngen, die Spielwut, die Unbeständigkeit, von denen Magier und Feen, erlebte Freuden und Leiden die

Sünder heilen sollen, alles das gehört zum Charakterbild des Autors, und er wußte eher als einer, daß da Hopfen und Malz verloren waren. Doch das hat ihn nicht weiter bedrückt. Immerhin predigte er nicht gegen seine Überzeugung; er teilte die bürgerlichen Urteile und Vorurteile, selbst wenn er nicht ihnen gemäß handelte.

In den Zauberstücken bedeutet das übersinnliche Element nicht nur einen Vorwand zu üppiger Ausstattung oder eine Göttermaschinerie zum Lösen sonst unentwirrbarer Verwicklungen, wie das bei den Zauberpossen der Fall ist, die sich aufs Ergötzen beschränken. Die Feenwelt als dramatische Besserungsanstalt ist Ausgangspunkt einer Handlung, die zugleich wie im katholischen Barocktheater das Verderbliche des Lasters anprangern soll, und, wie das die Aufklärung tut, von der Voraussetzung bedingt wird, daß Tugend lehrbar ist. Meist dreht es sich dabei wie in Goethes »Faust« um eine Wette. Genien und Zauberfrauen wollen an einem Sterblichen oder an einem zur Strafe auf die Erde hinabgesandten Himmelsbewohner die Richtigkeit eines seelischen Experiments erproben. Über einen Widerspruch, der hier sofort auftaucht, konnte die katholische Dogmatik samt dem von ihr gelenkten Barockdrama leicht hinwegkommen: Willensfreiheit des Einzelnen und Eingreifen höherer Gewalten müssen als miteinander vertragbar angenommen werden. Etwas anderes prägt indessen diesen Werken den Stempel der Unaufrichtigkeit ein, stärker noch, als dies schon durch die Zweifel des Verfassers an den von ihm verfochtenen Thesen offenkundig wird: Autor und Zuschauer glauben nicht mehr an den Zauberapparat, den sie aus einer Zeit mitschleppen, da er noch als phänomenale Wirklichkeit betrachtet wurde.

Wir dürfen freilich den Wert der magischen Beschwörungen des kategorischen Tugendimperativs nicht nach solchen Erwägungen beurteilen. Arg wäre es, diese lustigen Moralpaukereien ernstzunehmen. Hüten wir uns davor, dann ist des Entzückens kein Ende. Schon in der »Verbannung aus dem Zauberreich« blitzt es manchmal funkelnd auf. »Der Tod am Hochzeitstag« ist ein wahres Feuerwerk von Witz, das durch die sprachliche Vermummung konventioneller Lügen hindurchprasselt. Ein Traumstück, wie deren die österreichische Literatur viele hervorbrachte, bewegt es sich um eine diesesmal von Nestroy anerkannte These: klagen wir nicht um versäumtes Glück; man weiß nie, wie die hypothetische Vergangenheit als reale Wirklichkeit abgerollt wäre. Übrigens sind die Abenteuer des Herrn von Dappschädl, die ihn von seiner gewohnten Trauer um die am Hochzeitstag verstorbene Gattin ablenken sollen, nur der Rahmen einer schauspielerischen Groteskomik. Den langen Nestroy als zweijähriges Kind greinen und watscheln zu sehen, das ist uns leider versagt, nicht aber der Genuß an einigen Episoden, die den besten Molières vergleichbar sind, so den Schmerzensausbrüchen des betrübten Witwers gegenüber seinem Kammerdiener und einem allzu ›sauberen‹ Stubenmädchen.

Mit ihrer schwärmerische, romantische Gänse und vorsichtig in Harnisch geratene Bourgeois-Söhne verspottenden Absicht ist »Die Zauberreise in die Ritterzeit« ein wesentliches Kapitel aus der österreichischen und bürgerlichen Moral: »Warum in die Ferne schweifen, sieh, das Gute ist so nah«, »mei Ruah will i ham« und auch »wir haben es herrlich weit gebracht.« Lieber bürgerlichbescheiden daherschreiten als romantisch rasen! Ein Gleiches lehrt der Berggeist Rübezahl die Helden von »Müller, Kohlenbrenner und Sesselträger«. Und wir tun gut daran, uns zu entsinnen, daß Grillparzers »Der Traum ein Leben« auch keine andere Lehre verkündet. »Das Verlobungsfest im Feenreich« kehrt sich gegen eine andere Verirrung des Gefühls, gegen die eheliche Verbindung von Jung mit Alt. Nestroy fordert bei der Liebe – auf dem Theater und beim Eros, keineswegs draußen im Leben für die sexuellen Triebe – »Gleichheit der Jahre«. Wie tragisch allerdings die bis zum Verbrechen führende Neigung der Alternden zur frischen Jugend werden kann, darauf geht der unbarmherzige Spott der Komödie über die Enterbten des Kampfes ums geschlechtliche Dasein nicht ein. »Der gutmütige Teufel«, ein später Nachzügler der Zauberpossen, halb schon Offenbachiade, halb Ausspinnung eines volkssagenhaften Motivs grenzt wiederum haarscharf an die Tragödie: was vermag nicht die Bosheit einer Megäre anzurichten! Die schlechten Menschen, das sind die wahren Teufel oder in der konventionellen Form dieses Stücks sie sind schlimmer als Teufel.

Unter den Lokalpossen mit scheinbar oder nur oberflächlicher These sind zwei von politischer Tendenz, Nachhall der Revolution von 1848: »Karikaturen-Charivari mit Heiratszweck« und »Verwickelte Geschichte«. Ihre Lehre deckt sich mit den eben genannten dramatischen Mahnungen zum friedlichen Bürgerdasein. »Der Treulose« und »Gegen Torheit gibt es kein Mittel« ergänzen einander, indem sie in den Personen des ungetreuen Falsch und des gutmütig-leichtgläubigen Simplicius Berg das Los des gewissenlosen Lumpen und das des in seinem Optimismus unerschütterlichen Menschenfreunds verkörpern. Zunächst hat es den Anschein, als ob sich das Laster erbreche, und sich die Tugend an den reichgedeckten Tisch setze. Bald aber erkennen wir, daß der Ausgang für den Braven und für den Schlimmen gleich übel ist. Sie haben sich beide gegen die Mitmenschen töricht betragen und damit soziale Unvernunft bezeigt. Die erste, lesebuchhafte These war äußerlich, die zweite aber entsprach Nestroys aufrichtiger Ansicht. Ähnlich warnt in »Glück, Mißbrauch und Rückkehr« die aufdringliche Moral des Stückes vor Undank, Überheblichkeit und Verschwendung; die tiefere Wahrheit aber lautet, daß, wer zum Rock geboren ist, keinen Frack tragen soll. Denn sonst gerät man in eine Umgebung, zu der man nicht paßt, und man schädigt sich selbst durch irriges Verhalten. Der Eindruck dieses Stücks war besonders stark dank der prächtigen Figur des Schreibers Blasius Rohr, den Nestroy aufs überzeugendste spielte, eines Hans im Glück, der, zu plötzlichem Reichtum gelangt, wieder in die frühere Armut zurückverschlagen wird.

Wenn wir hier d i e Parodien anreihen, die über den Unterhaltungszweck hinaus die Gebrechen ihrer Opfer mitleidlos entlarven, so deshalb, weil auch da ein bürgerliches Bekenntnis zur goldenen Mittelstraße abgelegt wird. Indem der Spötter das falsche Maß durch gigantische Verzerrung der ursprünglichen, übertriebenen Dimensionen verhöhnt, tötet er den von ihm bekämpften Gedanken; oder noch mehr, einem umfänglichen Komplex von Gedanken, den Nestroy in seinen Parodien zur Zielscheibe wählt: die Romantik, das gefühlsmäßige, entgrenzte, wirklichkeitsfremde Lebensbetrachten und dessen literarischen Ausdruck. War dies im »Gefühlvollen Kerkermeister« noch nicht scharf hervorgetreten, so bieten »Zampa der Tagdieb« und der blendende »Robert der Teuxel« darüber völlige Klarheit. Die Satire gegen die hirnverbrannten Ritter- und Räuberlibretti der italienischen und der diese nachahmenden französischen Opern dringt indessen nicht bis zu den befehdeten Ideen selbst vor; sie begnügt sich mit deren Er-

J. Nestroy, als norddeutscher Student,

„Deß fordert Geblüt!"

Wien, im Bureau der Theaterzeitung, Rauhensteingasse N° 926.

2122

Der Schneider und seine Töchter.
Mad. Schmidt. Ich muß ihn haben!
Hr. Scholz. Sie sollen ihn nicht haben, Sie alte Rain.
Wien im Bureau der Theaterzeitung, Rauhensteingasse N° 926.

Wenzel Scholz und Johann Nestroy

scheinungsformen. Die Schauder bleiben, doch ihre Tragik wandelt sich ins Burleske. Verliese werden zu Wirtshäusern, die teuflischen Bosheiten beschränken sich aufs ›Haxelstellen‹ und andere Schulbubenstreiche. Die Personen aber werden nach altem Brauch der Wiener Volksbühne sozial um einige Grade hinabgedrückt. Da verblassen die trügerischen Schimmer und die beklemmende Düsternis mondbeglänzter Zaubernächte über blaublütigen Menschenblumen; das Übersinnliche entpuppt sich als Unsinn. »Zampa« hat den witzigeren Text, »Robert der Teuxel« überwältigt durch die Situationskomik seines zahmen Höllenspuks rings um den Teufel und zärtlichen Vater, um Obersschwester und Millischwager.

Spätere Parodien der Eugène-Sueschen Kolportageromantik »Zwei ewige Juden für einen«, der deutschen kleinen (»Martha«) und großen Opernromantik (»Tannhäuser«, »Lohengrin«) erreichen bei weitem nicht das Niveau ihrer Vorgänger. Wenn die des Wagnerschen »Sängerkriegs auf der Wartburg« bis heute auf dem Repertoire steht, dann vor allem dank der ausgezeichneten Begleitmusik Binders, die den hohen Ton des Musikdramas aufs geistreichste persifliert. Dazu kommen die schauspielerischen Möglichkeiten; Nestroy hat den Landgrafen Purzel zu seinen Lieblingsrollen gezählt. Von seiner Wortgewalt ist aber im nur lose umgearbeiteten Breslauer Studentenscherz nicht viel zu merken; er gefällt sich nur in den sinnlosen Verdrehungen, die beim Österreicher der geistig minderbemittelten Schichten den echten Witz ersetzen.

Von diesem Tiefpunkt erheben wir uns schnell zu dem, was an Nestroys Werk unvergänglich ist. Dazu gehören einige Parodien, die zugleich kräftige soziale Satire und seelendeutende Einschau bieten, gesellschaftskritische und politische, weltanschauliche Thesenstücke. In ihnen sind sein versengender, verwegener Witz, seine unbestechliche Scharfsicht, seine durchdringende Beobachtungsgabe, seine souveräne Gestaltungskraft und seine abgeklärte Weisheit voll entfaltet. Hier bestätigt sich, als höbe der Inhalt auch die Form mit sich empor, auf das schönste die gebieterische Macht über das ihm zuströmende Wort, die unvergleichbare Sprachkunst. Jedes dieser Werke hat mindestens eine, vom Dichter empfundene, durchdachte Leitidee, die, aus der Erfahrung im Wiener Raum geschöpft, zuvörderst in diesem Raum, dann aber allgemein-menschliche Geltung erheischt. Dieser Grundgedanke muß nicht unbedingt ein moralischer sein; er kann auch im bloßen Feststellen einer seelischen oder sozialen Tatsache bestehen. Er tritt manchmal vor der äußeren Handlung zurück, verbirgt sich in einem Monolog, in einem Couplet, im Charakter einer Person. Doch er fehlt nie; er ist stets die Frucht einer geistigen Arbeit, die wir, scheute man nicht bei Nestroy vor hochtrabenden Worten zurück, als Ringen um die Seinswerte bezeichnen möchten. Die Beschwerung durch die Idee ist aber der wunderbaren Leichtigkeit der Bühnenwerke Nestroys nicht abträglich gewesen, und das ist einer ihrer beglückendsten Vorzüge. Um durch die Klippen der Didaktik hindurchzuschlüpfen, benützt die dichterische Strategie des Vielgewandten nicht nur den Kunstgriff, daß sie wie auf einem Vexierbild die Idee an einer weniger beachteten Stelle des Textes versteckt; sie verlegt oft die Lösung hinter den Schluß des Stückes, und sie behält also das Erkennen der These den denkenden Zuschauern vor, oder sie verficht ostentativ das Gegenteil ihrer Ansicht, obwohl kein Einsichtiger an der wahren Meinung des Autors zweifelt.

Das berühmteste Beispiel dafür zeigt der »Lumpacivagabundus«. In seinen beiden Vorstufen, »Genius, Schuster und Marqueur« und »Der Feenball«, hatte Nestroy noch, im ersten Stück vorbehaltlos und im zweiten mit einigen Kautelen, die Besserung als Ergebnis heilbringender Erlebnisse geschildert. In der dritten, endgültigen Fassung aber überzeugen wir uns davon, daß ein Lump ein Lump bleibt. Da sind alle Liebesmühen vergebens, und nur dann, wenn der Mensch seine eigene Persönlichkeit unter dem suggestiven Einfluß eines ihn beherrschenden hohen Gefühls, vor allem der wahren Liebe, verliert, tritt ein neues besseres Ich an die Stelle des früheren. Das liederliche Kleeblatt Zwirn, Knieriem und Leim läßt uns durch alle Akte hindurch erkennen, wie Nestroy über die Wirkung der Lebenserfahrungen denkt. Erst im Schlußbild wird die These in ihr Gegenteil umgekehrt: die drei sind durch Schaden klug geworden, und sie arbeiten nun als brave Mustermänner im Kreise ihrer Familien. Um diesen konventionellen Ausklang zu gestatten, muß das Stück, dessen Handlung sich sonst durchaus im realen Rahmen bewegt, zum Zauberspiel werden. Wo Feen eingreifen, da ist die Logik zuende, und es mag sogar ein Unverbesserlicher geläutert werden. Als Nebenmotiv der

nach Wirtshaus und Werkstätte duftenden Szenenfolge aus dem
Alltag des Volkes erscheint die Satire wider eine aufgeblasene,
seichte Viertelwissenschaft, gegen den als treffliche Geistesnahrung
verzapften Aufkläricht. Knieriem, der Schuster mit dem unstill-
baren Durst, hungert auch nach Gelehrsamkeit. Vermutlich überläßt er den Himmel den Heiligen und den Spatzen; jedenfalls gibt
er uns im denkwürdigen Monolog über den Kometen die Früchte
der volkstümlichen Bildung zu verkosten. Dem Schauspieler ist
diese Tirade ein willkommenes Paradestück. Auch sonst gewährt
der »Lumpacivagabundus« den Darstellern ein weites Feld, vornehmlich in den Episoden, die den vorüberhastenden Glanz des
zum Kavalier erhobenen Zwirn schildern. Glaubt Nestroy an die
Unabänderlichkeit der Charaktere, so sieht er in ihr allerdings
kein ererbtes Verhängnis. Als echter Rationalist schwört er auf die
›tabula rasa‹, auf das unbeschriebene Blatt, das jede Menschenseele bei ihrem Eintritt ins Dasein ist, wenigstens nach Ansicht
der Aufklärung. Erst die Erziehung forme den Einzelnen so, daß
er nunmehr durch nichts umgemodelt werden kann. Zum Beweis:
»Die beiden Herren Söhne«, aus dem gleichen Blut und aus der
gleichen Gesellschaftsschicht, doch voneinander getrennt durch den
Grad der Vernunft ihrer Eltern. Das Problem der Erziehung, die
in »Nur Ruhe« in den Wiener ›Früchterln‹ die ortsüblichen Früchte
zeitigt, hat den mit seiner eigenen Jugend sehr unzufriedenen
Nestroy nachhaltig beschäftigt. Es kehrt als Nebenmotiv in mehreren Stücken wieder, am nachdrücklichsten im »Kampl«.
Hier verschiebt sich freilich der Hauptton vom Allgemeinen auf
das Besondere. Ist es das Aufwachsen in Wohlstand und Ver-
zärtelung oder das in Armut und Härte, das tauglicher fürs Dasein
und zufriedener macht? Nestroy vermengt die Antwort auf beide
Fragen. Indem er das Glückbringende des Reichtums leugnet,
verbeugt er sich vor der Konvention und verleugnet er seine
ehrliche Meinung. Wenn er jedoch die verhätschelte Pauline, das
Mädchen mit Millionen, die Belogene und inmitten eigennütziger
Freunde kläglich Verlassene, in ihrer Untüchtigkeit und Ratlosig-
keit der reschen, tüchtigen ›Nähterin‹ als benachteiligt gegenüber-
stellt, die von herzlicher Hilfsbereitschaft umgeben ist, dann
schielt er zwar zu Jean-Jacques Rousseau hinüber, hat aber im
Wesentlichen recht. Wer nicht geschunden wird, der wird nicht
erzogen. Der Bühnenwirkung halber wurde eine unwahrschein-

liche Kolportagegeschichte zum Rahmen der Handlung gewählt. Die beiden Fräulein Töchter sind wie die beiden Herren Söhne eines Stammes, sogar Schwestern, die auf abenteuerlichste Weise in der frühen Kindheit voneinander getrennt wurden. Ein unheimliches Wesen, der ›Chirurg vor der Linie‹ (Vorstadt-Wundarzt) Kampl, eine der prächtigsten Gestalten Nestroys, bringt die zwei Mädchen wieder zusammen und alles in Ordnung. Dieser Held reinster Menschlichkeit und kristallklaren Verstandes, die Inkarnation des Sich-Nichts-Vormachen-Lassens, dominiert die nachdenkliche Posse und ihre Figuren. Schon dieser Gestalt wegen ist »Kampl« ein Meisterwerk. Die großartige, bis ins kleinste getreue Kunst des Sittenmalens mit ihrem Glanzpunkt, dem Ball bei der Schulzmann, der sprühende und besinnliche Witz, die psychologische Echtheit vereinen sich da zum vollendeten harmonischen Ganzen.

Diesem Spätwerk ist die erste der gesellschaftskritischen Komödien aus Nestroys Jugendepoche ebenbürtig »Zu ebener Erde und Erster Stock«. Wiederum werden da soziale Schichten und Stände in einzelnen Typen gezeichnet, virtuos vor allem in den Gesamtszenen. Wiederum erscheinen als Thesen zwei abgedroschene, moralinsaure Erfahrungsthemen: das Glück ist wandelbar, und am Golde hängt, zum Golde drängt sich alles. Seinen Triumph verdankt das Stück indessen weder seiner Fabel noch seinen Hauptideen, sondern, wie zwei Jahre später »Das Haus der Temperamente«, einem geschickt verwerteten technischen Einfall, der geteilten – hier zweistöckigen – Bühne und den dadurch gebotenen Kontrastwirkungen, dem Durcheinander des Dialogs oben und unten. Das würde jedoch, wie das Beispiel des gevierteilten Theaterschauplatzes dartut, nicht genügen, um auch heute und bei der Lektüre das Fludium zu erklären, das noch immer von diesem grundgescheiten Streifzug durch die sozialen Fragen ausgeht. Dazu haben der ungemein witzige Text und vor allem die dämonische, fesselnde, lebenswahre Gestalt des schuftigen, eigensüchtigen, rohen und verschlagenen Dieners Johann mitgeholfen. Diese Zentralfigur, die alle Fäden in der Hand behält, bis sie plötzlich, im Namen der Moral und des geforderten happy ending, reißen, daß er als geprellt dasteht, ist eine der unvergänglichen Zierden aus dem Wachskabinett ewiger Typen, denen Nestroy sein Siegel eingeprägt hat. Der Dichter, dem Scharfsichtige und aus Haß Hellblickende vorgeworfen haben, daß er das Volk gar nicht so zärtlich liebe, wie sich das für einen die Fahne des Fortschritts hochhaltenden Schriftsteller zieme, hat wohl durch aufgepiekte Schlußauftritte dem Publikum Zugeständnisse gemacht, nicht aber wenn er Gestalten aus der Wirklichkeit auf die Theaterbretter brachte.

Dann ließ er nicht Idealwesen aufmarschieren, die umso mehr vor Tugend triefen mußten, je tiefer sie geboren und je weniger sie gebildet waren. Er zeichnete Wiener Kleinbürger und Proletarier so, wie sie in natura oben auf den Galerien und drunten im Parterre saßen.

Das ist ihm, wie wir schon kurz erwähnten, einmal sehr übel bekommen, bei dem Stück »Eine Wohnung ist zu vermieten in der Stadt, eine Wohnung ist zu verlassen in der Vorstadt, eine Wohnung samt Garten ist zu haben in Hietzing«. Da prangten die Menschen, denen man an jeder Straßenecke begegnen konnte: der Hausherr Gundelhuber in seiner geschwätzigen Geistfeindschaft und unnützen Selbstgenüge, der grobe Hausbesorger Balsam und alle die anderen selbstgefälligen, je nach Laune und Vorteil gegen die lieben Mitbürger gefälligen oder ungefälligen Stadtgenossen samt ihren wenig besseren Hälften. Und ihr bloßes Dasein war der eigentliche Inhalt dieses grimmigen Lachkabinettstücks, während sonst Personen ähnlichen Zuschnitts zwar die Bühne bevölkerten, doch die Aufmerksamkeit der Zuschauer mit einer vorgetäuschten oder gar mit einer echten Haupthandlung teilten, wie in »Liebesgeschichten und Heiratssachen«, »Nur Ruhe«, »Glück, Mißbrauch und Rückkehr«.

»Der Unbedeutende« nimmt wohl das Studium der Bravheit der Unterschicht zum eigentlichen Stoff. Sieht man aber genau hin, so zeigt sich auch da eine Denkweise, die weit von demokratischer Schwärmerei abliegt. Sie gemahnt eher an den Ausspruch Ludwigs XIV., als man ihm den Selbstmord des über eine mißratene Speise verzweifelten berühmten Kochs Vatel meldete: »Dieser Mensch hatte auch eine Art von Ehre.« Nestroy schreitet darüber hinaus. Er verteidigt die, uns heute selbstverständliche, Meinung, daß es auch unter den Leuten aus dem Volke Menschen mit echtem Ehrgefühl und edlem Charakter gibt; und daß der Mensch nicht, wie es im Vormärz aufrichtige Überzeugung der Oberschicht, doch ein wenig auch Ansicht der anderen Zeitgenossen – liberale Intellektuelle ausgenommen – gewesen ist, daß der Mensch, wenn nicht beim Baron, so doch erst beim besitzenden Bürger beginnt. Was alles nicht hindert, auch bei den unteren Klassen die Fehler und die Unzulänglichkeiten zu beobachten, die unseres Fleisches Erbteil sind. Die Familie und die Freunde des Zimmermanns Peter Span, der seine verleumdete Schwester beschützt und der sie vor der Gemeinheit des Sekretärs Puffmann, eines Gegenstücks zum Johann aus »Zu ebener Erde«, rettet; sie sind gut oder böse, wie sich's trifft, sie haben die Vorzüge und die Laster ihres Standes, so wie es andererseits auf dem Schloß des Barons Massengold unter den Vornehmen schätzenswerte und schurkische Menschen gibt. Die Milieuschilderung ist auch im »Unbedeutenden« hinreißend. Dem Ball im »Kampl« entspricht die Gasthausszene, bei der Klaras angebliche Schande offenbar wird. An Charakteren ist das Stück überreich. Um den proletarischen Ritter Peter agieren: der pfiffige Thomas Plöckl, Erpresser aus gutmütigem Ehrgefühl, die rührende Klara – ein Klärchen wider Willen, das seinem Brackenburg treu anhängt –, der zuletzt betrogene Teufel Puffmann, die nymphomane alte Base des Barons und dieser selbst in seiner Hilflosigkeit. Auch die Nebenmotive, die sich um die *Aristeia* des ehrenhaften Mannes aus dem Volke ranken, sind mannigfaltig: die Macht böser Nachrede, die Psychologie der Aussage, das Stupide einer Kindererziehung durch Schreckmittel. Die wichtige Frage, ob der Handlung ein getarnter politischer Sinn innewohne, wird noch zu erörtern sein. Nur eines ist an diesem Bühnenwerk wenig beträchtlich: die Handlung selbst.

Auch in »Mein Freund« sind wir unter dem Volk, und es bestätigt durch eine Galerie von Typen die Erfahrungen aus »Kampl«, »Ebener Erde« und dem »Unbedeutenden«. Nochmals bietet sich uns das gleiche Gemisch von Tüchtigkeit und Tratsch, Bravheit und Beschränktheit, Ehrgefühl und Ehrsucht; nochmals ein bunter Reigen von Charakteren: der alte Ladendiener Schippel, lüstern, intrigant, faul und grob, der großtuerische Kleinbürger Hochinger, der titelgierige ›Untertan‹ *à l'autrichienne* Hummer, der Gauner Fint und sein wackerer, hinters Licht geführter Freund Schlicht. Hauptthese: ehrlich währt am längsten, in dieses Sprichworts Doppelsinn. Daneben der alternde Mann zwischen junger Frau und heranwachsender Tochter; die Gefahren, denen die Mitgift reicher und die Tugend armer Mädchen bei einer stets nach neuer Vergoldung auslugenden *jeunesse dorée* ausgesetzt sind; das Wiener Erb- und Erzlaster des Über-den-Stand-Lebens. Den Text zieren einige der schönsten und gedankenprallsten Monologe Nestroys. Verkörpert Fint den üblen Streber, der um jeden Preis emporkommen will – den andere zu bezahlen haben –, so sträubt sich der Held von »Der Schützling« gegen die Segnungen des zum Fortkommen bewährtesten österreichischen Verkehrsmittels, gegen das Mittel, durch das man im gesellschaftlichen Verkehr am schnellsten befördert wird, gegen die Protektion. Gottlieb Herb erwartet alles von seinem Talent und seinem Fleiß, doch er muß – wir sind ja im Land der Kompromisse – schließlich dankbar die weltkluge Unterstützung weiblicher Feenhände annehmen, die ihn an den Posten schieben, auf dem er endlich seine Fähigkeiten bewähren kann. These (von außen besehen): freie Bahn dem Tüchtigen, durch zähe Arbeit zum Erfolg; (von innen durchschaut): nur ein Narr beharrt auf dem geraden Weg, während man durch Hintertüren schneller und sicherer ans Ziel gelangt. Mehrere wichtige Zeitfragen werden im »Schützling« gestreift, etwa die Anfänge der Industrialisierung in Österreich und der verderbliche Einfluß des Zeitungsklatschs; dagegen gehören die Ehe zwischen einem bejahrten Mann und einer kaum den Kinderschuhen entwachsenen Frau und die Zähmung eines widerspenstigen Emporkömmlings durch eine anmutige Salondame zu den zeitlosen Lustspielmotiven. Bemerkenswert ist in dieser Komödie die gepflegte Konversationssprache, der Nestroy in andern Stücken nur selten seine Aufmerksamkeit gewidmet hat. Man glaubte Bauernfeld zu lesen, zuckten nicht an diesem heiteren Himmel mitunter Nestroys Blitze des gewitternden Genius. Der hochbegabte Herbst steigt aus der Tiefe in die herrschende Klasse auf. Ein Ausnahmefall, den der Dichter für Ausnahmemenschen gelten läßt. Im allgemeinen aber mißbilligt er jedes Unterfangen, die Kluft zwischen den Ständen zudringlich oder gar gewaltsam zu überbrücken.

In den »Familien Zwirn, Knieriem und Leim«, der ungleich schwächeren Fortsetzung des »Lumpacivagabundus«, in »Liebesgeschichten und Heiratssachen« sind die Neureichen, die sich dem Adel anbiedern, lächerlich. Den Streber Nebel aber, eine Gestalt an der Grenze von Tragik und Komik, einen österreichischen Tartuffe, verdammt der Bourgeois Nestroy als einen Ausgestoßenen, der im Sprung die Etappe der ehrbaren Bürgerlichkeit überwinden möchte. Ein zweiter dieses Zeichens, Edelschein, wird in den »Anverwandten«, die uns noch als politisch gefärbtes Bühnenwerk begegnen werden, mehr ob seiner heuchlerischen Scheinheiligkeit denn um des Strebens willen erledigt, sich in die besitzende Schicht einzunisten. Diese während der letzten Wochen des Vormärz konzipierte Posse streift noch andere soziale Probleme: die Lage des armen jungen Mannes aus reicher Familie und die elterliche Autorität, dargestellt am Verhältnis des egoistischen Greises Stachelbaum zu seinem als Ideal gestalteten Enkel Viktor. Das Leitmotiv der »Anverwandten« war von Nestroy schon früher im wenig bedeutenden Stück »Der Erbschleicher« viel oberflächlicher erörtert worden. Auf das Thema des gesellschaftlichen Aufstiegs ist Nestroy noch kurz vor seinem Tode zurückgekommen; im geistreichen und ihn auf völliger Schaffenshöhe erweisenden *lever de rideau* Pariser Stils – wenn auch angeblich nach einem Berliner Vorbild – »Frühere Verhältnisse«. Jetzt, am Abend seines Lebens, hat Nestroy ein wenig umgelernt. Er sieht die Scheidemauern zwischen Herr und Diener nicht mehr so scharf und unübersteigbar. Der Hausknecht mag durch Glück und Schläue Holzhändler werden und eine Professorstochter heiraten, der ehemalige Unternehmer, bei dem er Hausknecht gewesen war, nun nach Verlust des Kapitals bei ihm, dem Neureichen, dienen, wenn nicht – der Verwicklungen halber – gewesener Herr und einstiger Hausknecht eine örtliche Trennung vorziehen. Doch der Widerspruch zur früheren Auffassung Nestroys ist nur scheinbar. Das Geld imponiert ihm nicht; davon mehr oder weniger zu haben, Unternehmer oder Angestellter, Arbeiter, Diener zu sein, das ist eine Frage des Glücks, des Zufalls und derartige Veränderungen wie in den »Früheren Verhältnissen« sind kein Anlaß zu Aufregung oder Empörung. Verdammenswert ist nur der Versuch, sich aus einer niedrigeren in eine höhere Gesellschaftsschicht hinüberzulisten, von der man durch Geburt und – oder – Bildung, das heißt durch deren Mangel, abgesondert ist.

Bedeutendstes Bühnenwerk Nestroys unter denen, die sich mit gesellschaftlichen Fragen befassen, zugleich ein Wunder an Sprachkunst und an seelenkundlicher Feinheit, ist »Der Talisman«, eine Schöpfung von fast erschreckender Genialität. Das, was Nestroy aus der Geschichte eines Hochstaplers geholt hat, der sich durch List eine gute Stellung ergattert und der erkannt, hinausgejagt, durch das plötzliche Auftreten eines Erbonkels gerettet wird, das ist unheimlich. Man ist versucht, die Worte der Frau von Cypressenburg, die als Sappho in diesem Stück durch eine romantische Landschaft ästhetischer Teestuben schwebt, auf eine Kunst anzuwenden, die hier »verschwenderisch mit erhabenen Worten das sagt«, was man sonst im Gestammel der Volksbühnenhandwerker zu hören bekam. Und wie wird uns die Weisheit, daß nicht nur Kleider, sondern auch erotische Vorzüge Leute machen, in so origineller Form eingeprägt, daß sie uns geradezu als neue Offenbarung anmutet! Vor allem die Gestalt des Titus Feuerfuchs: im Grund ein Gigolo-Typ, ein nichtswürdiger Lump, doch er wird zum Elementarereignis, das man bewundert, obwohl es schädlich, gefährlich, verhängnisvoll zu werden vermag. Man denkt an Julien Sorel und Stendhal, an Rastignac und Balzac, an Chlestakov und Gogol, vor allem aber an Taine: Tugend und Laster sind Produkte wie Zucker und Vitriol; und auch an den kleinen Moriz der Anekdote: (»Was willst du werden, Moriz?« – »Vitriol?« – »Warum?« – »Vitriol frißt sich überall durch«). Feuerfuchs, das Erzeugnis sozialer Zustände, ist Vitriol, und er wird sich überall kraft seines Witzes und Fürwitzes, ob der Schärfe seines Blicks und seiner Zunge durchfressen. Unvergeßliche Satelliten, die diesen unsteten fixen Wanderstern umgeben, sind Frau von Cypressenburg, eine gefährliche jungliterarische Weltdame im schon ungefährlichen Alter, und Salome, die rührend reine, urwüchsig-weibliche Triebpflanze, die fest im Erdreich wurzelt. Der Dialog ist von lateinischer Prägnanz, gallischem Esprit und wienerischem Charme. Schlag auf Schlag fallen die Worte; sie sind Keulen, Dolche, Schwerter. Hinter allem aber reckt sich die lachend und verschlüsselt dargelegte Wahrheit, daß Schein und Sein ineinanderfließen, daß wir eigentlich nie über den Schein hinaus zum Ding, zum Unding an sich vordringen können.

Die oft gespielte, keineswegs überragende Posse »Der Färber und sein Zwillingsbruder« kreist um einen ähnlichen Gedanken. Eine uralte Schwankidee aufgreifend, steckt Nestroy einen friedlichen Färber in die Uniform seines tapferen Bruders, des Grenzwache-Sergeanten. Der Zauber der Montur wirkt, und der Spießer wird zum Helden, gewöhnt sich an die Gebärden des Heldentums. Und das genügt. Wir sehen eben nur den Schein, nicht das Sein.

Was bleibt den Sterblichen anderes übrig, als des Lebens Unverständlichkeit ohne Wehmut zu genießen? Diese dem Österreicher und der Epoche des Biedermeier am meisten adäquate Haltung ist von Nestroy allen Figuren verliehen worden, in denen er sich oder einen Teil seines Ich abbildete, die für ihn als Raisoneure das Wort führten wie Kampl oder aus dem noch zu würdigenden »Alten Mann mit der jungen Frau« der abgeklärte Fabrikant Kern. Mahnung zum Verzicht auf Chimären und zur Anpassung an eine vom Einzelnen nicht zu beseitigende Weltordnung, bei der Nestroy nicht das Ganze, doch Einzelheiten und darin die menschliche Unzulänglichkeit zu rügen hatte – soweit unsere Erde in Betracht war, wogegen er im metaphysischen Bereich allerhand grundsätzlich beklagte und anklagte –, ... Resignation, das ist Leitmotiv auch im »Zerrissenen« und im »Mädl aus der Vorstadt«. Im zweiten dieser Stücke ist es der sehr bürgerliche Held, der Agent Schnoferl, der sich durch alle Nöte hindurchwindet und der alle Enttäuschungen mutig überwindet. Er ist die treibende Kraft einer Charakterkomödie, in der ein anrüchiger Spekulant Kauz, ein schwachköpfiger überflüssiger Zeitgenosse Gigl und die launische, attraktive Frau von Erbsenstein dem Raisoneur, den Nestroy unübertrefflich darstellte, die Stichworte gaben. Wie immer, wenn der Autor seinen eigenen Doppelgänger auf die Bühne schickte, quillt diese Posse über von Sentenzen und geistvollen Wortspielen.

Mittelpunkt des Geschehens im »Zerrissenen« ist ein vom *mal du siècle* angekränkelter Millionär, Herr von Lips, ein Bruder im Weltschmerz der Werther, René, Childe Harold, Mazepa. »Zerrissenen Gemüts« greift er nach den Sternen. In der Leitidee dem Raimundschen »Alpenkönig und Menschenfeind« verwandt und dem Molièreschen »Misanthrope« vergleichbar, ähnelt »Der Zerrissene« diesen Warnungen vor Menschenscheu ohne Reue und vor Auftrotzen gegen die Gemeinschaft fordernde Bestimmung unserer Species auch dadurch, daß eine im Gemüt seine Artgenossen wenig schätzende und darum sie meidende Timon-Natur ihre Hemmungen und ihre von ihr selbst als peinlich empfundenen Wunderlichkeiten in eine Kette von Extravaganzen abreagiert. Doch weil es dem Herrn von Lips mit seinem Menschenhaß ohne Reue nicht so ernst zumute ist, sind die Genreszenen und die Situationskomik des »Zerrissenen« gar vergnüglich geraten.

Ein Reicher, Vornehmer soll keinen Hirngrillen nachhängen. Wann hat aber der Arme Ursache zur Unzufriedenheit; was bildet die Grenze, von der an ein Dasein lebenswert wird; was ist das Notwendige und was das Überflüssige? Antwort darauf bieten in sehr origineller Weise »Die beiden Nachtwandler«. Zwar gehört das Problem zu den uralten der Dichtung und des Denkens, und es wird in den zahllosen Variationen über das Thema vom »Fischer und sîner Frû« bei Nestroys Lebzeiten zum Beispiel auch von Puškin erörtert; die Handlung gestaltet ferner den nicht minder bekannten Rahmen des Motivs vom »Träumenden Bauern«. Ein seinem Jammer entrückter Angehöriger des Niedervolks begehrt von den Spendern seines unverhofften Reichtums so lange Kostbares und immer Kostbareres als Notwendiges, bis ihn endlich die Strafe ereilt: zurück zum vorigen Elend, das bei Nestroy, wir sind in Österreich, zur kleinbürgerlichen Existenz gemildert wird. Und man merke sich: wer nichts hat, der empfindet seinen Mangel weniger, als der Begüterte eingebildete Werte vermißt. Erst die Bedürfnisse, die – vermeintlich zuwenig – befriedigt werden, erzeugen neue Bedürfnisse. Überfluß weckt Übermut. Aus dem genügsamen Proletarier wird, ist er ins Schloß gezogen, ein »Zerrissener«.

Mit dieser von Nestroy oft ausgedrückten Überzeugung vertrüge sich schlecht eine begeisterte Vorliebe für Revolutionen irgendwelcher Art. Wir haben schon erzählt, wie es mit seiner Freiheitsschwärmerei von Anno 1848 bestellt war. Obwohl er den Umsturz im ersten Augenblick mit aufrichtiger Freude begrüßte- und dabei nicht zuletzt, weil ihn der allgemeine Taumel aus dem Gleichgewicht brachte, doch nicht minder im Wunsch, einen großen Publikumserfolg zu erringen – eine seinem grundanständigen, ritterlichen Charakter so wenig wie seinem kristallklaren Verstand angemessene Verzeichnung der Gestalt Metternichs vornahm –, hat er bald zum ihm gemäßen Urteil über das Zeitgeschehen des tollen Jahres zurückgefunden. Vorerst hat er gehofft, auf das vernichtete, altersschwache System werde ein besseres folgen; die unfähigen oder durch ihr hohes Alter wie durch das allzu lange Verbleiben an der Macht abgenützten Staatslenker würden zeitgemäßeren jüngeren und fähigen Kräften Platz machen. Einen totalen Umschwung, eine echte politische oder gar eine gesellschaftliche Revolution hat er nicht gewollt. Worüber das Nötige in einem späteren Abschnitt dieses Buchs gesagt werden soll. Nestroys Denkart und sein äußeres wie sein inneres Verhalten gegenüber den Ereignissen von 1848/49 stimmte im Wesentlichen mit der Haltung Grillparzers und Bauernfelds überein. Das läßt sich an den politischen Komödien genau verfolgen.

Im Vormärz durfte man nicht offen von Staatsangelegenheiten sprechen, am allerwenigsten von der Bühne herab. Deshalb wählten die Schriftsteller, die Kritik an öffentlichen Angelegenheiten üben wollten, Tarnungen, hinter denen das von der Zensur zum Verständnis jedes Doppelsinns erzogene Publikum die wahren Ansichten und Absichten der Verfasser erriet. Derlei war nicht nur im Österreich des Absolutismus und des Biedermeier der Brauch. Überall, wo die aufgeweckte Intelligenzschicht mit der herrschenden Ordnung grundsätzlich und völlig oder zum Teil unzufrieden war und nach einem Ventil für ihr Mißbehagen verlangte, ist eine Art von unorganisiertem Geheimbund gediehen, der seine den Zugehörigen verständliche Geheimsprache hatte. Spiel und Anspielungen, Gebärden der Mimen auf der Bühne und verhüllende Handlung der Theaterstücke, gleichnisweise Prosa und Lyrik, mitunter sogar populärwissenschaftliche Werke vereinten sich, um amtlich verbotene Ansichten zu verbreiten und um amtlich gebotene Meinungen, amtlich dem Respekt der Untertanen empfohlene Institutionen zu bekämpfen und zu verhöhnen. Nicht anders als im Wien von 1848 sah es in Polen unter russischer Herrschaft um die letzte Jahrhundertwende aus, als Sienkiewicz im Tagebuch eines angeblichen Posener Lehrers die Übergriffe und den Druck der russischen Behörden schilderte, oder als in Deutschland P. Muckermann zur Hitlerzeit in seinem berühmt gewordenen Artikel »Pompa diaboli« die wahre Wesenheit der Massenkundgebungen und des Prunks im Dritten Reich in durchsichtiger Verhüllung malte.

Bauernfeld hat im Lustspiel »Großjährig« Metternich als den strengen Vormund Blase verspottet, der den ewig unreifen, kindischen Monarchen am Gängelband führt und der dessen großes Erbeigentum — Österreich — übel verwaltet. Bei Nestroy sind mindestens drei Stücke aus den beiden letzten Jahren des Vormärz politische Allegorien. Vom »Unbedeutenden« haben wir schon gesprochen. Der schwache Gutsherr Massengold ist als Ferdinand I. zu erkennen, Puffmann, sein Sekretär, als Verkörperung des Beamtentums, Packendorf, der redliche Freund, als einer aus der hohen Bureaukratie, der es gut meint – vermutlich Kolowrat –, der Kammerdiener Tupper als die Inkarnatoin des niederen Staatsangestellten. Die Allegorie wäre weiterzuführen, ist aber doch nur von nebensächlichem Belang. Dagegen halten einander bei den »Schlimmen Buben in der Schule« der unmittelbare Sinn und der politische Nebensinn die Waage. Bereits die sichtbare Handlung dreht sich um öffentliche Angelegenheiten, um die schandbaren Schulzustände, die den Lehrer als Intelligenzproleten von der Gnade nicht nur des Gutsherrn, sondern auch des Intendanten, ja der Scheuerfrau im Schloße abhängig machten.

Es geht ferner gegen die oberflächliche Scheinbildung, gegen das Vollpfropfen der Kinder mit überflüssigen gelehrten Brocken; endlich streift Nestroy hier auch sein Lieblingsthema: die Macht des Scheins, das Glück der Unverschämten, die Notwendigkeit zur Anpassung. Der Bühnenerfolg war dem ausgelassenen Schwank schon deshalb sicher, weil damals Kinderstücke von der Mode begünstigt wurden. Der Autor entzückte die Wiener als vorlauter Schulknabe Willibald. Seine Couplets, seine Monologe und seine Antworten in den unwiderstehlichen Prüfungsszenen sind ein einziger Sturzbach von Witz und tieferer Bedeutung. Und erst die politischen Anspielungen! Baron Wolkenfeld, der Gutsherr und Schulpatron, wird – wie der gutmütige, unfähige Kaiser von Metternich – von seinem Intendanten Wichtig dirigiert. Er ist stocktaub; selbst wenn man mit Posaunen in sein Ohr bläst, hört er nichts; so wie der Herrscher nichts von allen dem vernimmt, das mit Tubatönen zu ihm dröhnen sollte. Die Preisverteilung an die schlimmen Buben versinnbildlicht den österreichischen Wirrwarr und zugleich den Zufall, der zusammen mit hämischer Bosheit und kühner Unverfrorenheit über die Zuweisung von Ehre und Macht entscheidet. Und so nebenbei obsiegt der nüchternste Praktische, der die ihm zuerkannte Medaille gegen ein Backwerk eintauscht.

»Die Anverwandten« waren ursprünglich ohne politischen Beigeschmack. Doch während sie zur Erstaufführung vorbereitet wurden, geschah in Wien der große Erdrutsch, und Nestroy fügte seiner Gewohnheit gemäß aktuelle Anspielungen ein. Schon an ihnen dürfen wir das Zwiespältige seiner Stellung zur Revolution beobachten. Einerseits schwamm er mit dem Strome, indem er die Gestürzten mit seinem Witz verfolgte, ob es nun um den abgeschafften Staatsrat betraf oder um Metternich, der als Gespenst am hellichten Tag in London umherwandelt, oder ob ein Sproß von Krämern dem ahnenstolzen Aristokraten erklärt, es sei doch edler von Beraubten als von Raubrittern abzustammen, denn die Kaufleute seien ja einst von den Rittern ausgeplündert worden. Andererseits bezeigte er auch mangelnden Respekt vor der neuen Majestät des Volks, da er in einem Couplet sang: »es gibt mancher sein' Stimm' und er weiß nicht für was; gar mancher is als Wähler für Frankfurt 'nein g'rennt, der außer d'Frankfurterwürsteln von Frankfurt nix kennt«[253]. Worauf sofort im Theater ein großer Skandal losbrach, und die erzürnten Zuschauer von Nestroy – vergebens – Abbitte heischten.

Sie sollten jedoch bald auf ihre Rechnung kommen. Sechs Wochen darauf, am 1. Juli 1848, brachte das Carl-Theater »Freiheit in Krähwinkel«. Die von Nestroy ehrlich gefühlte Abneigung gegen die Liguorianer – denen damals die Rolle der Prügelknaben zufiel, wie hernach den Juden oder den Kapitalisten, den Kommunisten oder den Kolonisatoren –, die nicht weniger aufrichtige Verachtung für die beschränkte, reaktionäre Bureaukratie und die Duodezgewaltigen in der Provinz, die Freude an der Befreiung von der bevormundenden Zensur und eine Art von kollegialer Begeisterung aller Intellektuellen für die vorwärts drängende Hochschuljugend, das alles war so sehr nach dem Geschmack der Zuschauer und der Kritiker, daß man es Nestroy nicht ankreidete, wenn er sogar in den Honigmonden des Sturmjahres die Sieger der Märztage nicht als reine Lichtgestalten beweihräucherte und wenn er deren Phrasenschatz durch den bloßen Gebrauch ad absurdum führte. Doch die großartige Schlußtirade scheint weniger der Gestalt des rede- und schreibgewandten Journalisten und Agitators Ultra als dem Verfasser Nestroy aus dem Herzen gesprochen: »die Reaktion ist ein Gespenst, aber G'spenster gibt es bekanntlich nur für den Furchtsamen«[254]. Das damals zu bekennen, war in den Tagen der Revolution kein Beweis von Zivilcourage, doch ein Jahr später erforderte dergleichen einigen Mut, an dem es Nestroy nie fehlte. Sowenig er blind dem Umsturz huldigte, sowenig stimmte er ein Loblied auf die Reaktion an, als diese obsiegt hatte. Allerdings scheute er sich nicht, der zusammengebrochenen Revolution einen tief eindringenden Nachruf zu halten, der ihm von deren Anhängern sehr verübelt wurde.

In »Lady und Schneider« vergegenwärtigt uns der überspannte Heugeig'n, was aus dem Mitregierungsrecht des Volkes wird, sobald einmal Schneider und Schuster an die Stelle des gebildeten Bürgertums treten. Dem Wirrkopf Heugeig'n steht dessen Schwiegervater Restl gegenüber, der sich als vernünftiger Kleinbürger um sein tägliches Brot kümmert und neidlos die Politik den Berufenen anheimgibt. Daß diese aber weder höhere noch bessere Wesen sind, das bezeigen uns die Personen der Haupthandlung, einer echt schmutzigen Intrige in aristokratischen Kreisen. Den Konservativen wird ein giftiger Streich versetzt, da der Politiker am Bügelbrett an einen der Eckpfeiler der Reaktion erinnert, an den Staatsratspräsidenten Baron Kübeck, der einst dazu bestimmt schien wie sein Vater die Nadel zu führen, nicht aber die Feder.

Im »Alten Mann mit der jungen Frau« wagte es Nestroy, mit dem damals allgewaltigen Minister Baron Bach anzubinden. In einer grundgescheiten, echt menschlichen Betrachtung des Raisoneurs Kern zieht der Satiriker Nestroy das unbefangene Fazit des tollen Jahres. Alle haben gesündigt, geirrt. Der eine hat das schwer, der andere leicht gebüßt, der dritte brachte es zu Amt und Ehren, als Anpasser und Umlerner, der sich rechtzeitig bekehrte. Daß der leitende Staatsmann Österreichs an seine eigene Laufbahn gemahnt wurde, hätte genügt, dem Stück die Bühne zu verschließen. Er war auch als Ganzes dazu angetan, die Gesinnungstüchtigen und die in Gesinnungslosigkeit Tüchtigen zu erbittern. Nestroy deckte ohne Schonung die Blößen der Politik und der Politiker auf; er sucht zu erhärten, daß nicht etwa Politik den Charakter verderbe, sondern daß an Charakteren, die sich der Politik widmen, nichts zu verderben sei. Entweder glauben sie an ihre Partei, und dann sind sie dumm, oder sie schützen vor, an sie zu glauben, und dann sind sie Heuchler. Kern, der alte Mann mit der jungen Frau, ist weder so töricht noch so unehrlich, sich oder andern etwas einzureden. Er bewährt das in seinen politischen Betrachtungen eines wahrhaft Unpolitischen und er beweist es in der unpathetischen Hochherzigkeit, mit der er den Verrat seiner geliebten jungen Frau erleidet, ohne ihn aus unwürdiger Schwachheit mit geschlossenen Augen zu ertragen. Dieses Problem der durch Ungleichheit der Jahre von vornherein bedrohten Ehe ist dem Titel und der ursprünglichen Absicht nach im Vordergrund gestanden; die politischen Aspekte haben es jedoch überrundet.

Noch einmal, und zwar ein einziges Mal, hat Nestroy die Politik zum Vorwurf erkoren, den er wider die zivilisierte Welt erhebt. In der lange verschollenen Offenbachiade »Häuptling Abendwind« erscheinen der Titelheld und sein Rivale Biberhahn, der Heftige, Menschenfresser alle beide, die einen auf ihre Inselkleinwelt verschlagenen Weißen mitsamt Uhr und Uhrwerk verspeisen. Doch halt! Tragen die Wilden nicht bekannte Züge; gleichen sie nicht Europäern, die zwar nicht Individuen, sondern ganze Landstriche und deren Bewohner mit gutem Appetit verzehren? Wir erschauen alsbald in der Zusammenkunft der zwei melanesischen Stammesfürsten die Entrevue von Baden-Baden, wo Napoleon III. und Wilhelm I., dem Altösterreicher gleichermaßen verhaßt, einiges über Vergangenheit und Zukunft ihrer Reiche besprachen; wir blicken auf den Mechanismus, durch den nicht nur Einzelne wie in Ozeanien, sondern Nationen zur Schlachtbank getrieben werden. Vieles ist von aufreizender und tragikomischer Beziehbarkeit auf unsere Tage, so etwa die Beschreibung der Konferenzen, die Satire auf offizielle Friedensphraseologie, das wechselseitige Mißtrauen der hohen Gesprächspartner.

Ach, der Zweifler Nestroy ist großen Zeiten, großen Ideen und großen Worten nicht grün. Er ist nicht grün genug, um in ihnen zu schwelgen. Überblickt er die Weltgeschichte, wo ist da ein Sinn, wo ist da Gerechtigkeit? Und darum muß sich der große Wiener Satiriker mit dem Problem aller Probleme, mit der waltenden Vorsehung, mit Gott auseinandersetzen. Vor 1848 war das auf dem österreichischen Theater unmöglich. Nur verstohlen konnte auch nachher etwas von Nestroys religiösen Gedanken in die bereits durch den politischen Inhalt belastete Posse »Höllenangst« hineingeschmuggelt werden. Das Bedeutsamste – ein herrlicher Monolog, darin Nestroy seine Gewissensnöte und seine Zweifel zusammenfaßte; unter der witzigen Oberfläche verspüren wir den sittlichen Ernst seines geistigen Ringens um die letzten Dinge –, es ist unausgesprochen und bis zur Veröffentlichung in der Gesamtausgabe ungedruckt geblieben. Dennoch erfahren wir das Wesentliche: der Dichter zieht den Aberglauben dem offenen Unglauben vor; er tut das, obzwar ihm selbst der überzeugte Glaube verwehrt ist. Seine Argumente, seine Einwendungen wider die göttliche Vorsehung sind die Voltaires und Goethes,

Hutmacher und Strumpfwirker,
Cyprian Deckel, Hr. Scholz, Balthan Zwickl, Hr. Nestroy,
(Beide zugleich, einer vom andern, wechselgegenseitig für wohlhabend haltend.)
Euer Gnaden, ein armer reisender Handwerksbursch bittet um ein Almosen!!

Wenzel Scholz und Johann Nestroy

NESTROY

(in der Posse : Zwölf Mädchen in Uniform.)

echtes Erbe der Aufklärung. Dem Bösen ergeht es zu gut und dem Guten zu bös, als daß man auf die Weisheit und auf die Allgüte des Weltenlenkers vertrauen könnte. Diese schmerzlichen Zweifel – Zweifel, nicht etwa agressiver Atheismus – werden in eine Handlung verflochten, die den Höllenspuk verhöhnt und die außerdem die politischen Ideen des Autors wiederholt, daß man nicht Systeme, sondern anfechtbare Menschen bekämpfen müsse. Das Volk, vertreten durch die beiden Pfrim, Vater und Sohn, ist brav oder schlimm, jedenfalls unmündig. Es geschieht ihm Unrecht, wenn man es in die Händel der Großen hineinzieht und ihm mit den unverständlichen Begriffen der Gebildeten den Kopf verdreht.

Das hatte Nestroy schon in der Parodie »Die verhängnisvolle Faschingsnacht« an der Person des im Ehrenpunkt sehr empfindlichen Holzhackers Lorenz erprobt. Was soll der *point d'honneur,* wenn man jeden Augenblick das tägliche Brot verlieren kann und wenn alle Kavaliersmanieren nur Tünche sind, die bei der ersten kratzbürstigen Berührung abfällt? Gewiß haben auch diese Leute eine Ehre, und, wie dies im »Unbedeutenden« vordemonstriert wurde, ist diese Ehre so viel wert wie die der Hochgeborenen; doch eine Ehre schickt sich nicht für alle. *Suum cuique,* jedem das Seine in der Ideologie, in Sitte und Brauch, in Gesellschaft und Staat. Die Hand, die werktags die Holzhacke führt, kann nicht feiertags den Ritterdegen karessieren. Um diese These wirbelt die Reihe der Mißverständnisse und Verwechslungen, zu denen Holteis »Trauerspiel in Berlin« – ein »Woyzeck« dritter Güte – Nestroy den zu sezierenden Anlaß geboten hat. Es begeben sich ferner eine spaßige Kinderentführung und die Peripetien einer zuletzt noch eingerenkten, wenig vollkommenen Ehe. Holtei war schon früher von Nestroy durchgehechelt worden; in »Weder Lorbeerbaum noch Bettelstab«, der Parodie eines melodramatischen Schmachtfetzens, der den Philistern Tränen ob des traurigen Finales von Dichters Erdenwallen entlockt hatte. Statt für seine Stiefbrüder in Apoll, und damit für einen irgendwie auch unter die edlen Fortschrittsideale einzureihenden Belang die Stimme zu erheben, rät Nestroy auch da zu Maß und Vernunft. Freilich nicht den echten Poeten, die keiner Mahnung bedürfen, die als seltene Ausnahmen auch Ausnahmerechte haben, sondern den nie aussterbenden Scharen von mittelmäßigen Schmierern und vollendeten Nichtstuern, die sich nur durch Lockenwuchs und Samtrock, allenfalls noch durch eine spezielle Art der Überheblichkeit von den prosaischen Arbeitscheuen unterscheiden. Zugleich mit den zu hochgespannten Ansprüchen der Literaten wird auch den zu überspannten Vorstellungen von Liebe und Ehe der Prozeß vor dem Tribunal des gesunden Menschenverstands gemacht. Doch das will nicht heißen, daß Nestroy Partei für die »biedersinnigen, gemütlichen« Mitbürger ergreife, die »keinen Zorn, keine Rührung, keine Wut, keinen Gram, keine Lieb', keinen Haß, nicht einmal eine Seel' haben«, sondern »nix als ein' Appetit«. Er schildert nur die Wiener – nur die Wiener? – Gegebenheiten, denen sich jeder fügen soll, der »nicht enorm bei Kräften is«. Dem allerdings bleibt es vorbehalten, »auf den Felsen zu steigen, ohne zu rutschen und ins Präzipiß zu fallen«[255].

Gibt es aber derartige Ausnahmemenschen, die *legibus soluti* sind, jenseits der allgemein verpflichtenden Gesetze und über den Bedingtheiten, den Schranken ihrer Epoche stehen? Und wenn ja, wie erkennt man, ob ihre Größe Schein oder Wahrheit ist? Diesem Thema ist das genialste aller Werke Nestroys, die mit hohem Abstand beste Travestie – gemeinhin als Parodie bezeichnet – des deutschen Sprachraums gewidmet: »Judith und Holofernes«. Sie vernichtet ein großsprecherisches, überspitztes Jugendwerk Hebbels aus dessen Sturm- und Geltungsdrangjahren, »Judith«, indem sie deren Handlung, die Psychologie ihrer Gestalten, ihre Sprache und die dem Ganzen zugrundeliegende Weltanschauung in ein unbarmherziges Spiegelbild einfängt. Allerdings, um ihre Hohlheit zu erweisen, in Konkavspiegel und, um die geschwollenen Reden zu entlarven, in Konvexspiegel. Andere Stücke Nestoys mögen reicher an Aphorismen, glänzender an Wortwitz, tiefer an seelischen Werten sein, als Gesamtheit ist diese literarische Hinrichtung unübertrefflich. Form und Inhalt sind einander gemäß; es gibt keine leeren Stellen; ein ununterbrochenes Schnellfeuer richtet sich gegen eine Position, die vom ersten Schuß an verloren ist. In Hebbels »Judith« überwältigt Nestroy nicht nur einen einzelnen Gegenstand seines Spottes, sondern die romantisch-individualistische Verherrlichung des Übermenschen und des Kraft(un)menschen als Ganzes. Freilich nicht vom künstlerischen, doch vom denkerischen Standort aus. Hebbels Tragödie wird weder als ästhetische, noch als sittliche Verirrung verdammt; sie erscheint als ein Werk der Unvernunft, als unwirklich, unmöglich. Das aber bedeutet darum einen tödlichen Schlag, weil er sich nicht wider einen Romantiker richtete, vielmehr gegen einen, der Realist, Seelenerforscher, Wahrheitverkünder sein wollte. In Nestroy war der Jurist erwacht, als er Satz für Satz, Seite für Seite, den Widersprüchen des Originals nachspürte; als er die Aktion, die Charaktere, die einzelnen Auftritte, die Gedanken, das Zeitkolorit, die Psychologie durchleuchtete. »Und 's is alles nit wahr, 's is alles nit wahr.« Von Holofernes bleibt nichts übrig als ein prahlerischer Hanswurst, den sein Verfertiger an Schnüren tanzen und agieren läßt. Durch diese Demaskierung des Haupthelden ist Nestroys Leistung aber bei weitem nicht erschöpft. Sie vollzieht lapidar und mit den sparsamsten Mitteln die Entheroisierung der Weltgeschichte. Und sie ist die eindringlichste Studie über Massenpsychologie; Tarde und Le Bon, Baschwitz und Ortega y Gasset, Hofstätter und Turner haben nichts Klügeres über dieses Thema geschrieben. Der Satiriker rechnet ab mit der Großschnauzigkeit des Hinterlandes, ohne daß darum die Front an Reiz und an Sympathie gewänne; wie so oft zeigt er sich als im Geist Karl Kraus, dem Apokalyptiker der »Letzten Tage der Menschheit«, eng verwandt. Daß Nestroy aus bloßer Freude am Ausnützen noch frischer Beobachtung in den Juden von Bethulien die der Wiener Leopoldstadt und als chronischer Josefiner die durch das entschmückende Beiwort ›falsch‹ zensurfähigen Priester mit zum Ziel seiner Pfeile wählt, darf ihm nicht, wie es sich getroffen fühlende Zeitgenossen getan haben, als politischer Akt oder gar als Bekenntnis zu irgendeinem ›ismus‹ vorgeworfen werden. Er konnte eben als echter Satiriker an keinem Anlaß vorbei, der sich ihm zum Opfer seines kritischen Witzes darbot. Kernidee des Kernstücks in Nestroys dramatischem Werk sind ohnedies nicht diese Nebenausfälle aus einer von der menschlichen Dummheit und Unzulänglichkeit umlagerten Hochburg seines Denkens, sondern die Hauptoffensive ist jenes Leitmotiv, das in berückender Symbolik die Travestie beendet. Die vermeinte Judith, in Wirklichkeit deren Bruder Joab, der schöne Kadett, hat dem Holofernes einen falschen Kopf abgehauen, den der assyrische Feldherr als Vorsichtsmaßnahme aus seiner Lagerstatt hervorragen ließ. Und siehe, die Wirkung ist die gleiche, als wäre – wie in der Bibel und bei Hebbel – das echte Haupt des Wüterichs vom Rumpf getrennt worden. Die Assyrier fliehen in Panik, und die Belagerten triumphieren, den Holofernes als Gefangenen mit sich führend. Schein und Sein verfließen eben für uns Sterbliche in eins. Und es kommt weniger auf die absolute Wahrheit an denn auf das, was geglaubt wird, und dem sich der Einzelne zu fügen hat, solange es geglaubt wird. Das ist die letzte Weisheit, zu der ein österreichisches Temperament vorstieß, nachdem es seine Landsleute und dadurch die Menschen allesamt auf ihrem kleinen Welttheater, und aus der Distanz in der großen, weiten Welt beobachtet, durchschaut und dargestellt hatte.

SIEBTES KAPITEL

BÜHNENTECHNIK UND BÜHNENGESTALTEN NESTROYS

Im vorigen Kapitel ist einleitend betont worden, daß Nestroy ganz und wesenhaft dem Theater angehört. Diese unbestreitbare Tatsache darf jedoch nicht zu Mißverständnissen führen, an deren Ende dann, wie das in den ersten Jahrzehnten nach dem Tod des Dichters geschehen ist, ein abfälliges, verneinendes Urteil stehen könnte. Er war von der Schaubühne beherrscht und er beherrschte sie ohne Zweifel im Rahmen der ihm von seiner angeborenen Begabung und von seiner Selbsterkenntnis vorgezeichnet war. Seine Bühnentechnik war unübertrefflich. Er glänzte in der Kunst, Dialoge zu ersinnen, bei denen deren Teilnehmer die Worte, die Sätze, die Einfälle und Ausfälle wie Fangbälle einander zuwarfen und sie mit anmutigem Geschick wieder auffingen. Er verstand es, die Handlung seiner Stücke spannend aufzubauen, mit einer Exposition die Personen und das Geschehen an einen bestimmten Ort, an eine bestimmte Zeit, in eine bestimmte Gruppe zu verlegen, hernach den Knoten zu schürzen und bei raffiniertem Verzögern einer Lösung durch unerwartete Peripetien alles zum der Regel nach günstigen Ausgang zu führen. Nestroys Aktschlüsse sind auf das Publikum zugeschnitten, und sie sind zumeist durch rauschenden Beifall belohnt worden.

Er war stets auf passende Dekorationen bedacht, zu deren Verwirklichung er an einem bei aller sonstigen Sparsamkeit in diesem Punkt gar freigebigen Direktor, an tüchtigen Bühnenbildnern und Kostümbildnern vorzügliche Helfer hatte. Er traf auf begabte Komponisten wie Adolf Müller und Karl Binder, die für die Worte seiner Couplets den rechten Ton bereit hatten. Den wichtigsten Schauspielern am Wiedener und später am Leopoldstädter (Carl-)Theater hat er ihnen gemäße Rollen auf den Leib geschrieben, sich selbst vor allem. Er scheute nicht vor den ältesten Possenscherzen zurück, arbeitete mit den abgebrauchtesten Mitteln, bald um einen Konflikt zu bereinigen, bald um Lachen zu wecken. Verwechslungen, Verkleidungen, falsche Bärte, einmal sogar Perücken als treibendes Moment der Aktion – im »Talisman« – sind an der Tagesordnung. Häufig greift ein *deus ex machina* ein, der in den Zauberstücken ein Geisterfürst, hienieden ein immens reicher Lord, ein Erbonkel oder ein Minister sein kann. Geheimnisvolle Kassetten enthüllen Unwahrscheinliches, das der Tugend gegen das Laster beisteht.

Nestroy ist kein Dramatiker, der für seine Bühnentechnik aus den Tiefen schöpft; keiner, der die Dinge aus den in den Menschen liegenden Voraussetzungen entwickelt, ohne daß etwas im Alltag Ungewohntes oder gar Unmögliches in den Ablauf der Ereignisse sich einmengen müßte. Er gibt sich auch nicht die Mühe, einen neuen Stoff zu ersinnen. Seine Leistung beruht vielmehr auf dreierlei, das zusammen mit dem äußeren Erfolg Nestroys Hauptziele dargestellt hat: auf der Schilderung von Zuständen, Gemeinschaften, Gruppen und Menschen, die er als scharfblickender Kulturhistoriker und Zeuge durch die ihm adäquate Aussage auf dem Theater bietet; auf dem schier unmerklichen Auflisten von Gedanken, die er, ein schmerzlich lachender Philosoph und Sokratiker – wie ihn Friedell treffend nannte –, unter gar nicht grüblerisch veranlagte Zeitgenossen und Mitbürger verbreitete; endlich auf der unheimlichen Gewandtheit, mit der er sich Empörung, Hohn, Betrübnis, Sorgen, Ressentiment, sonst unverkündbaren Tadel an Mächtigen oder an unabänderlich scheinenden Zuständen von der Seele weg spielte und spielen ließ. »Er nahm die Schablone, die als Schablone geboren war, um einen Inhalt zu verstecken, der nicht Schablone war.« Ihm bedeutete »die Rolle nur eine Ausrede, um sich auszureden« (Karl Kraus).

Diesem Manne, der mit souveräner Selbstverständlichkeit die hergebrachte Technik des Theaters handhabe, der alle Listen und Kunstgriffe seines vom Geist gelenkten Handwerks zu verwenden wußte, der zudem als begnadeter Schauspieler alle Möglichkeiten der szenischen Darstellung erfühlte, dem aber sowohl das Epische, also die erzählerische Erfindungsgabe, als auch das Lyrische, nämlich die Schamlosigkeit des seine seelischen Leiden und Freuden exhibierenden ungescheut ums eigene Ich kreisenden Poeten mangeln oder nur selten zu Gebote stehen: ihm den Vorwurf zu machen, es »fehle ihm das Unsägliche, das Dichtung ist« und er »mache keine Träne« (Nadler), das trifft zwar zu – mit Ausnahmen, deren noch zu gedenken sein wird –, doch es nimmt dem Sprachkünstler, dem Satiriker, dem Denker, dem auf der Bühne Kulturgeschichte schreibenden und Massenpsychologie betreibenden Seelenforscher nichts von seiner überragenden Größe. Völlig stupid sind die aus überheblichen Zoilus-Komplexen oder aus Neid, aus Rachsucht aufgekeimten Anklagen der zeitgenössischen Journaille oder späterer in ihrer noch ernsteren Berufsarbeit durch den nicht bürgerhoffähigen Vorstadt-Possenverfertiger und Possenreißer gestörten Professoren, vornehmen Zeitschriftenredakteuren und auf Kothurnen einherstelzenden Poeten, die an Nestroy dessen angeblichen Zynismus und die Gemeinheit seiner gesamten Produktion nicht minder tadelten als deren Abhängigkeit von fremden oder deutschen, mehr oder weniger berühmten Mustern.

Von Nestroys erhaltenen 73 Theaterstücken sind bisher 59 als Bearbeitung eines ihm vorliegenden oder vorgelegten Stoffs nachgewiesen. Bei den andern Bühnenwerken des Autors hat man zwar noch nicht das Vorbild entdeckt, doch es besteht eine hohe Wahrscheinlichkeit, daß auch sie den Anstoß von außen her empfangen haben. Ist jedoch dadurch etwas über den Wert und den Rang der Possen und Parodien Nestroys festgestellt? Man muß sich darüber klar sein, daß erstens die größten Dramatiker, ohne zu zaudern, ihren Stoff ihnen geeignet scheinenden Quellen und Vorläufern entlehnten und daß zweitens das Entscheidende, das Überwältigende eines aus geringeren Vorgängern schöpfenden dramatischen Werks oft in der Umwandlung und Erhöhung seines vordem unzulänglich oder platt, mit minderer Kraft behandelten Themas beschlossen ist. Dies gilt besonders für Motive, die aus dem ewigen Vorrat der menschlichen Komödie oder Tragödie stammen, und wo der neue Gestalter jedesmal zum Vergleich mit früheren Bearbeitern herausfordert. Giraudoux hat seinen »Amphitryon« mit der Nummer 38 noch zu niedrig beziffert. Wer zählt die »Faust«-Dichtungen, die in der mannigfachsten Verkleidung erscheinenden Abwandlungen des »Aschenbrödel« oder die in einen »Phädra«- und »Don Carlos«-Komplex gezweiten erotischen Spannungen zwischen Stiefmutter und Stiefsohn? Fügen wir Molières bekannten Ausspruch von seinem Gut, das er überall sich wieder-hole hinzu, dann dürfen wir davon absehen, Nestroy ob seiner Unoriginalität abzuurteilen. Im Gegenteil, wir bewundern die Virtuosität, mit der er den fremden Stoff an den Wiener Geschmack anpaßte; wie er ausschaltete, was seinen eigenen Mitbürgern nicht gemäß, unverständlich oder gar zuwider sein mochte und wie er diese neue Form hernach mit seinem, des Autors, gedanklichen Inhalt erfüllte. Unter Nestroys Vorlagen waren gleichviel unmittelbar aus Frankreich und aus Deutschland importiert worden. Doch die Waagschale neigt sich sehr zugunsten von Paris, wenn wir erfahren, daß ein Teil der deutschen Vorbilder ihrerseits bereits Nachahmungen französischer Muster waren; daß ferner ein paar englische und das einzige ungarische Stück, die von Nestroy verwertet wurden, ihm auf dem Weg über eine französische Übersetzung zukamen oder auch auf einem französischen Original beruhten. Vergleicht man nun die mittelmäßigen Erzeugnisse mittelmäßiger Bühnenhandwerker oder Romanfabrikanten mit dem, was der Wiener Satiriker daraus machte, dann ermißt jeder Fühlsame sofort die Zauberkraft eines waltenden Genies. »Der Talisman«, »Das Unbedeutende«, »Der Zerrissene«, »Das Mädl aus der Vorstadt«, »Kampl«, »Die schlimmen Buben in der Schule« haben jämmerlichen Eintagsproduktionen Grundzüge des Bühnengeschehens entnommen. Nur selten hat Nestroy Inspiration bei Schriftstellern von Rang gesucht, etwa bei Dickens – und dann ist nichts Außerordentliches daraus geworden, wie uns »Die Anverwandten« beweisen – oder er hat Erfolgsautoren wie Sue und de Kock in Kontribution gezogen. Woher jedoch ein Stoff stammte, er wurde einer so durchgreifenden Umarbeitung unterworfen, daß der ursprüngliche Erzeuger sein eigenes Geisteskind nicht mehr erkannt hätte, wäre es ihm nunmehr zu Gesicht gekommen.

Das Veredelungsverfahren, durch das der literarische Rohstoff oder das Halbfabrikat in einen begehrten Kunstgegenstand der führenden Wiener Theaterwerkstätte umgewandelt wurde, begann mit der Lokalisierung. Denn Österreich war der Ort, an dem Nestroys Komödien spielen mußten. Darum verschwand aus der Handlung alles, was sich nicht mit der dortigen, genauer: mit der Wiener Luft vertrug. Die Charaktere hatten dem Gesetz ihrer veränderten Umwelt zu gehorchen, und ihre Sprache, die österreichische Mundart in mancherlei Abschattungen, drückte ihnen ein neues Antlitz auf. Nicht nur die Gegend gewann ein anderes Aussehen, sondern auch der soziale Schauplatz. Die Personen werden zumeist im Rang herabgedrückt. Könige degradiert Nestroy zu Landedelleuten, Aristokraten zu Bürgern. Das, was für sein Publikum zu hoch, zu verwickelt wäre, wird gestrichen; statt dessen gibt es neue Episoden. Vor allem aber erfahren die Hauptfiguren einen völligen Umbau. Sollen sie durch Scholz, Carl, Grois, Treumann verkörpert werden, bleibt die Ähnlichkeit mit dem Original erkennbar. Eine Nestroy-Rolle aber hat mit der Vorlage nichts mehr gemein. Sie ist stets und allein auf den Dichter-Darsteller abgestimmt. Haben bereits die bisher geschilderten Operationen nicht viel vom ursprünglichen Vorbild übriggelassen, so verwischt dessen geringste Spur der Dialog, der vom ersten zum letzten Satz Nestroys geistiges Eigentum ist; was etwa der Vergleich des »Mädl aus der Vorstadt« mit seinem Muster, der »Jolie Fille du Faubourg« von Paul de Kock, dartut.

Das im Rohriß adaptierte Bühnenwerk wird nun mit Anspielungen ans Zeitgeschehen, an lokale Ereignisse gespickt; Moden, Sitten und Unsitten werden gehechelt. In den Text arbeitet der Verfasser Aphorismen aus seinem reichen Vorrat hinein. Die größte Sorgfalt aber gilt dem Auftrittsmonolog, der jeweils eine Programmrede und Selbstdarstellung der sprechenden Hauptperson enthält, zugleich aber fragmentarische Ausschnitte des Weltbilds des Autors hinausstreut. Mitunter vernehmen wir noch ein zweites Selbstgespräch wie das berühmte des Knieriem über den nahenden Kometen, aus »Lumpacivagabundus«, oder gar ein drittes, viertes wie in »Höllenangst«. Schließlich ergötzen die Couplets, die unnachahmlichen und so oft von Epigonen nachgeahmten, denen nur Karl Kraus Ebenbürtiges angereiht hat. Eines werden wir freilich nur selten beim zurückhaltenden und bescheidenen Österreicher Nestroy finden: Anspielungen auf eigene Erlebnisse. So verspüren wir in »Weder Lorbeerbaum noch Bettelstab« Erinnerungen an des Dichters eheliches Mißgeschick und in »Mein Freund« an das seiner Schwester. Setzt man jedoch an die Stelle des Einzel-Ichs das Gruppen-Ich Wien, dann ist Nestroys Schaffen ein einziges Bekenntnis, eine einzige Selbstkritik.

Ihre äußere Form war die der Wiener Volksbühne. Mit Fug rühmt Marinković den »neuen Inhalt, den Nestroy in die alte Form des schon lebensmüde gewordenen Volksstücks legte«, das er »so wieder mit frischem funkelnden Glanz erfüllte«. Die Form aber bewegte sich in den überlieferten Bahnen; nur in einer dem Temperament Nestroys entsprechenden, vorsichtigen Evolution, ohne revolutionären Schock strebte sie zuerst zum Thesenstück, dann endlich zur Offenbachiade weiter. Die Stücke zerfielen also in einen gesprochenen und in einen gesungenen Teil. Der erste wurde in Prosa, der zweite in Versen abgefaßt, bei denen er Endreim das wichtigste war. Die musikalischen Darbietungen waren als Einlagen gedacht, die – Couplets, Duette und mehrstimmigen Quodlibets – nach Bedarf, oft unter dem Einfluß des Erfolgs bei der Erstaufführung, beliebig vermehrt, abgeändert oder unterdrückt werden konnten; sie wurden, wenn ein Stück nach längerer Unterbrechung wieder ins Repertoire gelangte oder wenn es eine Zeitlang gelaufen war, durch neue, zeitgemäße Zugaben ergänzt. In diesen zugleich gegenüber der Posse oder der Parodie, in die sie eingefügt waren, autonomen und dennoch mit ihr eng verknüpften Appellen an Lachmuskeln, Hausverstand und Gemüt der tonkunstfreudigen Wiener barg Nestroy sehr viel von seiner Zeitsatire und seiner Gesellschaftskritik; ja wir treffen sogar, wir können es nicht anders nennen, metaphysische Couplets, so in »Höllenangst« die großartigen von der Weltrevolution, vom Aberglauben und vom Schicksal. Orchester und Chor ließen sich ferner zu Beginn und Ende der Akte oder des Stücks hören; zumal in den Zauberspielen wurde auch sonst die Handlung von »passender Musik« begleitet. Der gesprochene Text setzte sich aus Einzelauftritten, Dialogen und Ensembleszenen zusammen.

Die schwierigsten, entscheidenden Aufgaben in seinen Werken behielt sich Nestroy selbst vor. Er brachte auf der Bühne, vor allem in den Monologen, die blendendsten Aphorismen, die witzigsten Pointen zur Geltung; er gab stets, wenn nicht den Helden, so doch die fesselndste Gestalt seiner dramatischen Dichtungen. Nur zweimal hat er mit einem Kollegen als Darsteller der Hauptrolle abgewechselt. Die Gegenspieler, auch so hervorragende Künstler wie Scholz, Carl, Grois, Treumann waren bei der Konzeption der Bühnenwerke nur als Gefährten gedacht, die dem Raisoneur Gelegenheit zu seinen Geistesblitzen geben oder ihn begleiten sollten. Frauen hatten bei Nestroy auf der Szene wie im Leben nur eine sekundäre, ob auch sehr nötige Mission. In seinen Stücken erscheint nicht eine weibliche Gestalt, die sich an Bedeutung und Format mit den männlichen Personen hätte messen dürfen. Es ist schwer zu sagen, ob das – abgesehen von Nestroys Frauenverachtung – dem Umstand zuzuschreiben war, daß er keine Partnerinnen seines Maßes zur Verfügung hatte, oder ob mit Absicht überragende Individualitäten des schönen Geschlechts nicht ans Leopoldstädter Theater engagiert wurden. Jedenfalls machte sich im schriftstellerischen Werk Nestroys der Umstand geltend, daß er, der seine Stücke nicht nur mit dem Gedanken an die Bühne, sondern ganz konkret an seine Bühne verfaßte, niemals Frauen einen vordersten Platz in seinen Komödien zuwies, daß sie speziell nicht zu Trägerinnen des Witzes, der Aphorismen und der feinsten Pointen wurden. Nur selten treten sie überhaupt aus Konvenienz und Passivität heraus. Die Gesamtzahl der Rollen schwankte bei Nestroy – die Statisten ungerechnet – zwischen drei (»Papp«), vier (»Frühere Verhältnisse«) und einem halben Hundert (»Lumpacivagabundus«, »Zu ebener Erde«, »Der Unbedeutende«, »Kampl«). Dazu kamen dann als anonyme, umherstehende, marschierende, tanzende, von der Regie mehr oder weniger bewegte Masse Herren und Damen, die in elegante Kleider gesteckt an einer Gesellschaft teilnahmen, Geister, Soldaten, Bauern, Volk, viel Volk, noch mehr Volk. Nur einmal aber hat die Menge als Ganzes neben der wahren Hauptperson, dem Demagogen Ultra, eine wirkliche Rolle auf der Bühne Nestroys gespielt, als Kollektivheldin von »Freiheit in Krähwinkel«. Massen sind ja nicht ein geeigneter Mittelpunkt für heiteres Spiel, sie sind an sich tragisch, unheimlich, auch wenn sie selbst sich lustig gebärden.

Nestroys Artung war eben wie in allem auch darin dem Tragischen, dem Pathetischen abhold. Hatte er nicht viel von einem Romantiker, so war er noch weiter von jedem Klassizismus entfernt. Um dessen drei Einheiten auf dem Theater hat er sich nicht gekümmert. Die Zeitspanne seiner Komödien umfaßte Jahrzehnte; der Schauplatz änderte sich manchmal sogar innerhalb eines Aktes, und in Stücken wie dem »Jux« rührt eine der stärksten Wirkungen vom häufigen Ortswechsel her. Doch die Einheit der Handlung blieb grundsätzlich gewahrt; nur selten, etwa im »Alten Mann mit der jungen Frau« laufen zwei Aktionen, zwei Probleme gleichberechtigt einander parallel. Nebenhandlungen kommen allerdings fast in jeder Komödie Nestroys vor. In den Zauberspielen sind sie die Regel; das irdische wird dort vom überirdischen Geschehen umrahmt. Allerdings darbt das vom Autor einzig als nötiger oder nützlicher Vorspann empfundene zauberische Getriebe jeder Vertiefung im Gemüt – die bei Raimund so sehr berückt –, und ihr Reiz knüpft sich vordringlich an die prächtige Ausstattung.

In einem Bühnenwerk, das so sehr Theater und das zudem Fortsetzung der Altwiener volkstümlichen Spiele war, werden wir weder platten Realismus noch gar Naturalismus suchen. Nestroy trachtete in der Handlung seiner Stücke nicht nach unangreifbarer Lebenswahrheit, sondern vor allem nach Spannung und Unterhaltung, nach Vor-Wänden, an die er seine Gedanken und seinen Witz hängen konnte. Daß er über die Aktion hinaus mehr Wahrheit schenkte als die pedantischen Photographen irgendwelcher menschlichen ›Häuferl Elend‹, das hat mit der szenischen Einkleidung seiner Beobachtungen nichts zu schaffen. Die Echtheit dieser Abbildekunst gründet in den Charakteren, im Zeitgemälde, in der seelischen Landschaft, im Einandergegenüberstellen von Idee und Mensch, von Anspruch und Leistung. Um aber dem Publikum eine derartige Lebenstreue aufzuschmeicheln, fügt sich der Autor den Gesetzen der eigentümlichen Bühnenlogik. Die Zuschauer sind mißtrauisch und, wie wir schon hervorhoben, mißmutig, sobald sie sich allzu deutlich in ihrem Spiegel-Ich auf den weltbedeutenden Brettern wiedererkennen. Deshalb sind die am leichtesten zu besänftigen, wenn diese Doppelgänger nicht nach den Gewohnheiten des Alltags agieren und denken. Eine zweite Ursache dafür, daß Nestroy einen gröblichen Realismus ablehnte, zu dem er sehr wohl befähigt gewesen wäre, liegt in seinem Widerwillen gegen Allzu-Gemeines. Er liebte das Volkstümliche, er war nicht nur im Privatleben alles eher denn zimperlich, doch gewisse Grenzen wollte er einhalten. Damit ist auch das lange Zeit in der Diskussion um Nestroy in den Vordergrund geschobene Thema seines Zynismus und seiner Vulgarität angeschnitten. Durchliest man mit den Augen des Menschen unserer Tage das Gesamtwerk Nestroys, wie es in der Rommelschen Ausgabe vorliegt, die im Theater verwendeten Texte und die ungedruckten Manuskripte, dann wird es schwer gelingen, auch nur eine Stelle zu erschnüffeln, die an einer von Nonnen geleiteten höheren Mädchenschule Anstoß erregen könnte. Denn wir sind freilich seither zwar kaum lasterhafter, doch weniger prüde geworden. Und so verstünden wir nicht recht, wodurch Nestroy den feinen Ästheten Vischer oder gar den engelsreinen Hebbel in ihrem zartem Schamgefühl durch seine »sittenlosen Possen« beleidigt hat, wüßten wir nicht aus der Überlieferung einiges über Gebärden und Mienenspiel des Wiener Publikumlieblings, die in der leichtlebigen Phäakenstadt als pikante Zutat zu der nach den Diätvorschriften der Zensur dargebotenen geistigen Nahrung von der Bühne herab serviert wurden. Daß es jedoch mit ebendiesen Exzessen nicht so schlimm war, das bezeugt uns bereits eine einzige Tatsache: Nestroy erfreute sich als Autor wie als Mime stets der besonderen Gunst des sehr sittenstrengen Thronfolgerpaars Erzherzog Franz Karl und Erzherzogin Sophie, der Eltern Franz Josephs I., die öfters Aufführungen seiner verderblichen Bühnenwerke beiwohnten.

Dritter Grund für das Vermeiden eines uneingeschränkten Realismus: die barock-romantischen Formen des Wiener volkstümlichen Theaters waren Nestroy zu seinem satirischen Hauptzweck und als dessen wichtigste Ausdruckmittel nötig. Die Leute drunten im Zuschauerraum führten Selbstgespräche nur in der Besoffenheit, bei Familienkrachs oder bei Pleiten (im materiellen und im übertragenen, höheren Wortsinn). Sollte deshalb auf den witzigweisen Monolog verzichtet werden, in dem der Held des Stücks einen guten Teil der Exposition beisteuerte und sein Selbstporträt den Zuschauern vorzeichnete? Die Feststellung, daß Nestroys Anpassung an die Theaterkonvention weder aus Unfähigkeit hervorgeht noch eine künstlerische Minderwertigkeit bedeutet, wird uns auch helfen, seine Charaktere und seine Personen richtig zu würdigen. Jede Komödie schleppt uralten, liebgewordenen Ballast mit sich, Marionetten, in denen uns wohlvertraute Veteranen unter neuer Gewandung auferstehen: die Gestalten Plautinischer und Terentianischer Spiele und die der italienischen Commedia dell'Arte. Sie brauchen keine Kennzeichnung. So ist das Verwechslungsmotiv aus »Der Färber und sein Zwillingsbruder« schon bei Plautus in den »Menaechmi« anzutreffen. Die Figuren werden auch durch ständige Redewendungen, durch einen eigenen Stil, durch bestimmte Gebärden und durch ihre Tracht charakterisiert.

Ständige Redewendungen sind entweder da, um eine Gestalt direkt zu kennzeichnen: der leicht zu verwirrende Pächter Krautkopf schreit bei jeder Gelegenheit »O weh, mein Kopf«, Gabriel, der nicht minder nachdrücklich seine lange Domestikentätigkeit unterstreicht, beteuert bei jedem Anlaß, er sei »ein alter Diener«. Oder gerade dadurch, daß einer versichert, das Gegenteil von dem zu sein, was er wirklich ist, wird komische Wirkung erzielt: der großmäulige Habenichts Hochinger prahlt mit seinem »Wer's hat, kann's tun« und »Gott sei Dank, ich hab's nicht nötig«; der

Schuft Rochus schwört »ich bin redlicher Kerl«; der Strolch Lorenz schwelgt in Ehre, und der dumme Hausknecht Melchior wiederholt – wie Raimunds Habakuk die zwei Jahre eines imaginären Pariser Aufenthalts – sein »Das ist klassisch«.

Gleich anderen ausgezeichneten Lustspieldichtern und Karikaturisten wählt Nestroy das Verfahren des *portrait-charge*. Einzelne Wesenszüge oder einige äußere Eigentümlichkeiten einer Person werden übermäßig vergrößert und dadurch deutlicher. Auf diese Weise ruft der Autor den von ihm gewünschten Eindruck hervor, während sonst dieselben Figuren vielleicht unter Gesichtspunkten, die von des Verfassers Absichten verschieden sind, oder gar unter einem wenig heiteren Aspekt betrachtet würden. Nestroy beglaubigt seine Berufung zum Günstling Thalias nicht zuletzt dadurch, daß er dem Zuschauer die komischen und die für sie bezeichnendsten Seiten der auf der Bühne Agierenden überzeugend und klar heraushebt. Hätte der Autor einen Titus Feuerfuchs im »Talisman« einfach auf die Szene geschickt, ohne mit treffsicherer Sorgfalt die lächerlichen Eigenheiten des ebenso armen wie verschmitzten und bedenkenlosen Burschen in komischen Situatonen bloßzulegen, dann erschiene dieser vom Schicksal enterbte Rotkopf bemitleidenswert, wenn nicht beweinenswürdig. Den Fabrikanten Kern im »Alten Mann mit der jungen Frau«, den Peter Span im »Unbedeutenden« betrachten wir nur wegen der scharfen Betonung der paar ihnen anhaftenden komischen Züge nicht als tragisch. Ein *portrait-charge* erfordert bei Nestroy um so mehr Geschicklichkeit, als er nicht die Möglichkeit besitzt, dieselbe Person bald von der heiteren, bald von der traurigen Gestalt zu zeigen. Der Denker im Dichter glaubt nämlich unverbrüchlich an die Unwandelbarkeit der Charaktere; er huldigt außerdem, kraft seiner Erfahrung, der bühnentechnischen Regel, man dürfe den Zuschauer nicht durch Veränderungen des Bildes kopfscheu machen, das sich dem Publikum zu Beginn des Stücks von der Gemütsartung einer Bühnengestalt dargeboten hat. Wer würdevoll und Respektperson war, der muß das auch weiterhin bleiben und der oder die, über deren Torheiten, Witz und Schicksale man lachen soll, haben belachbar zu sein.

Zum Rüstzeug der Possen, Parodien und Komödien gehören ferner die Namen der Auftretenden. Vornehme Herrschaften figurieren volltönend als Wolkenfeld, Auenfeld, Hohenstern, Reichthal, Thurming und nur, wenn sie der Heiterkeit preisgegeben sind, mit ironischem Beigeschmack als Massengold oder Lips. Bei Bürgern ist derlei schon im Namen enthaltener Spott beinahe die Regel. Sie nennen sich Muffl, Kampl, Krapfl, Tatelhuber, Zins. Das Volk muß sich besonders lächerliche Namen gefallen lassen: Plutzerkern, Heugeig'n, Nebel, Zuwag, Moppel, Geschlader, Dachl, Dickkopf. Burlesk und ohne den Versuch, Echtheit vorzutäuschen, heißt der Autor seine Engländer Punschington, Kipfelton, Inslbull, Steolequeastle; die Franzen Bonbon, Parfum, Point d'Honneur; die Italiener Salamucci, Palpiti; die Tschechen Protschpak, Zopack; Bewohner des Geisterreichs Semmelschmarn, Ramsamperl, Schmafu, Lumpacivagabundus. Häufig verrät uns schon das Personenverzeichnis eines Stücks das Temperament oder den Beruf komischer Figuren. Da sind die Dappschädel, Schafgeist, Fett (ein ehemaliger Fleischhauer), Faßl (ein Wirt), Makler (ein Spekulant), Pappinger (ein Buchbinder), Zwirn und Restl (Schneider), Knieriem und Pfrim (Schuster).

Begehren wir nicht von Nestroy das, was zu bescheren er nie beabsichtigt hat, die photographische Wirklichkeit, einen in jedem Wortsinn peinlichen Naturalismus, den wir bereits, als wir von der Handlung dieser bewußt stilisierten Bühnenwerke sprachen, aus deren Bereich verbannt sahen. Die Figuren sind und bleiben hier – das kann nicht oft genug wiederholt werden – Mittel zum literarischen, dramatischen Zweck; sie sind nicht Menschen wie du und ich, sondern sie werden dies nur, wenn die konkrete Absicht ihres Schöpfers es will. Nestroy hat sich überall dort um Lebenswahrheit nicht gekümmert, wo er ein ihm fremdes Milieu zu malen hatte. Aristokraten, Ausländer, Bauern sind bei ihm achtungsvoll an Schnüren gezogene vornehm-steife oder zu grotesken Sprüngen gezwungene exotische, dann wieder plumpländliche Puppen. Der gelegentliche Besuch in Palästen des Hochadels oder kurze Reisen über die schwarzgelben Grenzen hinaus haben den Gesichtskreis des Autors nicht erweitert. Geister und Feen muten uns an, als wären sie einem Zauberbüchel entschwebt und in Theaterrequisiten der Altwiener Überlieferung eingehüllt. Doch die Personen aus Nestroys gewohnter Umwelt, aus dem Bürgertum von ganz oben bis an die Grenzen des Proletariats, sie sind gleichsam aus dem Zuschauerraum auf die Bühne gestiegen und von beklemmender Ähnlichkeit mit den in Logen und Parterre Sitzenden, mit den Besuchern der Galerien. Zwei Ausnahmen fallen hier auf; Offiziere erscheinen selten, Geistliche nie. Beides wird durch Zensurvorschriften erklärt. Noch eines: Schauspieler, die Nestroy doch aus vieljährigem und täglichem Umgang genauestens kannte, sind mehrmals Personen einer Possen-Handlung gewesen, doch sie wurden vom Verfasser sehr konventionell gezeichnet. Das nun entquillt der Abneigung Nestroys wider alles, das nach Exhibition schmeckt. Dagegen fühlte er offenbar keine Solidarität mit den Juristen, an denen er in einigen Stücken seinen Groll gegen die Rechtsbeflissenheit ausließ. Schulmeister, Erzieher und Ärzte bekamen das Ihre ab. Vor allem jedoch kehrte sich sein satirischer Ingrimm gegen die Schwarzalben-Gestalten der niederen Beamtenschaft, von Vogt und Sekretär abwärts bis hinab zum Amtsdiener. Im Mittelpunkt eines menschlichen Bestiariums, vor dem wir uns an Nestroys, des Humanisten, Abwandlung des Menanderschen latinisierten Ausspruchs: »Homo sum, das heißt zu deutsch: ich bin ein Viehkerl« erinnern, spreizen sich die Bürger vom Grund. In buntem Reigen Fabrikanten, Spekulanten, Kaufleute, Gewerbetreibende, alte Steiger und junge Früchterln, Schlauköpfe und Teppen. Ihnen folgt die unübersehbare Schar der Wirte und Kutscher, Friseure und Kellner, Ladengehilfen und Gesellen; endlich das Gesinde: Kammerdiener, Hausmeister, Lakaien, Köche. Die Frauen verharren auch da im Hintergrund. Bemerkenswert ist Nestroys Vorliebe für fahrendes Volk, Abenteurer und Gauner jeglicher Gattung. Dieses wimmelnde Heer von Personen hat er zwar nicht, wie es Gustav Freytag vom Schilderer des deutschen Volkes will, bei der Arbeit, doch, wie dies dem Satiriker des alten Wien geziemt, beim geschäftigen Müßiggang oder bei müßigen Geschäften beobachtet: im Kaffeehaus, bei geselligen Zusammenkünften, in den Amtsstuben, auf der Reise, bei galanten Seitensprüngen, auf Spazierwegen, bei Streit und Vergnügen, bei feierlichen oder alltäglichen Anlässen. Nur selten wie im »Schützling« wird einigermaßen ernsthaft von Vorgängen in der Wirtschaft, in diesem Fall von der beginnenden Industrialisierung, berichtet. Wenn wir nun, obzwar ja auch die Österreicher der Backhendlzeit nicht nur in den Tag hinein tanzten, noch sich bei ihnen alles um den sich drehenden Spieß drehte, die ungeheure und manchmal ungeheuerliche Lebenswahrheit der von Nestroy zumeist beim Nichtarbeiten beobachteten Gestalten anerkennen, so sind wir uns immer wieder dessen bewußt, daß da kein allseitiges naturalistisches Bild gezeigt werden soll. Die großartige Mannigfalt der Beobachtungen hat der Schilderer dieser keineswegs auf den Höhen der Gesellschaft abrollenden ›Dolce Vita‹ in den Rahmen der Theaterüberlieferung gepreßt. Ein Schuster muß also trinken wie ein Bürstenbinder, doch darf er philosophieren wie Jakob Böhme und fast ein Poet dazu sein wie Hans Sachs. Ein Schneider ist leichtfertig, verliebt und er lügt wie gedruckt. Ein Finanzmann strotzt von Geiz und Geldgier wie Harpagon und Vater Grandet. Rentner sind beschränkt, auch in ihren geistigen Mitteln, Wirte schwätzen, schenken schlechtes Maß aus, betrügen bei der Rechnung und gehen vor Neugierde über. Bauern sind derb und ungeschlacht, bekunden aber oft einen Hausverstand, der so gesund ist wie die Landluft, in der er gedeiht. Lakaien stehlen und sie katzenbuckeln vor den Stolzen, während sie, entgegen der römischen Devise, die Schwachen mit Füßen treten. Alte Weiber kreischen und keifen, junge sind männersüchtig, Frauen im gefährlichen oder schon nicht mehr gefährlichen Alter mannstoll. Die Vertreter der einzelnen Nationen entsprechen der Vorstellung, die sich Wiens Einwohner von ihnen machen; sie tragen die Masken der Lustspieltradition. Diese Schablonenhaftigkeit stempelte nicht nur die Fremden aus dem nahen Auslande ab, das Nestroy oberflächlich kannte, oder die aus dem ferneren, von dem er nur aus Büchern und Theaterstücken etwas wußte; sie wurde gleichermaßen auf Tschechen, Italiener und Juden angewandt, denen er häufig begegnet war. Wobei hervorgehoben sei, daß sein langer Aufenthalt im damals ungarischen Preßburg-Pozsonyi, dem heute tschechoslowakischen Bratislava, ebensowenig Spuren in Nestroys Werk hinterlassen hat wie seine Tätigkeit in Galizien.

Während er im eben umrissenen Bereich durchaus der Konvention getreu beharrte, hat der unbestechliche Menschenkenner in anderer Hinsicht die bequemen Methoden geringerer Komödienverfasser entschieden vermieden. Er malt nicht grau in grau oder ganz in leuchtendem Rosarot. Wie bei Shakespeare und Molière erscheinen bei Nestroy unter seinen besten Gestalten weder Engel noch Teufel. – Das gilt nicht für die Parodien, wo Schwarz-Weißmalerei und Übersteigerung geradezu ein Grundgesetz sind, noch für Stücke, die von vornherein nur dem Publikum zu Dank verfaßt sind. – Selbst die liebenswürdigsten Bühnenhelden Nestroys haben ihre kleinen Schwächen; sogar die widerwärtigsten Bösewichte hängen durch ein schmales Band mit unserem Herzen zusammen. Haben wir aber so ausgewachsene Scheusale wie den Edelschein aus den »Anverwandten« oder den Dickfell aus »Nur Ruhe!« vor uns, dann wecken sie eher ein befreiendes Lachen denn grimmige Entrüstung. »'s gibt halt verschiedene Leut'«, sagt der Österreicher über derlei unangenehme Patrone. Die Mehrheit der Personen des wienerischsten aller Bühnenwerke ist ihrer Heimatstadt auch darin verhaftet, daß sie mittelmäßige Menschen sind, harmlose Zeitgenossen, die gemeinhin zu wenig, gereizt aber zu allem fähig sind. Ein fast perverser Drang hat den verstandesklaren, hellhörigen Nestroy dazu getrieben, unter diesen Durchschnitt hinabzusteigen und Dummköpfe, Lebensuntüchtige darzustellen, nicht nur als Autor, sondern auch als Schauspieler. »Nie sah ich einen dummen Jungen geistreicher dargestellt«, urteilte ein Kritiker über diese Verbindung von Scharfsinn und Unsinn. Die wenigen überragenden Menschen, die Nestroy in seinen Stücken vorführte, mußten sich davor hüten, auf dem Theater wie in der franziszäischen Wirklichkeit durch Klugheit und Wissen störendes Aufsehen zu erregen oder, darauf pochend, ihnen nicht zukommende, weder durch Geburt noch durch Rang oder Reichtum begründete Anrechte zu begehren.

So bilden die Schöpfungen des Dichters, Denkers und Darstellers, die in der mündlichen Überlieferung festgehalten, durch zahlreiche Stiche und Aquarelle auch der Nachwelt wenigstens im Abbild zugänglich sind, eine bunte Vielfalt von Genies und Trotteln inmitten eines Chors von Mittelmäßigkeiten, alle jedoch erinnernswert und anregend dank der beschwörenden Kraft des Autors. Voran die anerkannten, verkannten und nur durch Schicksalslaune vor dem Verkommen bewahrten Hochbegabten: Feuerfuchs im »Talisman«, Gottlieb Herbst im »Schützling«, Ultra in »Freiheit in Krähwinkel«. Sodann andere, nicht minder Befähigte, die am falschen Platz und ohne Enderfolg zu Schurken werden: Edelschein aus den »Anverwandten«, Johann aus »Zu ebener Erde«, Nebel aus »Liebesgeschichten«. Ferner die, deren künftiges Los noch in des Schicksals Schoß ruht: der fixe Schlaumeier Weinberl im »Jux«; die hoffnungsvollen schlimmen Buben, den vorlauten und vorangereiften Willibald an der Spitze. Hierauf die schon mehrmals zitierten Weltweisen Schnoferl, Kern und Kampl. Uns begegnen vermeintliche Genies, die waschechte Schwachköpfe sind: der Schuster Knieriem im »Lumpacivagabundus«, der Dichter Leicht in »Weder Lorbeerbaum noch Bettelstab«; ihnen nicht unähnlich die meisten parodistischen Hauptrollen, voran der grandiose Holofernes aus der »Judith«-Travestie, Bertram in »Robert der Teuxel«, zwei falsche Dämonen und echte Popanze. Denen wesensverwandt der quietschvergnügte, selbstbewußte Sumper Gundelhuber in »Eine Wohnung ist zu vermieten«, der boshafte Einfaltspinsel Blasius Rohr in »Glück, Mißbrauch und Rückkehr«, der widerwärtig-brutale Rochus Dickfell in »Nur Ruhe«, der gemeine Rohling Lorenz in »Die verhängnisvolle Faschingsnacht«, alles Tyrannen und Diktatoren im Duodezformat, denen es nur an äußerer Macht gebricht, um vieler Leute Schrecken, Schrecken, Schrecken zu sein und um sie nach Lust und Laune niederzustrecken. Mit weniger Bosheit, doch kaum mit mehr Vernunft ausgestattet sind der ehrbare Dummling Schlicht (»Mein Freund«), der überspannte politisierende Schneider Heugeig'n (»Lady und Schneider«), die in selig-jugendlicher Verblödung dahindämmernden Dalkopatscho (»Der gefühlvolle Kerkermeister und Natzi (»Eulenspiegel«) schließlich mitsamt seiner höheren sozialen Klasse ein Untauglicher, den nur der Goldglanz mit einem durchsichtigen Nimbus umschwebt, Herr von Lips (»Der Zerrissene«), nicht zu vergessen des Nachtwandlers Sebastian Faden. Vom über- und unterdurchschnittlichen Durchschnitt der Nestroyschen Gestalten hebt sich nur sporadisch ein braver Alltagsmensch mit einer seinem Stande angemessenen Begabung ab, etwa der wackere Peter Span im »Unbedeutenden« oder der gescheite alte Tatelhuber, entfernter Nachfahr des Tiroler Wastl, in der »Verhängnisvollen Faschingsnacht«.

Sehr gut geraten Nestroy die Väter oder Mütter heiratslustiger oder schon an den Mann gebrachter Töchter, welche Herren und Frauen Eltern dem Schwiegersohn auf der Tasche liegen und ihm auf die Nerven gehen, entweder nur um ihr eigenes arbeitsloses Wohlbehagen besorgt oder in Affenliebe dem Töchterchen zugetan, doch dem zahlenden Eidam feind. Herr von Maxenpfutsch (»Nagerl und Handschuh«) der Herr von Brauchengeld (»Die beiden Nachtwandler«) und die Signora Palpiti, angeblich aus dem Lande, wo die Zitronen blühn, in Wahrheit aus Purkersdorf

(»Lumpacivagabundus«), vertreten gültig diese Species. Dienertypen wie Gabriel, der unausstehliche, morose Alte, Melchior, der weniger ›grantig‹, dafür dümmer ist, aus dem »Jux« und Schippl, das Faktotum der Lesestube in »Mein Freund« gewähren von den im Hause wie im Laden wirkenden ›Angehörigen der dienenden Klasse männlicher Kategorie‹ keinen sehr vorteilhaften Anblick. Mit liebevollem Abscheu gezeichnet sind die gutsherrlichen, doch weder guten noch herrlichen, Beamten, die im Vormärz nach oben hin tiefgebückt, nach unten die Nase hochrümpfend sich zwischen Schloßherren und Niedervolk einschoben: die Herren von Wichtig (»Schlimme Buben«), von Geyer (»Die beiden Nachtwandler«), der üble Ränkeschmied Sekretär Puffmann (»Der Unbedeutende«). Don Juans in allen Abstufungen gehen bei Nestroy seltener auf Beute aus, als man das vermuten sollte. Dafür gehören sie zu den geglücktesten Gestalten seiner *Comédie humaine*. Welche Mannigfalt, in die sich der behäbige Sybarit Dappschädel aus »Der Tod am Hochzeitstag« und der gewissenlose Feigling Rehfeld aus »Der alte Mann mit der jungen Frau« ebenso einfügen wie der charmante Schürzenjäger Kauz (»Das Mädl aus der Vorstadt«) und der galante Zwirn, der unternehmungslustige Weinberl, der Herzensbrecher Feuerfuchs und auch der in dieser Rolle besonders widerwärtige, abgrundschlechte Puffmann.

Daß die Frauen bei Nestroy oft blaß und farblos erscheinen, niemals aber das Geschehen beherrschen, haben wir schon angemerkt und begründet. Mit den Damen aus der Großen Welt vermochte er nichts Rechtes anzufangen. Individuelle Züge hat er am ehesten für Julie, die Gönnerin des »Schützlings«, für die launische Frau von Erbsenstein im »Mädl aus der Vorstadt« und für den Blaustrumpf Frau von Cypressenburg gefunden, mehr als für die sympathische Pauline in »Das Mädchen mit den Millionen« und für die ihr wahlverwandte Friederike (»Glück, Mißbrauch und Rückkehr«). Weit besser steht es um die dem schwachen Geschlecht angehörigen Personen aus dem Volke: die schöne Sünderin Regine (»Der alte Mann mit der jungen Frau«), die brave Kathi, die ihrem hohen Herrn so demütig liebend naht wie dem tapferen Ritter das Käthchen von Heilbronn (»Der Zerrissene«). – Erklärt sich die Vornamensgleichheit aus einer Kryptomnesie Nestroys oder war sie Absicht mit parodistischen Unterton? – Die Gänsehüterin Salome Pockerl (»Der Talisman«) bezeugt als vorgeahnte Antipodin zur hysterischen, fürstlichen Namensschwester bei Wilde und Richard Strauß, Nestroys Gespür für leib-seelische Typen auch des anderen Geschlechts. Ähnlicher Art, um es hochtrabend auszudrücken, des ›leidenden Weibs‹ voll hingebender Geduld sind die unschuldig verleumdete Klara Span, dies Kind aus dem Niedervolk – »kein Engel ist so rein« – (»Der Unbedeutende«) – oder die auf die Wiederkehr ihres an einem (Sebastian) Faden hängenden Glücks wartende Babette (»Die beiden Nachtwandler«).

Noch seltener als Frauen hat Nestroy Kinder individuell gezeichnet. Wenn aber, dann dürfen sich die Silhouetten der zarten und der schon rauheren Knabenheit sehen lassen: vom zweijährigen kleinen Dappschädel (»Der Tod am Hochzeitstag«), der vom baumlangen Nestroy gespielt, einer Generation von Wiener Theaterbesuchern mit seinem stolz-freudigen »hat neue Suchi an« im Gedächtnis geblieben ist, obzwar das Stück nur vier Aufführungen errang – über die psychologisch unübertreffbare Episodenfigur des kleinen Hansi Hußberger (»Der Unbedeutende«) zu den »Schlimmen Buben in der Schule«. Sogar Bubino, der »sechsjährige Sohn von sechs Jahren« der verfolgten Witib Adelheid aus dem »Gefühlvollen Kerkermeister« ist in seiner parodistischen Altklugheit gut geraten.

Trotz aller Konvenienz, Schablone, Typenhaftigkeit fehlt es bei Nestroy den Personen weder an Reiz noch an Wahrheit. Doch nicht daran messen wir sein Gesamtwerk. Nun gilt es einzudringen in dessen innerste Schatzkammer und die Elixiere zu erforschen, die ihm Dauer verbürgen.

ACHTES KAPITEL

Nestroys Größe ruht auf drei Pfeilern: seiner Sprachkunst, seinem Witz und seiner mit tiefer seelenkundlicher Fühlsamkeit verbundenen kritischen Begnadung. Sein Verhältnis zur Sprache offenbart sich in einem gegenseitigen Einander-Durchdringen, in einer harmonischen Vereinung, der die schönsten Blüten, die köstlichsten Früchte entsprießen. Er wird von der Sprache gleichermaßen beherrscht wie sie von ihm. In immer neuer Begegnung entzündet er an ihr seine zeugende Kraft, enthüllt sie ihm neue Reize. Und indem er ihr Geheimnisse ablauscht, die ihm wie von selbst zugleiten, entfesselt sie zugleich in ihm eine Fülle verborgener Einsichten, die in seinem hellwachen Unterbewußtsein auf Erlösung harrten.

Von der Sprache im engeren Sinne müssen wir den Stil sondern. Beide sind Mittel des Ausdrucks für den Gedanken, der sich, um mitgeteilt zu werden oder auch nur um als Bekenntnis eine sonst erdrückende Last vom Gemüt zu nehmen, nach Verleiben im Wort drängt. Die Sprache gehört dem Einzelnen als sein Anteil an einer Gemeinschaft, der um so größer und eigenständiger ist, je höher die wortkünstlerische Begabung reicht. Aus einem ererbten oder erworbenen Kollektiveigentum, das im Unbewußten und im Unterbewußten aller Mitglieder einer Sprachgemeinschaft enthalten ist, schöpft der Einzelne je nach dem geistigen Rang, den er in ihr bekleidet. Er hat sich ihren Gesetzen, der Grammatik, zu fügen und diese sind schon den Kindern und den Ungebildeten eingeprägt, dem stärker, jenem schwächer. Sie haben sich unserer bemächtigt, ähnlich den Einflüssen unseres Bluterbes, unserer Erziehung und unserer Umwelt. Der Stil hingegen ist eines jeden persönlicher Besitz. Mit dem Stil ist es nicht anders als mit den Fingerabdrücken: er vermag nicht bei zwei Menschen derselbe zu sein. Auch der geschickteste Nachahmer, der feinste Spötter wird vergebens erstreben, einem Muster völlig zu gleichen. Nestroy bietet dafür ein schlagendes Beispiel. Wie oft hat man ihn nicht imitiert; es ist niemals geglückt. Daß aber nicht einmal eine oberflächliche Ähnlichkeit zu erzielen war – wie sie bei Plagiaten, Parodien, Epigonenversuchen, deren Gegenstand und Opfer geringere

Sprachkünstler wurden, öfters gelang – dies erklärt sich aus dem nicht weiter deutbaren, zauberischen Geschenk einer Magie des Wortes, das gütige Feen Nestroy in die Wiege gelegt haben.

Diesen empfangenen Zauberschatz hat er von Jugend an gepflegt, gehegt, gefördert, entwickelt; ihm dienstbar und aus ihm schöpfend. Erzählt man uns den Inhalt eines Nestroyschen Bühnenwerks, dann bleibt es für uns farblos, und wir begreifen nicht recht, wodurch es Zuschauer oder Leser entzückt. Um klar zu blicken, heißt es der Dichtung Nestroys ins Antlitz schauen, sie in ihrer eigentümlichen Sprachgestalt betrachten: der wienerischen, der ihr angemessenen und angeborenen.

Überschritt er die Grenzen der österreichischen Heimat, dann wurde er unsicher; außerhalb der Heimat war er nicht mehr er selbst. Das gilt ebenso für seine Sprache. Die konventionellen Gestalten seiner Stücke, nämlich hohe Herrschaften und ideale Liebespaare, gebrauchen das sogenannte Bühnendeutsch. Ihre Dialoge watscheln schwerfällig über die Szene wie der Albatros, dessen Schwingen träge dahinschleppen, wenn er auf dem ungewohnten Erdreich umherschlenkert, und der sie stolz entfaltet, sobald er sich in den ihm vertrauten Luftraum erhebt. Wenn Geisterfürsten und Feen reden, dann wimmelt es von vorangestellten Genitiven und von gemordeten Hilfszeitwörtern – was beides damals und noch zwei Menschenalter lang als Kennzeichen eines vornehmen und poetischen Stils angesehen wurde – wie im »Lumpacivagabundus«[13]. Und die Töchter und Söhne aus sehr guten Häusern geben es nicht billiger, wie in »Der Treulose« oder, wobei der Autor zwischen Parodie und Ernst schwankt, im »Kampl«[14].

Nestroy war sich seiner Ungelenktheit in der Hochsprache bewußt, und er hat es mit der Pepi Leim aus der Fortsetzung zum »Lumpacivagabundus«[15] gehalten, die ihrem neureich-snobistischen Gatten zurückweist: »Das stund' mir gut an, wenn ich ... mich auf die hochdeutsche Sprach' verleget.« Wie gut steht ihm aber die Mundart an oder auch nur die vom Dialekt gefärbte Umgangssprache der gebildeten Wiener. Da bewegt sich der Wortkünstler innerhalb seiner natürlichen Sprachgemeinschaft, und sogar Unirdische, Aristokraten und Brautpaare der oberen Schichten des Bürgertums werden aus Puppen, die ein Papierdeutsch reden, zu Menschen, die aufs geistreichste diskutieren, Weisheit umherstreuen, miteinander streiten, die klagen, jubeln, raunzen und nörgeln. Die Vornehmen, die ›schönen Leut'‹, gebrauchen dann ein Gemisch aus Amtsjargon der Hofkanzleien und aus wienerischem Literatendeutsch des Vormärz. Es genügt ein Blick auf die Fürwörter, auf die Partizipien und auf die unentwirrbaren Satz-Seeschlangen, um daran seinen Pappenheimer, den in der Kaiserstadt aufgewachsenen Österreicher, zu erkennen. Hier waltet ein ›jener‹ statt des einfachen ›der‹, dort ein Mittelwort der Gegenwart statt des allein richtigen der Vergangenheit, und überall tummeln sich die Fremdwörter, die lateinischen, französischen, italienischen Brocken, die im Reich unbekannten Lehnwörter aus romanischen und slawischen Idiomen insbesondere auf den Sektoren der Kleidung, der Küche und der gesellschaftlichen Sitte.

Nun aber schwingt sich der Albatros empor in seinen eigentlichen Lebensraum und königlich schwebt er in den Lüften. Dieser Lebensraum sei zunächst vor Mißverständnissen bewahrt, die der bloße Begriff Mundart hervorrufen könnte. Nestroy verwendet nicht das ›gemeine‹ Wienerisch der Straße. Er ist auch darin ein Realist, und kein Naturalist, daß er retuschiert. Sein Dialekt sinkt nicht zu dem der Gassenbuben und der Gossenmädel hinab. Er macht beim Arbeiter und Handwerker Halt. Eine Stufe höher verwendet Nestroy die Redeweise der gemütlichen, behäbigen Bürgersleute und zu oberst vernehmen wir das lässig-elegante, geistreiche und zum Wortwitz geeignete Salonwienerisch.

Die Mundart wird von Nestroy mit einer Selbstverständlichkeit und mit einer Unfehlbarkeit gehandhabt, deren sich weder seine Vorgänger noch seine Nachfolger rühmen können. Nur er hat es verstanden, die tiefsten Gedanken in ihr auszudrücken, ohne daß dies trivial wirkte; nur er hat Männer und Frauen aus dem Volk so echt sprechen lassen, ohne daß der Intellektuelle herauszuspüren wäre, der sich in ein ihm ungemäßes Wortkleid hüllte. Er vermeidet im Gegensatz zu anderen Volksbühnendichtern den dem Wienerischen fremden Gebrauch der Mitvergangenheit; er setzt stets die ›richtigen‹ falschen Fälle beim Deklinieren. Bei seinen Gesangstexten sind die Endreime rein; freilich erfaßt diese Sorgfalt nur der, dem die Wiener Mundart vertraut ist und der den Gleichklang, der unzulänglichen Rechtschreibung zum Trotz, erkennt; der also weiß, daß zum Beispiel: nur, genug, Bub und Kuh am Donaustrand tadellos aufeinander reimen. Nicht minder sind Sprachmelodie und Sprachrhythmus zu rühmen.

Dem Philologen sei überbunden, Rechtschreibung, Lautgebung und Sprachform Nestroys zu untersuchen und dabei – dessen sind wir gewiß – den Wiener Dialekt in völliger Echtheit bestätigt zu finden. Der Wortschatz ist nicht weniger bodenständig. Er bietet mitunter sogar den Österreichern von heute einige Schwierigkeiten. Manches, das vor vier Generationen noch gang und gäbe war, ist seither verschwunden oder es hat die Bedeutung geändert. Viele Anspielungen werden nicht mehr verstanden, da sie einst allbekannte, nun vergessene Ereignisse und Personen betreffen. Auch dem Unzünftigen fällt die Vorliebe des Wiener Aristophanes für Wortungetüme in der Art des Athener Großmeisters der satirischen Theaters auf. Der Grieche hat es zu Monstren von 71 Silben gebracht. Der Wiener nur auf 23: »Künstlerstolzbeleidigendeselbsteigeneidealschöpfungsverschandlungszumutung« (»Lady und Schneider«)[16]. Daneben nehmen sich Ungeheuerchen von an zwanzig Silben bescheiden aus: »Oberpremierpolizeikommissärdirektionsdirektor« (»Alles will den Propheten sehen«)[17], »Kürzlicherstmitmireineseeleundeinleibgewordene« (»Die beiden Herren Söhne«)[18]. Derlei Wortraketen entstammen einerseits dem Wunsch des Schauspielers, seine geradezu legendäre Zungenfertigkeit bewähren zu dürfen, andererseits gehören sie mit zu den Wunderlichkeiten, die Nestroy eigen waren und die, offenbar ererbt, sich bei ihm mit zunehmendem Alter immer mehr steigerten. Er hatte seinen besonderen Spaß an absonderlichen Formen und Wortzusammensetzungen. So erscheinen bei ihm skurrile Feminina: »schwache Geistin« (»Der Unbedeutende«)[19], »kleine Kindin« (»Kampl«)[20], »törichte Wurmin« (»Frühere Verhältnisse«)[21]; eine burleske Steigerung von Eigenschaftswörtern: »rökököer« (»Die Anverwandten«)[22]; Hauptwörter eigener Fechsung: »Argwohnist« und »Brautwegfischer« (»Kampl«)[23], »Zuseitesteher« (»Der Talisman«)[24], »Schebianismus« (»Der Tod am Hochzeitstag«)[25]. Häufig versetzt ein beigefügtes Eigenschaftswort, das sich auf ein derartiges Substantivum bezieht, einen an sich ernsten, ja tragischen Begriff in die heitere Sphäre, ein »ungezähmter Leidenschäftler« (»Mein Freund«)[26] hat sofort die düstere Größe und die Glut seines Temperaments eingebüßt. Bei einem Elternpaar, bestehend aus einer »dürren Obsthändlerin« und einem »rohen Seidenhändler« (»Zeitvertreib«)[27] ist ›Enttragisierung‹ freilich überflüssig. Ordnen wir noch die Neubildungen, in denen Nestroy schelmisch mit seiner althumanistischen Bildung prunkt – etwa das Adjektiv »venividivizisch« –, in den Bezirk der Verspieltheit ein, wo sich Nestroy an der Sprache erlustigt, und zugleich die oberflächlichen Zuhörer durch scheinbar des Hintergrunds baren höheren Blödsinn ergötzt, so rücken zahllose andere Wortspiele hinüber ins Gebiet der Auseinandersetzungen mit der Sprache, mit ihrem Mechanismus und mit ihrem verborgenen Gehalt. Unermüdlich erforscht er am Beispiel den Sinn und den Widersinn dieser seiner strengen Herrin und süßen, demütigen Dienerin. Mit der Freude eines Kindes, das sein geliebtes Spielzeug zergliedert und es auseinanderbricht, um zu sehen, was denn in diesem steckt, hat der getreue Sohn des Wiener Erdreichs das kostbare Instrument, die Muttersprache, zerlegt und sie betrachtet. Weil er aber in einem Märchenland des Bühnendichters weilte, wußte er das Zerstörte wieder ganzzumachen und, wenn er ins bloßgelegte Räderwerk blickte, etwas vom Wesen der Begriffe zu erhaschen, die sich hinter den Worten vertarnen. Das Kindhafte kehrt dann in der Spielfreude wieder, mit der Nestroy die Sprache streichelt und sie mißhandelt, sie bald in possierlicher Würde einherschreiten heißt, bald zu toller Jagd antreibt. Die Worte sind ihm Pfeile, die er in die Luft emporschleudert – dem Wohlgewandten fallen sie nur selten zu Boden, ohne zu treffen; die Worte sind ihm Schmuck, der ihn ziert, und Kristall, durch das er ins Wesen der Dinge, der Menschen, des Seins einschaut.

Nestroys Sprache und sein Stil sind echt österreichisch nicht nur wegen ihrer mundartlichen Bedingtheit, sondern auch und vor allem vermöge der Seelenlage, die sie widerspiegeln. Da waltet Ruhe, jene erste Bürgerpflicht, die an der schönen blauen Donau, anders als an der Spree, nicht durch den Erlaß eines Polizeipräsidenten eingeschärft werden muß, die vielmehr als oberstes Recht des Staatsbürgers empfunden und verteidigt wird. Bei Nestroy überwiegt der statische Wortschatz: Artikel, Hauptwörter, Eigenschaftswörter, Fürwörter. Die dynamischen Zeitwörter, die Bewegung bringen, sind äußerst sparsam verwendet. An einer aufs Geratewohl herausgegriffenen Stelle, im 200 Worte umfassenden Beginn des Monologs des Gottlieb Herb (»Der Schützling«)[28] treffen wir neben 107 deklinierbaren Worten nur 34 Verbalformen. Eine zweite Stichprobe, der Anfang des Edelschein-Selbstgesprächs in den »Anverwandten«[29] ergibt unter 184 Worten

105 biegbare und 32 Verbalformen. Sehr deutlich handelt es sich da um eine ständige Proportion.

Der allgemeinen Neigung zum Volkstümlichen, Pittoresken entspringen die ungezählten formelhaften Wendungen und Sprichwörter des alltäglichen Gebrauchs, die, am passenden, also am unpassenden, Ort verwendet, von unwiderstehlicher Komik sind. »Beim Bäcken kriegt man die Semmeln«, ruft Zampa »mit furchtbarer Stimme« aus (»Zampa der Tagedieb«)[30] und Camillerl darauf zerknirscht: »Ha, wie diese Schreckensworte mich zermalmen.« Oder es wird durch eine kleine Veränderung die überraschendste Umdeutung vorgenommen. »Wer zuletzt heißt, der heißt am besten«, schreit Comifo im »Konfusen Zauberer«[31], und wir merken, daß es beim Sprichwort mehr auf die Gewöhnung des Ohrs als auf die Erfahrungswahrheit des Behaupteten ankommt. Diese Entdeckung eines psychologischen Sprachgesetzes ist eine der Errungenschaften Nestroys, von denen seine unsystematische Denkungsart keinen theoretischen, doch oft den größten praktischen Nutzen gezogen hat.

Bei Nestroys Syntax heben wir zunächst die für Österreicher charakteristische Anwendung von Kunstgriffen hervor, die aus Vorsicht oder aus Höflichkeit eine Entscheidung verschieben, wenn sie nicht gar ihr endgültig ausweichen können. Schickt man einer unangenehmen Wahrheit voran: ›'s hat einer‹ statt des harten, klaren ›die Leute haben‹, dann bedeutet dies zugleich die verbindlich-schüchternen Einschränkungen, derlei beziehe sich nicht auf die Anwesenden, und es komme überhaupt nur selten vor.

Bevorzugt Nestroy sächliche Gesamtbegriffe gegenüber der männlichen oder weiblichen Mehrzahl, dann tut er das, weil seine Landsleute ein ›G'frett‹ leichter ertragen als Leiden, weil ein ›G'wand‹ weniger anspruchsvoll klingt als Kleider. Nur ja nicht etwas dramatisieren oder irgendwie auftrumpfen, oder – um Grillparzer zu zitieren – es ziemt sich mehr zu seinen als zu scheinen. Die häufig verwendeten Hilfszeitwörter und die Umschreibung des einfachen Objekts durch eine Präposition verraten den Ursprung aus der Kanzlei, deren Sprache dem Juristen und Anwaltssohn gar geläufig war; beides entquillt aber auch dem österreichischen Widerwillen gegen Schroffheit und dem Wunsch, indem man durch Weitschweifigkeit Zeit gewinnt, einen Konflikt zu vermeiden. Der Satzbau Nestroys ist desungeachtet von einer musterhaften Klarheit und von ciceronianischer Eleganz. Die Glieder folgen einander in logischer Ordnung, doch ungezwungen und natürlich. Kleine Umstellungen verursachen große Wirkungen, ästhetische und gedankliche. Im berühmten Vergleich vom Isabellenschimmel und der Zukunft (»Der Unbedeutende«)[32] berückt uns vor allem das überzeugende Aneinanderreihen unerwartet auftauchender und virtuos zusammengefügter Begriffe. Während die Monologe sich in langen, sorgsam verschlungenen Perioden ergehen, die wie eine Veredlung des wild wuchernden und reiche Zinsen tragenden österreichischen Amtsdeutsch anmuten, ist der Dialog zumeist kurz, knapp, schlagfertig.

Beispiele für das witzige Schnellfeuer der Dialoge gewähren uns aus Nestroys erster Schaffensperiode das geistreiche Geplänkel zwischen Maxenpfutsch und seinen liebenswürdigen Töchterchen (»Nagerl und Handschuh«)[33], vornehmlich aber die glänzenden Werke des mittleren Lebensabschnitts. Die erste Begegnung des Titus Feuerfuchs mit Frau von Cypressenburg (»Der Talisman«)[34], der vierte und sechste Auftritt des ersten Akts des »Mädl aus der Vorstadt«[35], darin die kapriziöse Frau von Erbsenstein nacheinander den beiden schon angejahrten Schwerenötern Kauz und Schnoferl die Hieb- und Stichworte zulächelt, und das soziale Frage- und Antwortspiel zwischen Puffmann und Span (»Der Unbedeutende«)[36] haben in der deutschen Literatur nicht ihresgleichen. Die gleiche überschäumende, gedankenpralle Wortgewalt durchblitzt noch einige Stücke der absinkenden Altersepoche Nestroys. Zeuge dafür sind einige Szenen um Kern, in »Der alte Mann mit der jungen Frau«[37] und die Abrechnung Schlichts mit der von ihm einst verehrten Inweliersgattin Frau von Stein – ein schlichter Abschied und wer wird denn weinen, wenn man längst auseinandergegangen ist – in »Mein Freund«[38].

Tragen bereits die Dialoge und die Gesellschaftsszenen den Stempel der Nestroyschen Eigenart unauslöschbar und unverkennbar eingeprägt, so gilt das noch stärker für seine Couplets und für seine Monologe. Witzige oder witzig vermeinte Gesangstexte über aktuelle Fragen, Selbstgespräche, mit denen sich der Raisoneur als Hauptfigur einer Komödie vorstellte, waren seit jeher ein unentbehrlicher Bestandteil der Wiener Volksbühne. Nestroy hat es aber verstanden, diese beiden dem Erstarren nahen und nur

noch von Raimund wiederbelebten Überbleibsel aus längst ver-
klungenen Zeiten zu etwas Neuem, Eigenständigem zu machen.
199 Couplets zu vorhandenen Stücken, mit Ausnahme der Frühzeit fast ausschließlich zu seinen eigenen, hat Nestroy verfaßt.
Vierzehn weitere sind im Nachlaß aufbewahrt worden. In diesen
Strophen ist eine politische, kulturelle und soziale Geschichte des
Vormärz, der Revolution und der nochmals folgenden absolutisti-
schen Periode beschlossen. Allmählich und unversehens gleiten wir
– verzeihen Sie das weiche Wiener Wort – von der Bachhendl- und
die Bach-Ära hinüber. Sitten und Unsitten, Lehrmeinungen und
praktische Ratschläge wirren durcheinander. Doch das ist kein
sanftes Fächeln, das die Gescholtenen angenehm kitzelt. Da
schwirrt es durch die Luft, und jeder fühlt sich getroffen. Daß trotzdem keine allzu schmerzlichen Wunden zugefügt werden, dafür
sorgen die Zensur und des Autors vorbeugende Umsicht, die von
vornherein nur bis an die Grenzen des gerade noch Möglichen
geht.
Stilistische Vollkommenheit, eine schriftstellerische Geometrie, die
zwischen zwei Punkten, dem Opfer und dem Hinrichter auf der
Bühne, die Gerade als nächste Verbindung findet, während sonst
die satirischen Geschosse auf Umwegen und indem sie mehrere
schützende Wände durchstoßen an Kraft verlieren, diese Kunst
sprachkünstlerischer Ballistik hat den Kanonaden Nestroys ihre
Durchschlagkraft verliehen. Die Prunkstücke seiner Couplets sind
nicht in seinen bekanntesten Theaterstücken zu suchen. Sieht man
ab vom mit Recht gefeierten Kometenlied mit dem Refrain »Da
wird einem halt angst und bang. Ich sag', d'Welt steht auf kein'
Fall mehr lang« (»Lumpacivagabundus«)[39], dann dürfte die Palme
dem Auftrittslied des Gundelhuber aus »Eine Wohnung ist zu vermieten«[40] wie den politischen Couplets aus »Lady und Schneider«[41]
und aus »Höllenangst«[42] gebühren. Das erste bietet eine kaum
übertreffliche Charakteristik des Wiener Spießers in Form eines
unfreiwilligen Bekenntnisses einer wenig schönen Seele dar, die ihre
Interessensphäre durch Erzählung eines Spaziergangs exhibiert.
Das zweite gipfelt im noch frischen Erfahrungssatz »Ja, beim Umschwung der Zeit, lernt man s' kennen die Leut'.« Im dritten aber,
dem Lied von der Weltrevolution, ist die Quintessenz von Nestroys
politischer Philosophie zu hören. Es ist mit seiner scheinbar grobkörnigen, sich naiv gebärdenden, ein wenig sentimentalen Lustig-

keit ein nach allen Regeln der Logik aufgebauter Schluß mit dem Obersatz: die Welt ist des Unrechts voll und mit dem Untersatz: die davon Betroffenen sind zwar in großer Mehrheit, jedoch bisher unfähig, daran etwas zu ändern. Folgerung: nur wenn sie sich mit geeigneten Mitteln dagegen aufbäumten, ließe sich daran, am seit Weltanfang bestehenden Unrecht, etwas ändern. Zweiter Schluß: Angenommen, was zu bezweifeln bleibt, es gelänge den vom Unrecht Betroffenen, Gleichheit zu erringen und ihre Rechte zu wahren, wäre (Untersatz) damit eine Erschütterung der Weltordnung gegeben, und es entstünde neue Ungleichheit. Folgerung: es ist also vernünftig, sich mit dem bestehenden Unrecht abzufinden. Der Gedankengang des Dichter-Denkers sei hier an den entscheidenden Sätzen seiner resignierten Weisheit gezeigt. »Die Welt zu regier'n, is was Leichtes, auf Ehr'«, beginnt Wendelin und leitet sofort zur Antithese über »Gut wär's, wenn's Regier'n auf der Welt so leicht wär.« Im Himmel hat es zu olims Zeiten eine Umwälzung gegeben; seither geht alles wie geschmiert. Obzwar die Natur aus drei Reichen besteht, ist sie weniger schwer zu lenken als das eine Österreich. Warum? Ach, das Mineralreich bleibt stumm, das Pflanzenreich vegetiert nur, und die Viecher sind dumm. Was geschähe indessen, wenn in diesen drei Reichen die Vernunft erwachte? Ein geistreiches Spiel zwischen unmittelbarem und abgeleitetem Wortsinn schildert Metalle, Pflanzen und Blumen im Kampf gegen die ihnen widerfahrende Unbill. Noch vermutete man eine freundliche Absicht des Sängers und den Ausblick auf günstige Lösung. Doch da höhnt schon die dritte Strophe:

»Wenn auf einmal das Tierreich so kummet zu gehn
Und tät' auf seine ang'bor'nen Viehrechte b'stehn,
Wenn das Lamm fangt zu klag'n an: ›Der Tiger und ich,
Wir sind jedes ein Vieh, warum frißt er denn mich?‹

›Ei'm Fiaker g'hör ich, komm' fast gar in kein Stall.
Und mein Bruder, das Roß, paradiert s' Jahr zweimal.‹
Der Ochs sagt: ›Sechs Tag' in der Woch'n nähr' ich die Leut',
W'rum die Karpf' nur am Freitag? So ein Backfisch wär' g'scheit.‹

›Wir Muli hab'n gar a Existenz, a infami,
Last trag'n, solang wir leb'n, nach'n Tod werd'n wir Salami.‹

Die Gans sagt: ›Ich soll auch abg'stochen wer'n, ich arm's Viech,
Wie viele leb'n prächti, und sind 's selbe wie ich.‹

's derfen nur zehn g'scheite Viehrassen mach'n so a G'schra,
Die Eseln sag'n dann von selber: ›J-a‹,
Und als Sturmpetition käm' zum Himm'l ihr Begehr'n,
Meiner Seel', 's müßt' dem Himmel höllenangst dabei wer'n.«

... und Nestroy, seinen Zeitgenossen und uns dazu. Doch wir
haben das alles schon hinter uns ...
Die Liedstrophen des Satirikers sind vorbereitende Plänkeleien,
in den Monologen aber steckt der Kern seines Denkens. Hier hat
er Raum und Muße, seine Ideen auszubreiten, damit jedoch sie dem
Mißverständnis und der Mißgunst zu entziehen, die beide aus den
knappen Aphorismen der Dialoge manches herausgelesen hatten,
das Nestroy nie sagen wollte. Von den Monologen wissen wir,
daß sie die Meinung des Autors ausdrücken; wir vermögen in
ihnen zudem seinem Gedankenflug zu folgen, der sich so oft im
Zickzack bewegt. Es ziemt sich hervorzuheben, daß Nestroy den
höchsten Glanz seiner Monologe erst in den Vierzigerjahren er-
strahlen läßt, der unvermindert bleibt bis zu der großen Wende,
die dem Schauspieler den Aufstieg zum Theaterdirektor bringt,
zugleich aber dem Dichter das endgültige Erlahmen seiner Schaf-
fensfreude und seiner Verve. Die Monologe zieren nicht nur
Meisterwerke wie »Das Mädl aus der Vorstadt«[43], »Der Zerrissene«[44], »Freiheit in Krähwinkel«[45], »Lady und Schneider«[46], sondern auch manchmal weniger geglückte, ja mißratene Stücke wie
etwa »Die beiden Herren Söhne« (Monolog des Vincenz)[47] und
»Heimliches Geld, heimliche Liebe« (Monolog des Kasimir
Dachl)[48].
Als Proben Nestroyscher Monologe hier zwei in jeder Hinsicht
repräsentative: der des Schlicht aus »Mein Freund«[49] und der
des Gottlieb Herb aus »Der Schützling«[50]. Beide beginnen,
wie die Couplets, mit der Feststellung der Tatsachen, von
denen alles Weitere sowohl logisch als auch stilistisch abgeleitet wird. Während jedoch in den mit dem jeweiligen Theater-
stück nicht organisch verbundenen Gesangstexten diese Fakten
allgemeine sind, beziehen sie sich in den Monologen auf den Helden der Komödie, der sich da auf wirkungsvolle Weise den

Zuschauern vorstellt. Die Mannigfalt der Kunstmittel, durch die Nestroy gleich im ersten und entscheidenden Satz das Interesse für die Hauptgestalten erweckt, ist erstaunlich. Gottlieb Herb hebt an im Märchenton: »Es war einmal ein Bauer und eine Bäuerin, die hab'n ein' Buben g'habt, und der Bub is mit der Zeit ein Bauer worden und hat eine Bäuerin g'nommen und wie er lang genug mit der Bäurin g'lebt hat g'habt, nachher is er g'storbn.« Derlei hat freilich nichts Märchenhaftes an sich; es ist ganz einfach die Geschichte des Mannesstamms der Nestroy, eine jener autobiographischen Anspielungen, die der Autor gerne in seine Stücke als Chiffern hineinpraktiziert, die niemand entziffert und in die er ihn bedrückende Erinnerungen, so sein tristes Ehe-Erlebnis, abreagiert. »Diese interessante Schilderung hätte mir vielleicht Genealogie-, Biographie- und Nekrologdienste getan«, fährt er fort, doch nun trennen sich seine eigenen, durch den sozialen Aufstieg des Vaters und durch dessen Ehe mit der ›besser‹ geborenen Mutter unterbrochenen Schicksale von denen des Intelligenzproletariers Herb, der schon früh »Leidenschaft für die Blüten des Geistes« zeigte, so daß »die Früchte des Feldes nicht viel von ihm zu erwarten« hatten. Zunächst Schulmeister, war Herb auf die Idee verfallen, »ein Genie werden zu wollen, gerade in der Periode, wo das Genie seine Privilegien verloren hat«. Wir kennen nun die Gegebenheiten, mit denen der Bauernsohn ohne Geld ringen muß, wenn er den Kampf um Einlaß in die festgeschlossenen Reihen der schon Angekommenen aufnimmt. Unsere Neugierde wird durch den Gegensatz zwischen den Träumen und den Möglichkeiten eines österreichischen Julien Sorel gereizt, der freilich nicht über Leichen geht.

Schlicht, die viel weniger begabte Zentralgestalt aus »Mein Freund«, wählt ein anderes Rezept, um uns sofort in den Bann zu zwingen. Er setzt mit einem sprachlichen Furioso ein: »Die Riesenschlange Leidenschaft liegt vor mir mit dem bezaubernden, unwiderstehlichen Blick, ich tölple ihr küniglhaft in den Rachen — erschüttert vom Erdbeben des Herzens, wanken die Pfeiler der Verhältnisse und das Gebäude der Existenz droht, mich unter seinen Trümmern zu begraben.« Hier Liebe, dort Ehrgeiz, ein wahrhaft corneillescher Konflikt! Die dramatischen Pforten sind nach allen Richtungen geöffnet. Gespannt harren wir darauf, das Vorleben des Helden und die darauf gründenden Voraussetzungen der künftigen Handlung des Stücks zu erfahren. Herb berichtet, wie er seine traurige Jugend als Opfer gesellschaftlicher Zurücksetzung durchlitten hat. Schlicht dagegen hat sich in dem einen Satz von der Riesenschlange Leidenschaft erschöpfend dargestellt: ein Liebender hat keine Biographie, er kennt nur Gegenwart und Zukunft. Beide Monologe benutzen den ersten Anlaß, um vom Persönlichen ins Allgemeine hinüberzuschwenken. Irgendein Wort bietet dazu Gelegenheit als Wegweiser an einer Straßenkreuzung, bei dem wir die Hauptroute verlassen, um eine Weile auf Seitenpfaden zu wandeln. Bei Herb heißt dieses Wort »Kinder«, das sogleich eine Reihe feinfühliger Betrachtungen über die Seele der Kleinen und über Erziehungsfragen einleitet. »Den Kindern g'schieht ohnedem viel Unrecht. Is das nicht schon Unrecht genug, daß man sie für glücklich halt'? Und sie sind es so wenig wie wir, sie haben in ihren Kinderseelen alle Affekte, eine Sehnsucht, die sie mit Täuschungen, eine Eitelkeit, die sie mit Kränkungen, eine Phantasie, die sie mit Wauwaubildern quält, und dabei haben sie nicht die Stütze der Vernunft, die uns wenigstens zu Gebote steht, wenn wir sie auch nicht gebrauchen. Wir finden ihre Leiden klein, ohne zu bedenken, wie kleinlich wir oft in unseren Leiden sind . . . Und wenn das alles nicht wär', so sind ja die Kinder schon deswegen zu bedauern, daß sie einmal groß werden müssen, da zeigt sich's erst recht, wie wenige unter einem glücklichen Gestirne geboren sind.« Nun aber wird der Begriff Gestirn zum Wegweiser in hohe Regionen. »Eigentlich gibt's jetzt keine Sterne mehr, sie geben sich wenigstens nicht mehr ab mit uns. Wie die Welt noch im Finstern war, war der Himmel so hell und seit die Welt im Klaren is, hat sich der Himmel verfinstert. Die Stern', die sich anno Aberglauben um unser Schicksal so hingezappelt haben, sind anno Aufklärung in dieser Qualität erloschen. (Nestroy konnte die fröhliche Urständ der Horoskope mitten im 20. Jahrhundert nicht vorausahnen). Wir sind jetzt weit mehr auf die Welt reduziert, an etwas Irdisches muß man sich jetzt anklammern. Das Wohlwollen in irgendeiner Menschenbrust muß uns zum guten Stern werden, und wenn dieser Stern sich glücklicherweise mit einem andern Stern vereint, der auf dem Frackhorizont des Wohlwollenden strahlt, dann ist es eine Konstellation, die Glück verbürgt . . . Nur der trifft's, der jemandens Schützling ist.« Noch eine treffende Aussage über Nachruhm und

Nachwelt ... »Es klopft wer«. Und wir befinden uns mitten in der Handlung.

Beim Monolog des Schlicht lautet die erste Inschrift, die zum Abschweifen einlädt, »Geist«, die zweite »unzufrieden«. Am Ende seiner Wanderung durch metaphysische Gegenden und über philosophische Untiefen steht freilich der wackere Schlicht, den nur die Liebesschmerzen aus der Bahn geworfen haben, wieder mit beiden Füßen auf dem Erdreich. Er läßt »nix kommen über die Welt, wenn auch dann und wann etwas über mich kommt ... o jeh, da kommt der Herr Spaltner«. Und wir greifen wieder hinein mitten in ein volles Bühnen-Menschenleben.

In den Monologen ist der ganze Nestroy. Hier vor allem gewinnt er der Sprache die kühnsten Zugeständnisse und Eingeständnisse ab, die sie zu gewähren hat. Hier holt er aus dem doppelten, dem mehrfachen Sinn eines Wortes, einer Redensart tiefenpsychologische Erkenntnisse über Epochen, Nationen, Gruppen, Stände und Einzelwesen. In diesen Selbstgesprächen seiner Gestalten ringt er um den adäquaten Ausdruck seiner Gedanken. Hier bewährt er sich als der große Schriftsteller, dem es nicht nur um den Sinn seiner Werke geht, sondern vorab um deren Wortgestalt und damit um seinen persönlichen Stil, um das, was einzig einem Dichtwerk Wert und Dauer verbürgt. Er, der zungenfertige, der erfindungsreiche Verfasser so vieler, scheinbar mit leichter Hand zu Papier gebrachter Bühnenwerke und so zahlreicher blendender Aphorismen, klagt einmal im Scherz, der ihm bitterer – oder bittersüßer, wir sind ja in Österreich und bei einem Satiriker – Ernst ist, die Wahrheit »bettle bei der knickrigen Sprache vergebens um Ausdrück'; ich wollt', der Adelung lebet noch, ich versprechet ihm ein Trinkgeld, daß er mir Worte erfindet«[256].

Nestroy hilft sich selbst, indem er vor allem erkundet, welche Möglichkeiten das Wort bietet, wenn man es hin- und herdreht und es von allen Seiten beschaut. Mit fliegender Hast streicht er über weite Räume des Denkens hin, erhascht er diesen oder jenen bedeutenden Anblick; er hält ihn im Sprachbild fest und kehrt dann wieder auf seine Hauptstraße zurück, deren klar umrissenes Ziel er nie außer Auge läßt. Nur ein kleinlicher Systematiker wird an derlei Eskapaden bekritteln, daß sie ihrem Wesen nach kurz und plötzlich sein müssen. Als grelle Streiflichter – denen man das milde, gleichmäßige, doch schwächere Leuchten einer beständigen

Helligkeitsquelle vorziehen mag, wenn Zeit und List zur Verfügung stehen, um einen kleinen, umhegten Bezirk zu erforschen – enthüllen Nestroys Blitzaufnahmen ihren Wert dort, wo sie von einem unentdeckten Land erste Kunde bringen oder mit intuitiver Sicherheit in bekanntem Gebiet unbekannte Schlupfwinkel ausspüren und sie erschließen.

Nestroy hat nicht etwa planlos den Regungen einer vom Verlangen nach dem Wortwitz getriebenen Gedankenflucht gehorcht. Seine Kreuz- und Querfahrten sind vorher überdacht worden. Nur die Einzelheiten sind das Werk eines Augenblicks: der Inspiration, die den wahren Künstler vom Macher unterscheidet. Wie sich dem Begnadeten die Einfälle von selbst aufdrängen, dafür liefern seine Manuskripte den besten Beweis. Viele Aphorismen sind erst im letzten Moment in die Handschrift eingefügt worden.

Alle diese Geschenke des Schicksals an den, dem es gab zu sagen, woran er und die anderen leiden, freilich ohne zugleich die Heilmittel zu schenken, werden überhöht und zusammengefügt durch den Stil, durch die Fähigkeit, Unsagbares auszudrücken und unsäglich Plattes in Weisheit umzuformen. Einem Schneider gleich, dem es obliegt nicht nur den Reizen einer schönen Frau den würdigen Rahmen zu ersinnen, sondern auch ein häßliches Weib in eine Sirene zu verwandeln, hüllt der Zauberer Nestroy die herrlichsten und die gewöhnlichsten Gedanken in ein bestrickendes Sprachkleid. Groß ist die Kunst, mit der er im Monolog von »Höllenangst« über das Erhabenste philosophiert; größer ist die unvergleichliche Meisterschaft, aus Binsenwahrheiten einen prächtigen Strauß von Ideen zu flechten; »ich hab' einmal einen alten Isabellenschimmel an ein' Ziegelwagen g'sehn, seitdem bring' ich die Zukunft gar nicht mehr aus'n Sinn«, sagt der Zimmermann Span, jener »Unbedeutende«, dessen gesunder Hausverstand ebenso bedeutend ist wie das Ehrgefühl. Was erfahren wir nicht da in unnachahmlich prägnanter und zugleich poetischer Verkürzung: Ich habe einmal einen alten Isabellenschimmel gesehen, der einen Ziegelwagen zog. Da dachte ich mir, dieses Pferd von so edler Rasse vermag nun, alt geworden, weder bei einem Rennen Preise zu gewinnen, noch einen vornehmen Reiter bei Spazierritten zu tragen. Sein Herr, der dieses Roß, da es noch jung und feurig war, vermutlich sehr geschätzt hatte, hat sich, als er es an einen Bauunternehmer verkaufte, weder um die Abkunft des armen Gauls noch um die Vorliebe, die er selbst einst für dieses Tier besessen hatte, gekümmert. Nun wird der alte Schimmel zu niedrigen Frondiensten verwendet, als wäre er ein vulgärer Klepper. An diesem Beispiel sehen wir die Unbeständigkeit des Schicksals, die Gebrechlichkeit des Glücks, das Los, das dem Altgewordenen nach glänzender Jugend blüht. Meine eigene Zukunft, die eines Proletariers, kann nur noch schlimmer werden als die eines Pferdes, das unter seinen Artgenossen durch seine Abkunft einen bevorzugten Platz einnahm. Schon jetzt, in meiner Vollkraft, ergeht es mir übler als dem edlen Roß, da es in seinen besten Jahren war. Meine Zukunft wird zweifellos noch elender sein. Deshalb kann ich, seitdem ich den Isabellenschimmel an seinem Ziegelwagen gesehen habe, meine Zukunft nicht aus dem Sinn bringen.

Jede Verkürzung eines Aufwands an Zeit und Mühe, die der Endwirkung unbeschadet geschieht, ruft einen nicht nur ästhetischen Ersparungsreiz hervor, ähnlich dem Vergnügen, das wir beim Durchschreiten eines anmutigen Querwegs anstelle des längeren Marschierens auf einer staubigen, von Autos durchrasten Landstraße verspüren. Eines der lockenden Geheimnisse des Wiener Satirikers liegt in der nachtwandlerischen Sicherheit, mit der er von derlei Verkürzungen den besten Gebrauch am richtigen Ort und zur richtigen Zeit macht. Ein zweites Geheimnis besteht darin, stets für den Gedanken den besten, das heißt zumeist: den einzig guten, Ausdruck zu finden. Obwohl er mit den Worten schaltete wie nur je ein Schöpfer mit seinen Geschöpfen, ein unbeschränkter Herr mit seinen Untertanen, ein Bildner mit seinem Material, litt er nicht nur darunter, daß es in der Sprache, also − was ihn vor allem anging − im Deutschen, für vieles keine Entsprechung im Wort gibt und daß wie Adelung so überhaupt die Wörterbücher versagen, sondern auch darunter, daß die vorhandenen Ausdrücke mitunter zu viel versprechen und nicht halten.

Als gewiegter, als genialer Stratege in seinem Ringen um die Sprache und mit ihr, wählt er tapfer die gefährlichste Lösung. Er schreitet aus der Verteidigung wider Undeutlichkeit und Mehrdeutigkeit zum Angriff. »Das is zu stark, das is unerhört«, jammert einer in »Zwei ewige Juden für einen«[51]. »Das is zu stark, das is unerhört«, erwidert der andere. »Noch ein Überglücklicher wie ich?«, fragt der erste. Darauf der zweite: »O nein, aus mir red't die Desperation!« Dann wiederum der erste: »Und aus mir der

Jubel! Und dennoch die nämlichen Ausdrücke – o Mangelhaftigkeit der Sprache!« Diese Mangelhaftigkeit wird aber von Nestroy aufs grimmigste ausgebeutet. Er schwelgt im doppelten, im dreifachen, im vielfachen Sinn desselben Wortes: »Es glaubt's kein Mensch, was der Mensch alles braucht, bis er halbwegs ein' Menschen gleichsieht«, belehren uns »Liebesgeschichten und Heiratssachen«, und ebenda lesen wir: »Eine Mesalliance is immer ein Verstoß, und da dürfte mein Vater auch leicht einen Verstoß begehen und mich verstoßen[52].« »Wenn ein Bäck keinen Geist hat, so hat er doch viel von einem Geist: er is weiß, geht um bei Nacht und sehnt sich nach Ruhe, die ihm nimmer wird« (»Der Unbedeutende«)[53]. »Der Hauptpunkt bei d'Kammern ist die Aussicht vom Haus, ob's nach rückwärts geht oder vorn' ins Freie hinaus« (»Die Anverwandten«)[54]. Manchmal ist dieses Spiel mit dem Doppelsinn, beruhend auf Gleichklang bei voneinander verschiedener Graphie, scheinbar der Kategorie einzuordnen, die der gemeine – freilich nicht der differenzierte – Sprachgebrauch billige, also unbillige Wortwitze nennt: »Der Staat, dieser kolossale Omnibus für viele Millionen, der kann, da doch jeder Wagen Räder braucht, ohne Rat nicht existieren, und siehe da! Der Staatsrat ist abgeschafft, und jetzt geht's erst recht vorwärts, was viele Boshafte auf die Idee bringt, der Staatsrat muß das fünfte Rad gewesen sein.« Oder in der »Zampa«-Parodie[55]: »Das ist die Hand meines Vaters. – Das ist nicht wahr, seine Hand hat er im Wirtshaus, er gibt seine Hand nicht aus der Hand, er muß seine Hand immer bei der Hand haben, denn er braucht sie zum Einschenken und zum Ausschenken. Schweigen Sie daher vor der Hand und lesen Sie laut, damit Sie sich nach der Hand zu richten haben.« Profund aber sind Aussprüche wie dieser: »Mein seliger Mann. – Nennen Sie nicht den Mann selig, den der Taschenspieler Tod aus Ihren Armen in das Jenseits hinüberchangiert hat; nein, der ist es, der sich des Lebens in solcher Umarmung erfreut« (»Der Talisman«)[56]. »Mir is leid, daß ich Ihre Bekanntschaft nicht im Winter gemacht hab'. – Sie sind ein schlechter Kerl, soweit Sie warm sind, in der Kält'n wär' vielleicht doch ein honettes Fleckl an Ihnen zu finden« (»Der alte Mann mit der jungen Frau«)[57]. Der Doppelsinn erweist sich als besonders geeignete Ingredienz, wenn Nestroy, von antiker Kultur beseelt, Redefiguren häuft, unter denen er Antithese, Metapher und Hyperbel bevorzugt, wenn er mit der mehrfachen Bedeutung der Worte voltigierend, seine halsbrecherischen Beweisführungen aufbaut, die jeden antiken Sophisten in den Schatten stellen. »Die Großen der Erde sind Sterne, folglich können sie nur leuchten, wenn's finster ist« (»Freiheit in Krähwinkel«)[58]. – Wo haben wir denn Ähnliches gelesen? »Nacht muß es sein, wenn Friedlands Sterne strahlen.« – »Wer Menschen kennt, der kennt auch die Vegetabilien, weil nur sehr wenig Menschen leben – und viele, unzählige aber nur vegetieren« (»Der Talisman«)[59]. »Was tausend Wichte sagen, bekommt Gewicht, wird wichtig, weil der Wichte tausend sind, und die Ehrenmänner ... höchstens zehn« (»Der Schützling«)[60]. In der Prüfungsszene des gewitzten »Schlimmen Buben«[61] Willibald erringt diese Logik ihre lustigsten Triumphe. »Der Mensch ist ein Säugetier, denn er saugt sehr viel Flüssigkeiten in sich, das Männchen Bier und Wein, das Weibchen Kaffee. Der Mensch ist aber auch ein Fisch, denn er tut Unglaubliches mit kaltem Blut, und hat auch Schuppen, die ihm zwar plötzlich, aber doch – g'wöhnlich zu spät – von den Augen fallen. Der Mensch ist ferner auch ein Wurm, denn er krümmt sich häufig im Staube und kommt auf diese Weise vorwärts. Der Mensch ist nicht minder ein Amphibium, welches auf dem Lande und im Wasser lebt, denn mancher, der recht im Wasser is, zieht noch ganz nobel aufs Land hinaus. Der Mensch ist endlich auch ein Federvieh, denn gar mancher zeigt, wie er a Feder in die Hand nimmt, daß er ein Vieh ist.« Das ist schon eine dialektische Auseinandersetzung. Ähnliches bringen Doppelbedeutung und Antithese: Die Putzhandlung ist »eine schöne Handlung, die durch Wechsel floriert, während so manche andre Handlung durch Wechsel falliert« (»Der Zerrissene«)[62]. »Magister der toten Sprachen. – Und da müssen Sie leben davon?« (»Verwickelte Geschichte«)[63] »Auf die guten Tag' haben die Reichen, aber auf die guten Nächt' nur die Glücklichen ein Monopol« (»Der alte Mann mit der jungen Frau«)[64]. »Bei einer Entführung lassen sich nur die Mittel an die Hand geben; die Wege gehören in das Departement der Füß'; die Mittel müssen nah' sein, die Wege weit; die Mittel müssen glänzend sein, nämlich Gold, die Wege aber um so dunkler« (»Zu ebener Erde und Erster Stock«)[65].

Auch ohne die Mehrdeutigkeit des Wortsinns entfaltet sich bei Nestroy die Antithese mit einer, fast möchten wir setzen, orientalischen Üppigkeit. Nicht wenige der klügsten Einsichten sind in diesen Gegenüberstellungen dargeboten. »Es gibt sehr wenig böse Menschen, und doch geschieht so viel Unrecht in der Welt; der größte Teil dieses Unheils kommt auf Rechnung der vielen, vielen guten Menschen, die weiter nichts als gute Menschen sind« (»Nur Ruhe«)[66]. »Bestehen die Träume in Hoffnungen, so is man jung, bestehen sie in Erinnerungen, so is man alt. Ich hoff' nix mehr und erinnere mich an vieles, ergo alt, uralt, Greis, Tatl« (»Der Zerrissene«)[67]. »Ein seichter Mensch find't bald was tief« (»Nur Ruhe«)[68]. »Zwischen Auskommen und Einkommen is es schwer, das gehörige Verhältnis herzustellen; denn 's Geld kommt auf schwerfällige Podagrafüß' herein und fliegt auf leichten Zephyrflügeln hinaus« (»Das Mädl aus der Vorstadt«)[69]. Auf den ersten Blick wird es überraschen, daß Nestroy, der stets auf das Einhalten von Maß und Sprachzucht Bedachte, so oft die Hyperbel als Rüstzeug seiner Satire gebraucht. Bald merken wir aber, daß er auch hier die Grenzen des guten Geschmacks achtet und daß seine Übertreibungen nichts anderes sind, als ein sprachliches Gegenstück zum *portrait-charge*; daß sie dazu dienen, eine Person eindringlich durch ihre kräftig unterstrichene Haupteigenschaft zu charakterisieren, zumal um deren wahre oder vorgetäuschte Abhängigkeit von einem Höherstehenden, Umworbenen zu verspotten. »Glück und Ehre treten als Wirtschafts-Intendant personifiziert über meine Schwelle«, buckelt der armselige Dorfschullehrer Wampl vor der aufgeblähten Nichtigkeit des Güterverwalters eines freiherrlichen Landedelmanns (»Die Schlimmen Buben in der Schule«)[70]. »Gekannt hat Sie Raphael nicht, aber geahnt hat er Sie, denn wie hätte er sonst die herrliche Madonna gemalt?« säuselt die scheinheilige Cäcilie dem »Mädchen mit Millionen« zu; der würdige Bruder der Schmeichlerin aber übertrifft sofort die Schwester: »Und was ist Ihre Schönheit gegen Ihren Geist, gegen Ihren Scharfsinn, der dem größten Staatsmanne Ehre machen würde« (»Kampl«)[71]. Der selbstgefällige Titus Feuerfuchs aber jubelt entzückt: »Wenn ich diese Tour (Perücke) aufsetz', so sinkt der Adonis zum Rastelbinderbub'n herab und der Narziß wird ausg'strichen aus der Mythologie« (»Der Talisman«)[72]. Doch auch Grobheit und Verachtung können Überdimensionen annehmen: »Schmücken Sie sich mit Purpur und Diamantenkronen, besteigen Sie eine Giraffe und reiten Sie herum auf'n Himalajagipfel und Sie werden, auch durchs Riesenteleskop betrachtet, noch immer eine niedrige Erscheinung sein« (»Der Schützling«)[73]. Die Gesamtgestalt des Holofernes war man einst geneigt als eine einzige Hyperbel aufzufassen, für die allerdings Hebbel, der Schöpfer des unheimlich-grotesken Originals, eine größere Verantwortung trug als Nestroy, der Parodist. Doch inzwischen ist der »Held, vor dem die ganze Welt und alles, was drauf lebt, erzittert und erbebt«, als bloße Vorahnung grausamster Wirklichkeit erkannt worden. War, ist, »der Glanzpunkt der Natur«, der »nächstens in der Zerstreuung ein Land verheeren und ein Dutzend Städt' verbrennen« kann, der Gewaltige, von dem »selbst die Ungnad' ... eine Gnad« scheint, und der erklärt »ich allein denk', und wer sich Gedanken anmaßt, der begeht einen Einbruch in meinen Kopf« (»Judith und Holofernes«)[74] ... ist das noch eine Hyperbel? Ergötzlicher als der Größenwahn des assyrischen Führers und Generalissimus, der recht peinliche jüngste Erinnerung weckt, sind Hyperbeln, die nicht an zu nahe Grenzen des Raums und der Zeit stoßen: »Mein Hab' und Gut für einen Taschenfeidl! Eine Million für a halbe Portion Gift! Ein Königreich, wenn mir ein Tandler a alte Guillotine verschafft!« schreit im »Zerrissenen«[75] ein neuer Richard III. »In mir ist die ganze Sippschaft der Hölle los, und die wilde Jagd ist ein Menuett gegen den Tanz meiner Gedanken«, meldet eine Notiz[76] aus der ›Reserve‹, die sich Nestroy für künftige Bühnenstücke zwar nicht auferlegt, doch angelegt hatte.

In seinem eigentlichen Element fühlt sich Nestroy, wenn er die Metapher zum Wortkleid seiner Einfälle und Ausfälle wählt, dieses sei schlicht für den Hausgebrauch, stattlich, reich oder gar, mit satirischer Absicht, von überladenem Prunk. Dabei hilft sehr oft die Personifikation schallverstärkend mit. Chiasmus und Anakoluth haben nicht minder ihre Rolle. Da gibt es Gleichnisse von genialer Einfachheit: »Der Rausch ist ein Vogel, der leicht verfliegt« (»Judith und Holofernes«)[77]; »Die wahre Lieb' schaut nur da heraus, wo keine Aussicht ist« (»Weder Lorbeerbaum noch Bettelstab«)[78]; »Die Zeit, das is halt der lange Schneiderg'sell, der in der Werkstatt der Ewigkeit alles zum Ändern kriegt« (»Der Talisman«)[79]; »Einen Gang hat's als wie eine Prozession, die aus einer einzigen Person besteht«, »'s Schicksal is ein arabischer Partikulier, wir sind seine Kamel' denen er die Lasten auf'm Buckel legt« (»Die beiden Herren Söhne«)[80]; »Das sind die psy-

chologischen Quadrillierungen, die das Unterfutter meines Charakters bilden« (»Das Mädl aus der Vorstadt«)[81]. Ein »Ahnungsblitz« fährt in »den Heuboden der Mißverständnisse« (»Die Papiere des Teufels«)[82], und nun jener surrealistische Vergleich: »Mein Hirn sitzt schon als alte Bruthenn' auf dem Basilisken-Ei der Rache« (»Mein Freund«)[83]. Doch die Metaphern werden mitunter so verwickelt, daß sie die Denkbereitschaft und die Denkfähigkeit des Zuhörers oder des Lesers auf immer schwierigere Proben setzen, soll die Wirkung nicht auf das Erwecken einer ihres Urgrunds unbewußten Heiterkeit beschränkt bleiben. Am ehesten liegen die zwar langatmigen, doch unkomplizierten Gleichnisse dem Verständnis des Durchschnitts-Theaterbesuchers offen. »Meine Junggesellenschaft ist nicht als staubige Dist'l auf der rohen Pusta des Weiberhasses emporgeschossen, o nein, sie ist als düsterer Efeu dem Garten der Liebe entkeimt« (»Das Mädl aus der Vorstadt«)[84]; »Ein exotisches Gewächs, nicht auf diesem Boden gepflanzt, durch die Umstände ausgerissen und durch den Zufall in das freundliche Gartengeschirr Ihres Hauses versetzt und hier, von der Sonne Ihrer Huld beschienen, hofft die zarte Pflanze Nahrung zu finden« – die Pflanze Titus Feuerfuchs – (»Der Talisman«)[85]; »Wie schön wär' das, wenn ich als alter Handelsherr mit die andern alten Handelsherren beim jungen Wein sitz', wenn so im trauten Gespräch das Eis aufg'hackt wird vor dem Magazin der Erinnerung, wenn die G'wölb'tür der Vorzeit wieder aufg'sperrt und die Budel der Phantasie voll ang'raamt wird mit Waren von ehmals, wenn ich beim lebhaften Ausverkauf alter G'schichten sagen könnt': ›O! Ich war auch einmal ein verfluchter Kerl!‹« (»Einen Jux will er sich machen«)[86]; »Die Ehre ist ein Paradepferd im Zirkus des Lebens. Sie (den Angeredeten) hat es abgeworfen in den Sand der Niederträchtigkeit, darum sage ich, die Ehre ist meinerseits« (»Der Tod am Hochzeitstag«)[87]; »Die Ehre ist die feine Wäsche, in welche sich die Seele der Gebildeten kleidet, drum muß die Ehre auch fleißig gewaschen werden, das geht aber nicht mit Wasser und Seife, nur mit dem Blute des Beleidigers wäscht man die Ehre rein« (»Das Haus der Temperamente«)[88].
Aus der hundert- und tausendfältigen Schar der Metaphern heben sich einige besonders emporragende Gipfel heraus, die von der geistigen Höhen- und Tiefenerforschung Nestroys bezwungen wurden: »Prozesse sind die Blumen, die am üppigsten auf den

Gräbern reicher Leute blühn« (»Die Anverwandetn«)[89]; »Der Zufall muß ein b'soffener Kutscher sein, wie der die Leut' z'samm'führt« (»Das Mädl aus der Vorstadt«)[90] – ›z(u)samm(en)führen‹ bedeutet in der Wiener Mundart auch ›überfahren‹ –. »Meine Geduld setzt den Hut auf und ich seh's völlig nach dem Stock greifen, sie geht aus« (»Der Unbedeutende«)[91]. Und endlich die Perle aller Perlen, das Gespräch zwischen Frau von Cypressenburg und Titus Feuerfuchs aus dem »Talisman«[92]: »Ist sein Vater auch Jäger? – Nein, er betreibt ein stilles, abgeschiedenes Geschäft, bei dem die Ruhe das einzige Geschäft ist, er liegt von höherer Macht gefesselt, und doch ist er frei und unabhängig, denn er ist Verweser seiner selbst ... er ist tot.« Kaum minder gehältig und gedankenschwer ist der wie ein früheres Schreckensbild an Breughel und auch an Hieronymus Bosch gemahnende Albtraum des »Zerrissenen«[93]: »Visionen – das sind Phantasiegespinste, in den Hohlgängen des Gehirns erzeugt, die manchmal heraustreten aus uns, sich krampusartig aufstellen auf dem Niklo-Markt der Einsamkeit – erlosch'ne Augen rollen, leblose Zähne fletschen und mit drohender Knochenhand aufreiben zu modrigen Grabesohrfeigen.« Fast reut es, vor derartigen Zeugnissen einer wahrhaft dichterischen Phantasie die, trotzdem unbestreitbare, Tatsache festgestellt zu haben, daß der große Schriftsteller, der gewaltige Wortkünstler wesenhaft kein Poet gewesen ist. Es sind eben der Schwung seiner Schauungskraft und die sprachliche Begnadung, die ihm zuweilen lyrische Empfindungen, schaurige oder holde Bilder ablocken; merkwürdigerweise fast nur, und darauf wird noch zurückzukommen sein, im Zusammenhang mit Grübeleien über Tod und Jenseits. Etwa noch in dieser wehmütig-schön über die Wüstenei des traurigen irdischen Alltags dahinschwebenden Fata Morgana: »Das Reizendste is das, wenn von zwei Liebenden eines früher stirbt und erscheint dem andern als Geist. Ich kann mich in das hineindenken, wenn sie so dasitzet in einer Blumennacht am Gartenfenster, die Tränenperlen vom Mondstrahl überspiegelt, und es wurd' hinter der Hollunderstauden immer weißer und weißer und das Weiße wär' ich – gänzlich Geist, kein Stückerl Körper, aber dennoch anstandshalber das Leintuch der Ewigkeit über'n Kopf – ich strecket die Arme nach ihr aus, zeiget nach oben auf ein' Stern, Gotigkeit (das heißt) ›dort werden wir vereinigt‹ – sie kriegt a Schneid auf das Himmelsrendezvous, hast es nit g'sehn, streift sie die irdischen

Bande ab, und wir verschwebeten, verschmelzeten und verschwingeten uns ins Remonblaue des Nachthimmels – ach ja, das kann sehr schön sein.« Doch schon hat den poetischen Schwärmer Nestroy die Erde wieder: »aber ich bin zu wenig Geist dazu, um den wahren Genuß herauszufinden und extra deßtweg'n a Geist werd'n, da laßt sich der Zehnte nicht darauf ein« (»Mein Freund«)[94]. Jetzt aber sind statt der himmlischen Freuden seliger Liebender höllische Dämone zu erblicken. »Wenn der Körper in die Federn verschlieft und die Seel' merkt, daß sie jetzt frei is auf a paar Stund, so gabelt s' wo a paar Traumbilder auf und flankiert mit ihnen auf die Phantasiekirtäg' herum, da gibt's dann oft ein' Tanz, gegen den Blocksbergredout' und wilde Jagd noch etikette-steife Hofbäll' sind« (»Lady und Schneider«)[95]. Im Zauberreich von Nestroys Dichtung ist die wilde Jagd der Gedanken dennoch vom Willen des Autors zum geregelten Tanz gezwungen worden; ein mächtiger Verstand hat die Sturzbäche der Ideen und der Bilder bezähmt, ohne daß sie dadurch ihrer Kraft beraubt worden wären. Und das bedeutet so viel, daß darüber jeder Einwand verblaßt, den etwa mißgünstige Kritiker, Sprachreiniger gegen die durch den österreichischen Dialekt und durch die Epoche bedingten Besonderheiten einer dennoch ihrer sicheren Sprache erheben könnten. Vor deren Barockpracht entsinnen wir uns dankbar und freudig der drei Schutzgeister, die segnend über sie gewacht haben: der Hierarchie – des Bewußtseins von der Verschiedenwertigkeit der Anlässe, der Begriffe und der Ausdrucksmittel, denen ein Schriftsteller genugtun muß –; der Zucht – der Sprache und der Gedanken – und der Verantwortlichkeit – gegenüber sich selbst und gegenüber den anderen, zu denen der Künstler vermöge seiner höheren Gaben als Autorität redet –. Diese schirmenden Mächte haben das Dämonische bei Nestroy im Zaum gehalten. Sein inneres Feuer wärmt, doch es versengt nicht seine Schöpfungen.

Er sagt, was er will, und er will, was er sagt. Dadurch beglaubigt sich der Wiener Satiriker als einer der wenigen gewaltigen Magier des Worts. »Er ist der erste deutsche Satiriker, in dem sich die Sprache Gedanken macht über die Dinge.« Gedankengänge, in denen »die Tat wortspielend sich den Ernst des Lebens harmlos macht, um ihm desto besser beizukommen« (Karl Kraus). Deutsch sind an Nestroy Tiefe und Mannigfalt, lateinisch seine

Klarheit und seine Eindeutigkeit, die weit mehr zu seinen eigentlichen Wesenszügen gehörten, als seine bewieherte oder mit strafendem Anzeigefinger getadelte Zweideutigkeit. Slawisch dünkt uns, obwohl ihm selbst völlig unbewußt, die Geschmeidigkeit seines Eiertanzes zwischen dem Basiliskenei der stets drohenden Rache verletzter Publikumseitelkeit und der nährenden Schutzhülle aufkeimender neuer Ideen. Österreichisch aber sind der Geschmack, das feine Taktgefühl, das jederzeit richtige Sich-Verhalten bei allen sprachlichen Anlässen. Die wienerische Scheu vor dem Getäuschtwerden hat dem Dichter das fruchtbare Mißtrauen gegenüber dem Wort eingeflößt. Auch wenn er Gedanken niederschrieb, sie drucken ließ oder auf der Bühne heraussprudelte, wollte er wie sein getreustes Ebenbild auf dem Theater, »der alte Mann mit der jungen Frau«, lieber für einen alten Sünder gehalten werden als für einen alten Esel[96]. So zog er denn einen Schleier nach dem andern von den Einsichten, die sich ihm von der erhabensten bis zur niedrigsten erschlossen hatten. Die glitzernden, faszinierenden Sprachkleider fielen. Bald bot sich Weisheit, bald ein entlarvtes Nichts dar. Nestroys Stil ist Enthüllung; er offenbart Geheimnisse der Gruppenseele, oder sollen wir gar den Volksgeist heraufbeschwören? Enthüllung ist dieser Stil, denn er verstattet uns Einschau in den seelischen Bereich seines Schöpfers, soweit eben innere Vorgänge den Mitmenschen durch sprachliche Mittel kundgetan werden können. Eine tödliche Waffe ist dieser Stil, denn er durchdringt spitz und scharf, unbeirrbar und unerbittlich alle Schutzmauern. Sein unabwendbares Geschoß aber ist der Witz.

NEUNTES KAPITEL

Nestroys Witz! Ja, da müssen wir uns zuerst darüber befragen, was unter Witz zu verstehen ist. Die Antwort darauf ist keineswegs so leicht, wie das alle die unzähligen Messieurs Jourdain dünken mag, die täglich Prosa erzeugen, ohne es zu wissen. Der französische Gelehrte Elie Aubouin hat in seinem zweibändigen Werk über das Komische Dutzende von Definitionen des Witzes zitiert und sie der Reihe nach ohne Rücksicht auf sehr große Namen – wie Freud, Bergson, Höffding, Lipps, Sully – erbarmungslos kritisiert. Bei sämtlichen Umschreibungen dieses so umstrittenen Begriffs erinnert man sich der Anekdote vom Schofar, dem sonderbaren Instrument, auf dem am Versöhnungstag in der Synagoge geblasen wird. Ausgerechnet bei der Feier dieses ernsten Festes sind unter den Tempelbesuchern ein Streit samt folgender Rauferei ausgebrochen – wir befinden uns im Vorkriegsösterreich –, und der Richter möchte von einem der Beteiligten wissen, zu welchem Zeitpunkt der Konflikt begonnen habe. »Nu«, sagt der Zeuge, »as ma geblosen hat den Schofar.« »Was ist denn das, der Schofar?« erkundigt sich der in jüdischen Dingen wenig bewanderte Vertreter der Themis. »A Schofar, a Schofar... a Schofar ist a Trompett.« »Ja, warum haben Sie denn das nicht gleich gesagt?« »Nu, *is* a Schofar a Trompett?«

Das Wort ›Witz‹ ist uralt-gemein-indoeuropäisch und auch den germanischen Sprachen gemeinsam. Englisch *wit* deckt sich mit der deutschen Bedeutung Witz. In seinem heutigen Sinn verleugnet der Witz nicht die erlauchte Abkunft vom Wissen und die Verwandtschaft mit der Weisheit, also mit den Worten, die ein Innewerden der Welt und darauf gestützt ein richtiges Verhalten in ihr bezeichnen. Dieses aber dient dazu, sich im Kampf ums Dasein zu behaupten. Besitzt jemand zwar das Wissen, den Witz, nicht aber die Fähigkeit, davon im passenden Augenblick Gebrauch zu machen, vor allem wenn er zu vorschnell handelt, dann spricht man von Fürwitz; verirrt sich das Wissen, dann ist derlei Aberwitz. Noch bis vor weniger als zwei Jahrhunderten hat Witz seine Bedeutung als Verstand behalten. Damals hat zum Beispiel »ein

Frauenzimmer von Witz« durch eine Annonce in der »Vossischen Zeitung« einen Mann gesucht. Sie hat damit nicht etwa versprechen wollen, ihr Gatte werde in ihren Armen viel zu lachen haben; wir fürchten eher, der werde als Gemahl eines übergescheiten Blaustrumpfs nichts zu lachen gehabt haben.

Seit geraumer Zeit aber, mindestens seit der Mitte des vorigen Jahrhunderts, hat sich der Sinn des Wortes Witz eindeutig in doppelter Hinsicht herauskristallisiert. Er bezeichnet erstens objektiv die Begabung, unbekannte oder ungewohnte Widersprüche oder Zusammenhänge zwischen Ideen, Sachverhalten oder Handlungen aufzudecken und dadurch die herrschenden Ansichten, die obwaltenden Zustände, die Gemeinschaften, Gruppen, Individuen lächerlich zu machen. In diesem Sinne können wir vom Witz der Antike, der Franzosen, der Gassenbuben, der mittelalterlichen Misterien, Nestroys reden. Französische Entsprechung dieses Witzes ist der Esprit. In der Regel hat man jedoch bei Deutschen die zweite Bedeutung, den Witz im subjektiven Sinne, vor Augen, das einzelne Witzwort, das aus mehreren Sätzen bestehen kann, und dessen französisches Gegenstück *le mot d'esprit, le bon mot, l'ana* lautet. In den romanischen Sprachen finden sich überall mehrere Ausdrücke für diesen Begriff. Das Englische hat heute nur noch die objektive Bedeutung des *wit* festgehalten; für die subjektive wird *witticism* gebraucht. In manchen slawischen Idiomen ist die Doppelbedeutung eines und desselben Worts für objektiven und subjektiven Witz auch jetzt vorhanden; so im Polnischen *dowcip*, wo allerdings für die zweite Bedeutung das Wort *kawal* literaturfähig geworden ist.

Nunmehr obliegt es uns, den Begriff des Witzes in seiner gegenwärtigen deutschen Geltung vom übergeordneten Begriff des Komischen abzugrenzen, vom Humor, dann von zwei Vorstufen, dem Spaß und dem Scherz, und von der Anekdote. Gemeinsam ist denen allen, daß sie in kurzer knapper Form unterhalten möchten und daß sie erstreben, durch das Hervorheben eines oder höchstens weniger Leitmotive diese um so kräftiger dem Zuhörer oder Leser einzuprägen. Die Anekdote wird oft auf einen heiteren Grundton gestimmt sein; sie weckt häufiger ein vergnügtes Lächeln als herzhaftes Lachen und sie vermag sogar völlig ernst zu sein. Jedenfalls sieht sie als Hauptaufgabe an, durch impressionistische Flecken zum richtigen Gesamtbild einer Person, einer Gesamtheit, einer

Ideenwelt beizutragen. Moralische Nebenabsichten, Propaganda sind an sich keine Hauptzwecke der Anekdote und sie forscht nur selten nach verborgenen Abgründen.

Diesen Verzicht auf tiefere Einsichten und höhere Ziele teilt die Anekdote mit dem Scherz und mit dem Spaß, die von einander kaum säuberlich abzutrennen sind, es sei denn durch eine sprachliche Mainlinie. Dieses unedle Zwillingspaar hat nur einen Daseinszweck: das Lachen zu wecken. Zumeist geschieht dies ohne irgendwelche Bedenken in der Wahl der Worte, ohne Rücksicht auf zartere Empfindungen, auf ästhetischen Reiz oder auf verfeinertes Denken. Plumpe Kalauer, Verhöhnung körperlicher Gebrechen, Koprolalisches und Exhibition der auf ihren einfachsten Kern reduzierten geschlechtlichen Begierden, gemeine Schimpfreden stehen am Beginn der vom Hanswurst aus dem Stegreif dargebotenen Spässe. Allmählich wird die äußere Form gesitteter; doch die Oberflächlichkeit, die Plattheit sind unverändert, auch und zumal wenn Scherz und Spaß sogar für höhere Töchter der Plüschzeit anhörbar und lesenswürdig werden. Doch der Witz . . .

Sein Ausgangspunkt ist auch nicht gerade edel. Er wurzelt erstens in der Überzeugung, daß ich und mein Über-Ich – die Gruppe, die Gemeinschaft, der ich angehöre – schön, klug und stark sind, von den Göttern geliebt und daß wir infolgedessen als Maßstab für das Urteil über andere gelten sollen. Je mehr diese von uns abweichen, desto häßlicher, dümmer, schwächer, teuflischer sind sie. Uns gebührt, wenn nicht die Alleingewalt, wie das den Frühmenschen selbstverständlich war, so doch die Vorherrschaft über die Minderwertigen. Zwischen uns und ihnen kommt es oft zum Kampf, erst nur zum physischen, später außerdem zum geistigen. Dabei können wir siegen oder verlieren. Das heißt wir können, wenn es mit rechten Dingen zugeht, nur siegen. Geschieht das, so haben wir dem Schaden noch den Spott hinzuzufügen, indem wir den Unterlegenen ihre Häßlichkeit, Dummheit, Schwäche – *ut supra* – in möglichst beißender Weise ins Gesicht schleudern, und wir haben daran eine vervielfachte Freude, wie der Gorilla, der sich nach Überwindung des Feindes mit den Vorderhänden auf die Brust trommelt und dazu ohrenbetäubend brüllt. Werden wir jedoch besiegt, was wir am eigenen Leib zu spüren bekommen, so bleiben wir uns dennoch dessen bewußt, daß wir eigentlich hätten siegen müssen; daß nur die finstersten

Machenschaften, Dolchstöße, Verrat uns um den Triumph betrogen haben. Möge sogar – und derartige Gedanken keimen nur in einer bereits raffinierten Kultur auf – eine Sache den Göttern gefallen haben, die besiegte gefällt trotzdem dem Cato. Wir sind nach wie vor die Schönen, Guten, Weisen, Kräftigen. Da wir indessen das nicht hinausschreien dürfen, ohne für uns peinliche Folgen heraufzubeschwören, trachten wir diese unbestreitbare Wahrheit zu trennen, sie in eine – den Kundigen sofort durchschaubare – Hülle einzuwickeln.

Auf die eben geschilderte Weise sind die beiden Formen des Witzes, die des aggressiven und des abweisenden oder auch die des offen herausfordernden und die des versteckten, die des Witzes der Mächtigen und die des Witzes der Unterdrückten entstanden und zu erklären. Was nun den Witz von den aus den gleichen Quellen fließenden Scherzen unterscheidet, das ist der geistige Gehalt, den er besitzt und der ihn, anders als den harmlos gewordenen, obzwar aus roheren Anfängen erwachsenen, Spaß zu einer gefährlichen Waffe stempelt. Schlagfertig in großer Schnelle mitten ins Ziel treffend, ist er für sein Opfer, dem Pfeile gleich, ein Bringer bitterer Schmerzen. Man begreift, daß vom Standort einer milden christlichen Moral aus Bossuet ein Wehe über die Lacher ausrief, die der Witz für sich erobert, und daß Lamennais dieses Lachen als eines der Abbilde des Bösen verdammte. Man begreift diese Haltung, doch man muß sie bei weitem nicht nachahmen.

Denn aus einer grausamen Qual, die der Starke dem Schwachen in sadistischer Wollust zufügt, oder aus einem zwecklos-törichten Selbstbetrug des Unterlegenen ist der Witz im Lauf der Zeiten zu einem Werkzeug der ausgleichenden Gerechtigkeit, zu einem gesellschaftskritischen Faktor von um so schwererem Gewicht geworden, je leichter dieses Geschoß seine geistige Bahn durchmißt. Der Genuß, den ein Witz denen bereitet, an die er sich wendet, wirbt für das Urteil und für die These, die er birgt. Aus seiner sprachlichen Form leuchten das richtige und das rasche Erfassen der ihm zugrundliegenden Substanz hervor. Darauf beruht der Ersparungsreiz, den Freud als eine der wesentlichen Eigenschaften des Witzes hervorhebt. Der Zeitgewinn beim Verarbeiten einer geistigen Aufgabe beschert uns ähnliche Lustgefühle wie die dahinflitzende Fahrt auf der Autobahn. Und so wie dieses Vergnügen noch dadurch gesteigert wird, daß wir die anderen Wagen und

Herr Nestroi als Bedienter Heak, Dl. Diden als Genovefa, und Hr. Tschischnig als
Affe in der Posse, der Affe und der Bräutigam.
Knecht zum Affen steh weiland heiligen Sie unsern Bund.

Der Talisman, Posse von Nestroy.
Spiend: Was für eine Perücke! Titus: Diese hier!

Wien im Bureau der Theaterztg. Praternstrasse N° 923.

deren weniger gewandte Fahrer hinter uns lassen – der Mensch ist eben immer zum Kampf bereit und zum Sieg gewillt, nicht ohne den steten Zusatz von Überheblichkeit und Schadenfreude –, so erhöht sich beim Witz die Lust, wenn wir vorher Unlust empfunden und hernach sie überwunden haben. Das warme Zimmer, das heiße Bad wirkt doppelt wohl, wenn wir aus der Kälte kommen, und die Sonne strahlt nie so schön wie nach einer Reihe von trüben, regnerischen Tagen.

Setzen wir also, indem wir uns der Ausgangsposition dieses Kapitels entsinnen, zwei oder mehrere voneinander verschiedene Dinge, Ereignisse, Zustände nebeneinander, widereinander. Es scheint, als wären sie nicht miteinander vereinbar. Fast hoffnungslos mutet uns das Begehren an, da einen Ausgleich, eine Verbindung zu schaffen. Der Witz meldet sich; und plötzlich, jäh wird das Unvorstellbare Wahrheit. Die Verbindung ist hergestellt, und zugleich obsiegt der kühne Entdecker der ungeahnten Zusammenhänge über eine ihm widrige Idee, Einrichtung, Gemeinschaft oder Person. Voltaire hat das – klarer und überzeugender als die deutschen Ästhetiker, Philosophen und Psychologen von Jean Paul, der dazu gar Gescheites beigesteuert hat, über Lipps zu Freud – in einem unveraltenden Artikel der »Encyclopédie« dargelegt. Der Esprit ist gemäß dem Weisen von Ferney: »Bald ein neuer Vergleich, bald eine feine Anspielung; hier der Mißbrauch eines Wortes, das man in einem Sinn gebraucht und in einem andern Sinn ahnen läßt; dort eine zarte Beziehung zwischen zwei ungewöhnlichen Ideen; eine absonderliche Metapher; die Suche nach dem, was ein Gegenstand anfangs nicht zu enthalten scheint, das er in Wirklichkeit dennoch birgt; die Kunst, zwei entlegene Dinge zu trennen, um sie einander entgegenzustellen; die Kunst, seine Gedanken nur halb zu sagen, um sie hernach erraten zu lassen.« Das ist d e r Witz, und so muß e i n Witz beschaffen sein, soll er diesen Namen verdienen.

Wurzelt der Witz im Machtkomplex, in der Überzeugung von der eigenen Vollkommenheit und von der Minderwertigkeit des Andersgearteten, stimmt er also mit der Psychoanalyse der Adlerschen Richtung überein, so darf die Definition der Freudschen Urlehre, vom erotischen Charakter der ins Unterbewußtsein verdrängten Komplexe und von ihrer Befreiung durch den Witz, nicht zu kurz kommen. In der sich steigernden Spannung und Entspannung erlebt der Gebende, Befruchtende als erster die Seligkeit des schöpferischen Vollbringens, und das Publikum folgt ihm dann nach; worin nicht anders als bei der Begegnung von Mann und Weib mitunter ein unabwendbares tragisches Verhängnis liegen kann. Man mag beim Witz Analogien aus als niedrig oder aus für erhaben angesehenen Sphären des physischen Daseins erspüren, er schenkt ein Gefühl der Befreitheit, und das im Wort bewältigte Formen eines Gedankens beschert uns die Genugtuung, sich ›etwas von der Seele geredet‹ zu haben, wenn eine ›Last vom Herzen gefallen‹ ist.

Zu den Merkmalen des Witzes rechnen wir ferner das sehr wichtige Moment der Überraschung (Lipps), das nicht ohne weiteres mit dem des Unerwarteten, aus Voltaires Definition, gleichzusetzen ist. Dagegen hegen wir einige Zweifel, die der Respekt nicht auszutreiben vermag, in bezug auf die Rolle, die Kant dem Witz als Vernichtung einer Erwartung zuweist. Zwar bildet bei vielen ausgezeichneten Witzen eine getäuschte Erwartung den grausamen Kern, etwa in der Antwort, die Talleyrand dem armen Literaten erteilte, der um Erneuerung seiner ihm vom französischen Außenministerium gewährten Subvention mit dem Argument bat, er müsse doch (von etwas) leben: »Ich sehe dazu keine Notwendigkeit.« Doch viel zahlreicher sind die Witze, die niemandes Erwartung zerstören, wie dieser aus unserer Zeit: »Was ist der Unterschied zwischen Optimisten und Pessimisten?« – »Die einen lernen Russisch, die andern Chinesisch«, oder, frei von Politik, der boshafte Ausspruch eines Pariser Salonards aus der *Belle Époque* von 1900 über eine lange auf unvergänglicher Jugend und Schönheit posierende Dame: »Sie ist wie die Republik; wie schön schien sie uns zur Zeit des Kaiserreichs.« Überraschung, unerwarteter, auf dem Doppelsinn des Worts beruhender Witz? Gewiß, doch Vernichtung einer Erwartung . . .

Fassen wir nochmals das zusammen, was beim Witz zu beachten ist: Selbstgefühl, Geringschätzung des Andersartigen, Herausforderung zum Kampf, nach dem Sieg Stolz über die eigene Kraft und Hohn für den Unterlegenen, nach dem Mißerfolg Überzeugung, daß man dennoch hätte triumphieren müssen oder gar, daß man innerlich triumphiert hat, treffsichere Verkürzung der Distanz zum Gegner und daraus abgeleitet Ersparungsreiz, Aufdecken und Ausgleich unvereinbar dünkender Gegensäzte, beglückendes Spiel mit den Worten und mit ihrem mehrfachen und vor allem mit ihrem verborgenen Sinn, noch beglückendere Anspielung, die zur prickelnden Lust am Halbverdeckten und doch Erratbaren wird, Überraschung und endlich Entspannung nach angestauter Ansammlung zum Entladen drängender Kräfte. Haben wir das alles beisammen, so fehlt uns immer noch ein unvermißbares Element: das Komische.

Ein Witz soll Lachen wecken, er will durch Lachen wenn nicht töten, so doch verwunden und – sei es wie eine Impfung mit dem Zweck zu bessern, zu heilen – eine leichtere Krankheit hervorrufen, um ärgere zu verhüten.

Nicht alles, was komisch ist, ist ein Witz; doch jeder Witz muß komisch sein. Wiederum stehen wir einem Begriff gegenüber, der uns aalglatt, gallertartig dehnbar oder sich verengend entgleitet, sobald es ans haarscharfe Definieren geht. Selbst nach den spitzfindigsten, gründlichsten Deutungen, die ihm gewidmet worden sind, kommen wir kaum über diese Umschreibung hinaus: komisch ist das, was bei einer größeren menschlichen Gemeinschaft und bei deren einzelnen, normal veranlagten Mitgliedern Heiterkeit weckt, weil es von denen als Beweis der Unzulänglichkeit, der Ungeschicklichkeit oder der Minderwertigkeit der (des) Verlachten empfunden wird. Indem wir diesen Satz niederschreiben, haben wir bereits einbekannt, daß es nichts absolut Komisches gibt. Die Lachwirkung bleibt durch Zeit und Ort, durch die Sonderart der Gemeinschaft, der Gruppe der weltanschaulich miteinander Verbundenen bedingt. Was dem einen seine Eule, wird dem anderen seine Nachtigall sein. Forschen wir nach den Ursachen des Lachens, nach den Erregern des Komischen, so werden wir alle Motive wiederfinden, die wir beim Witz als einer der Ausdrucksformen des Komischen erörtert haben und dazu noch manches andere. So vor allem den von Bergson in den Vordergrund geschobenen Automatismus des Lebendigen und die Vermenschlichung des Tieres; fügen wir hinzu: die Vertierung der Menschen (obzwar diese sehr oft ins Tragische umschlägt).

Wir sagten, komisch sei das, worüber man lacht. Dem scheint zu widersprechen, daß Mitglieder einer Gemeinschaft entgegen der von uns vorgeschlagenen Definition über Dinge, Personen, Ereignisse lachen, sie also komisch finden, die nach den geltenden Anschauungen ebendieser Gesamtheit gar nicht komisch sind. Die legendäre Frau von Pollak der Wiener Anekdote, befragt, wie ihr die Aufführung von »Tristan und Isolde« an der Hofoper gefallen habe, erklärt: »Nu, me lacht«. Eine Schar von Provinzlern wird unter fachkundiger Leitung in eine Ausstellung moderner Malerei geführt, wo eine Anzahl höchst trauriger Sujets bildlich dargestellt sind, freilich im ultramodernen Stil. Zur Entrüstung des Cicerone brüllen die Vettern vom Lande vor Lachen. Der Widerspruch zu unserer Theorie ist nur scheinbar. Denn die millionenreiche Frau von Pollak ist zwar durch den Paß und die Heimatberechtigung den andern Österreichern verbunden; sie gehört aber nicht über alle Grenzen hinweg zur durch Fühlsamkeit miteinander verknüpften Gemeinschaft der Gebildeten. Die Museumsbesucher aus den Alpen hatten dieselbe Staatsbürgerschaft wie ihr Begleiter, nicht aber die gleiche Kunstgesinnung, das gleiche Kunstverständnis.

Keine Verwunderung wird es auslösen, daß Angehörige voneinander ganz verschiedener Nationen oder gar Kulturkreise über das lachen, was dem anderen gleichgültig oder sogar teuer und ehrwürdig ist. Ein polnischer Missionär war vor dem Zweiten Weltkrieg in einem chinesischen Priesterseminar zu Gast. Um sich für die freundliche Aufnahme dankbar zu zeigen, erzählte er den aufmerksam zuhörenden Söhnen des Reiches der Mitte allerlei über sein polnisches Vaterland. Gebeten, in seiner Muttersprache eine Dichtung zu rezitieren, begann er mit dem ersten Gesang von Mickiewiczs unsterblichem Nationalepos »Pan Tadeusz«. Er deklamierte mit Rührung und Schwung. Doch wie groß war seine Überraschung, seine Enttäuschung, als die sonst so höflichen und würdigen chinesischen Kleriker sich nicht mehr zurückhalten konnten und in minutenlanges schallendes Gelächter ausbrachen. Die ihnen unverständlichen, fremdartigen Verse voller Pathos waren für sie von überwältigender Komik! Ein Kongohäuptling besuchte in jener für ihn vermutlich guten alten Zeit, als Belgien noch das Traumland der ›Kolonie‹ war, Brüssel. Man zeigte ihm dort eine Musterschule. Beim Eintreten der exotischen Persönlichkeit und der ihn begleitenden belgischen hohen Beamten des Unterrichtsministeriums standen die Kinder selbstverständlich auf. Der Kongolese schüttelte sich vor Lachen und wiederholte nur aus seinem bescheidenem Sprachschatz: »Bonne blague«, guter Spaß. In Schwarzafrika nämlich setzte man sich zum Zeichen der Ehrerbietung sofort auf den Boden nieder, sowie eine Koryphäe – König,

Gouverneur, Administrateur, Missionär – den Raum betrat. Daß die studierende Jugend sich angesichts der illustren Besucher von den Bänken erhob, faßte der Häuptling als Scherz auf.

Schließlich: komisch wirkt nur das, was keine tiefsitzenden Vorstellungen – im Freudschen Sprachgebrauch: Tabus – verletzt. Wenn Freud bemerkt, Heines Witze über den christlichen Glauben hätten vor einer Versammlung christlicher Geistlicher keinen Beifall geerntet, da Priester derlei Spott entgegenwirkenden Hemmungen nicht überwinden können, dann gehen wir einen Schritt weiter und stellen fest: Heines Worte vom Lieben Gott und von dessen Priester sind für religiöse Menschen überhaupt kein Witz, höchstens ein Versuch mit für sie ungeeigneten Mitteln, von ihrem Standpunkt aus eine Witzelei. Ähnlich verhält es sich mit den meisten Witzen, die vom sowjetischen »Krokodil« gegen Bourgeois, Imperialisten und Kapitalisten verzapft werden und die auf derlei Schandflecke der Menschheit keinen oder einen recht tristen Eindruck machen. Während umgekehrt die angeblich östlich vom Eisernen Vorhang ersonnenen Witze über die UdSSR und den Kommunismus bei deren Anhängern nichts als empörte Ablehnung und bestimmt kein Lachen wecken.

Erscheint uns der Witz als eine der wirkensmächtigsten Möglichkeiten des Komischen, daher als dessen Unterart, so erblicken wir im Humor den sanfteren, milderen, in vielem ähnlichen, in nicht wenigem anders beschaffenen Bruder des Witzes. Folgen wir ängstlichen, vor jeder Schärfe zurückscheuenden und vor allem um das Verständnis der breiten Massen bemühten Urteilen, dann bekommt der Humor, dem man so gern und so oft das schmückende Beiwort ›goldener‹ zuerkennt, einen Tugendpreis. Er tut niemand weh, er ist leicht begreifbar, er gewährt eitel Freude; er ist eine Gabe Gottes oder des Schicksals und der Natur; er ist voller Poesie und die wahre Poesie ist seiner voll. Er ist fortschrittlich und westdemokratisch. Der Witz hingegen, ätzend, böse, schamlos enthüllend, zynisch, den geistig und auch sonst minder Bemittelten schwer oder überhaupt nicht zugänglich, satanisch, ist wesenhaft aristokratisch oder (und) totalitär. Wobei die Aristokratie im platonischen Sinne als Auslese der Gebildetsten, Verfeinertsten, Klügsten aufzufassen wäre, und für die Diktaturen die grundlegende Einschränkung gilt, daß sich der Witz nur gegen Andersdenkende, von der General- oder Marschalls-, Führerlinie Abweichende kehren darf. Der Witz ist, wie man mit einiger Mühe einer choatischen, parteiorthodoxen kommunistischen Arbeit »Humor und Satire in der bürgerlichen Ästhetik« von Gertrud Baum entnehmen mag, einzig »gegen die historische Anmaßung der Bourgeoisie, gegen feindliche und schädliche Tendenzen statthaft«. Werden »subjektiv bedingte Schwierigkeiten beim Aufbau des Sozialismus« verspottet, darf »das Satirische in seiner Überspitzung nicht über den verlachten Gegenstand hinaus wirksam werden, da diese Erscheinungen für die Gesellschaft als solche nicht charakteristisch sind.« Andererseits läßt der große Denker und Wortkünstler Theodor Haecker in seinem »Dialog über die Satire« den Freund und Gegenspieler – beileibe nicht sich selbst, den wandelnden Gegenbeweis zu dieser These – sagen: »es kann nicht einer Christ sein und Satiriker zugleich ... Man kann nicht zweien Herren dienen, der Liebe und dem Haß.«

Der Humor jedoch! »Im Gegensatz zum Satirischen ist der Humor keine vernichtende, sondern eine aufbauende und helfende Kritik« (G. Baum). »Er triumphiert nicht, stellt nicht Widersacher einander gegenüber, nur den Menschen und diesen selbst. Er ist anmutig, bescheiden und mitfühlend, er ist wesenhaft sozial. Eine schöne Pflanze ohne Dornen« (Aubouin). Verzichten wir auf eine endlose Reihe von Lobsprüchen auf den Humor, die man in ungezählten deutschen und angelsächsischen Werken nachlesen kann und die von französischen Anglisten wie Cazamian und Escarpit mit besonders viel Esprit vorgeführt werden, und trachten wir lieber nach einer Definition, die hier weniger schwierig als beim Witz und minder grobkörnig als beim Komischen ausfallen wird. Humor ist ein Verhalten, das die Ideen, die Menschen, die Geschehnisse und die Dinge mit Heiterkeit betrachtet und ebenso heiter darstellt. Malt der Witz das alles, um einen zeitgenössischen Wiener Dichter zu zitieren, »mit einer schwarzen Tinte«, so tut ebendies der Humor in rosigen Farben. Ist der Witz cholerisch, so zeigt sich der Humor phlegmatisch, wie es seinem Namen entspricht (Lateinisch *humor* = Feuchtigkeit, Griechisch *phlegma* = Schleimfluß). Der Humor ist seinen Anlässen inhärent; der Witz schafft sich erst die Zusammenhänge oder vielmehr, er spürt sie auf, die dann – an sich gar nicht heiteren – Gegenständen den komischen Charkater verleihen. Der Humor ist gutmütig, tränenselig; er entschuldigt die Unzulänglichkeiten, die Schwächen, ja die Laster, die er verlacht, oder er nimmt sie wenigstens, unter dem äußeren Schein sie zu verurteilen, als Gegebenheiten in diesem irdischen Tal der Tränen hin. Es gibt freilich auch einen bösartigen Humor. Doch d e r ist nur Pose der Gutmütigkeit, und dahinter birgt sich eine besonders grausame Form des haßerfüllten Witzes wie bei den genialsten Vertretern dieses Genres, bei Swift und Wilhelm Busch, bei Gogol und Courteline.

Wenden wir uns zurück zum Allgemein-Komischen! Es kann im Gedanken, in der Idee und in deren Ausdruck, dem Wort, oder im Satz und in einer Reihe von Sätzen oder gar in einem ganzen Buch liegen. Es vermag durch ein Urteil, eine Theorie gegeben zu sein oder durch eine Situation, durch akustische oder optische Eindrücke, die, sei es auf unmittelbarer Wahrnehmung beruhen, sei es uns durch einen Schriftsteller, einen Komponisten oder von niemand beabsichtigt vorgegaukelt werden. Die Möglichkeiten sind mannigfaltig und zahlreich. Immer wieder müssen wir uns aber dessen bewußt bleiben, daß auch Komik kein absoluter Begriff ist, sondern daß sie von der Aufnahmelust, von der Aufnahmefähigkeit derer abhängt, an die sie herantritt. Bei den lateinischen Völkern, die ohne die leiseste blasphemische Absicht auch das ihnen Heilige in den Bereich der Anekdote und des Lustigen einbeziehen, ist dieses Histörchen wohlbekannt: der kleine Moritz wird von seinen Kameraden, die ihn bekehren wollen, eingeladen, der Messe beizuwohnen. Wie schön, wie erbaulich ist doch dieser Gottesdienst; zumal, wenn einer dieser Kameraden ministriert! Moritz, neugierig wie stets, erscheint pünktlich in der Kirche. Nachher befragen ihn die Eltern: »Nun, wie war es?« Moritz: »Ich versteh' das Ganze nicht. Es hat sich um ein kleines Käppchen gehandelt. Der Geistliche hat es aufgehabt, wie er gekommen ist. Dann ist ihm zu heiß geworden, und er hat es abgenommen. Mein Freund, der so artig ist, hat es auf ein Tischchen weggelegt. Dann ist dem Geistlichen aber wieder zu kalt geworden, und mein Kamerad hat ihm das Käppchen nochmals gebracht. Dann hat er es wieder weggetragen. Auf einmal hat sich der Geistliche, der ganz vertun (versunken) war und nicht auf die Leute geschaut hat, umgedreht und hat mit den Händen aufgeregt geredet und die Leute gefragt, wo denn sein Käppchen ist. Der Bub hat es offenbar nicht gewußt, ich habe es liegen gesehen, aber ich habe in der Kirche nicht laut reden wollen. Dann hat sich der Geistliche neuerlich umgewandt. Am Schluß aber hat mein Freund das Käppchen wiedergefunden, dem Geistlichen überreicht, und der war froh und ist gleich hinausgegangen. Das schöne Glas aber, aus dem er getrunken hat, das hat er krampfhaft festgehalten und mitgenommen, damit die Leute es nicht stehlen. War das komisch!«

Nicht anders sind unsere Empfindungen, wenn wir einer für Muselmanen höchst erbaulichen Tanzproduktion der Heulenden Derwische beiwohnen und den für uns sonderbaren Zeremonien des *Vaudou* zuschauen. Es ist durchaus wahrscheinlich, daß ein geeichter Sowjetmensch die Krönung des englischen Herrschers oder die Weihe des Tenno ebenso komisch findet wie wir manche Kreml-Riten. Nur auf der Basis einer in den Grundzügen gemeinsamen Gesellschaftsordnung ist Verständnis für das Komische – wie für jeden an die höchstpersönliche Gemütsverfassung appellierenden Begriff – denkbar. Nicht zu unterschätzen sind speziell die, allerdings durch die Gesellschaftsordnung und durch die Tradition eines Volkes, einer Gemeinschaft, einer Gruppe mitbedingten Verschiedenheiten in den sittlichen Hemmungen. Durch welche Unterschiede es sich erklärt, daß gewisse Unzulänglichkeiten oder unverschuldete Mängel einmal als sehr komisch verlacht, ein anderes Mal als bemitleidenswert bedauert und keineswegs als komisch betrachtet werden. Taubheit, Stottern, Dummheit wird bis in unsere Tage zum Gegenstand des Spottes. Ein betrogener Ehegatte, ein alternder Liebhaber, dem das geliebte Mädchen von einem jungen Rivalen weggeschnappt wird, ein weltfremder Gelehrter sind komisch wie eh und je. Der heutige Geschmack im Westen und im Osten vertrüge es nicht, über einen Blinden zu lachen, noch über einen Kranken, der sich in Schmerzen windet; beides war im Altertum und im Mittelalter der Brauch. Oder noch dies, was die Umgangssitten betrifft: La Bruyère kann im geistreichen Bildnis des Zerstreuten noch Heiterkeit damit wecken, daß jener den Hut auf den Fußboden wirft und auf das Bett spuckt, während es sich doch geziemt, den Hut aufs Bett zu werfen und auf den Fußboden zu spucken. »Senkrechte« Eidgenossen beschwerten sich während des ersten Weltkrieges beim damaligen Oberbefehlshaber der Schweizerischen Wehrmacht Wille darüber, daß Offiziere, fremde Unsitten nachahmend, Damen die Hand küßten. Worauf der ›urchige‹ General mit der Gegenfrage antwortete, ob es denn passender sei, wie üblich die Saaltöchter und andere Vertreterinnen des schönen Geschlechts in andere Körperteile als die Hände zu zwicken.

An die wesentliche Eigenart des Komischen, daß es von der Ansprechbarkeit – um den Modeausdruck zu gebrauchen – der Zuschauer, Leser, Hörer abhängt, ob etwas lächerlich wirkt, ist zu erinnern, wenn wir, nun unseren früheren Hinweis erfüllend, Bergsons These von der Rolle des Mechanischen, des Automatismus, der Vermenschlichung von Tier und Sache untersuchen. Gewiß wurde und wird dem französischen Kinopublikum das Zwerchfell erschüttert, wenn auf der Leinwand Offiziere und Soldaten schnurgerade ausgerichtet im Stechschritt vorbeidefilieren (was derzeit eher in der UdSSR und in manchen südamerikanischen Staaten zu sehen ist als in dessen Urheimat). Auch eine britische Wacheablösung mag ähnliche Wirkung an der Seine auslösen, während wiederum der Laufschritt der Alpini mindestens in Österreich des komischen Erfolgs sicher ist. Wenn Chaplin, Maschinenmensch unter Maschinenmenschen, im Film als menschliche Maschine automatische Gebärden vollführt, ist das jedermann erfassende Komik. Doch der Automatismus der die Beine hochwerfenden, starrblickenden Paradetruppen, die hampelmannartigen Evolutionen der *Life Guards* vor dem Buckingham-Palace oder gar die großartige Präzisionsmaschinerie einer Revue – und wäre es nur eine friderizianische auf der Leinwand – oder eines *Trooping the colours* oder eines Vorbeimarschs auf der Krasnaja Ploščad mutet die erbauten Zuschauer alles andere denn komisch an. Bei Primitiven wiederum ist die Vorstellung von der scharfen Grenze zwischen Mensch und Tier nicht so klar wie bei Kulturnationen. Sie werden nicht als komisch erachten, wenn Hunde aufrecht gehen, bekleidet sind, nicht einmal, wenn diese sprechen.

Und da knüpfen wir an eine junge Abart des Komischen an, von der Bergson nichts wußte und deren unbekannte erste Erfinder nicht immer mit theoretischen, philosophisch untermauerten Kenntnissen beschwert waren, an die surrealistischen und die sogenannten Narrengeschichten (histoires des fous). Ihre Komik leitet sich von einem vorgetäuschten Primitivismus des Denkens her, bei dem zum Beispiel Vermenschlichung der Tiere nicht weiter überrascht. In einem Kaffeehaus spielen vier miteinander Bridge, drei Männer und ein Hund. Ein Kiebitz, der erstmals in dieses Lokal kommt, weiß sich vor Erstaunen und vor Bewunderung für den Hund nicht zu fassen. »Hören Sie auf«, sagt das Herrerl, »der kann ja gar nix; er sagt falsch an und verpatzt jede zweite Partie.« Oder wiederum aus dem Kaffeehaus –, wir sind selbstverständlich in Wien – und wiederum sitzt ein Novize da. Es tritt ein Mann herein, läuft die Wand hinauf, quer über den Plafond, den Kopf nach unten, läßt sich an einem Tisch nieder und bestellt beim Kellner eine *Melange* (Wiener Kaffeespezialität). Alle im Kaffeehaus schütteln den Kopf, erregtes Geflüster, maßloses Staunen. Der Neuling wendet sich an den Nachbartisch: »Allerdings, unerhört. Auch ich komme aus der Überraschung und beinahe dem Entsetzen nicht heraus!« »Ja«, meint der Angesprochene, »kennen Sie ihn denn? Er hat doch immer einen *Kapuziner verkehrt* (eine andere Wiener Kaffeespezialität) genommen, warum jetzt auf einmal eine *Melange?*« Dazu vergleiche man als sehr authentisches Zeugnis primitiver Denkensart einen Bericht aus dem zweiten Weltkrieg. Amerikaner landen auf einer melanesischen Insel. Eingeborene, die noch nie einem Weißen begegnet waren, würdigen Flugzeug, Radio, Kinofilme, die ihnen von den US-Soldaten gezeigt werden, keines Blicks. Dagegen geraten sie in ebenso großes Erstaunen wie Entzücken, als sie weiße Hühner erblicken, denn bei ihnen gab es nur braune oder schwarze! Das Nebensächliche wird zum Ereignis, am Wesentlichen sieht man vorbei.

Ehe wir jetzt Komik, Humor und Witz bei Nestroy, den dritten vor allem, als dessen durch Wortkunst verewigtes Vermächtnis beschauen, gilt es noch in eine Domäne einzudringen, in der er mit nur wenigen Schriftstellern deutscher Zunge die Herrschaft teilte und teilt: mit Lichtenberg, dann später mit Wedekind, Karl Kraus und Theodor Haecker. Es ist das die Satire. Sie lebt vom Witz, doch nicht von ihm allein. Sie hat dem Komischen beigemengte, tragische Akzente; denn hinter ihr steckt, anders als beim bloßen Witz, die Hoffnung zu bessern, der Wunsch zu helfen, mag er auch aus edler Scham verhüllt oder gar geleugnet werden. Schiller hat das in der ihm eigenen, tief einfühlsamen Weise ausgedrückt, wenn er vom Satiriker behauptet, er »würde mit demselben Glück auch in den rührendsten und zärtlichsten Gedanken gedichtet haben, hätten ihn nicht die Erfahrungen eines

ausgearteten Zeitalters zum Satiriker gemacht«. Für die herzensguten Nestroy, Kraus und Haecker steht das jedenfalls fest. Der
gefürchtete Herausgeber der »Fackel« durfte mit Fug erklären:
»Die Satire ist fern aller Feindseligkeit und bedeutet ein Wohlwollen für eine ideale Gesamtheit, zu der sie nicht gegen, aber
durch die realen Einzelheiten durchdringt.« »Sie wählt, nimmt und
kennt keine Objekte. Sie entsteht so, daß sie vor ihnen flieht und
sie sich ihr aufdrängen.« Wenn sie namentlich echte Satire ist und
nicht eine kleinliche Rache aus Ressentiment, sondern am Vergleich des Seinsollens mit dem Sein sich entzündende Empörung.
Gerade deshalb aber und obzwar aus der reinsten Absicht, aus der
klügsten Ansicht quillt, entfesselt sie erbitterte Feindschaft der
Getroffenen. Sobald nämlich die, denen die Satire gilt, sich getroffen fühlen. Die Satire ist »ein ominöser Zauberstab, der die besten
Freund' in Feind' verwandelt – wenn einer nach dem andern
merkt, daß er bei die Satiren über sich gelacht hat, das bildet eine
Masse, die's einem bitter nachträgt« (Nestroy, »Mein Freund«)[97].
Zumal, wenn man ihr das vorträgt, wie der Autor von »Eine Wohnung ist zu vermieten« es empfindlich zu verspüren bekam.
Womit wir nach einem Spaziergang durch die graue Theorie beim
unvermindert grünenden heiteren Baum der Erkenntnisse über
Nestroys Witz angelangt sind. Diesem Witz fehlt keines der allgemeinen Merkmale seiner Gattung. Scharfe Beobachtung und
Treffsicherheit, ein untäuschbar durch jeden Schleier dringender
Blick vereinen sich zu einer Gesamtheit, der nicht zu widerstehen
ist. Schießt Nestroy seinem Gegner auch nicht immer ins Herz, so
verwundet er wenigstens dessen Achillesferse. Weder feierliche
und verbriefte noch erborgte Würde, weder geheuchelte Ehrbarkeit noch zur Schau getragenes erhabenes Gefühl, weder das Pathos des Freiheitskämpfens noch die patriarchalische Herablassung
der reaktionären Staatsstütze, niemand und nichts können den
strahlenden Verstand des unbestechlichen Richters betrügen. Nicht
einmal von sich selbst läßt er sich – o rühmliche Ausnahme! –
zum Narren halten.
An Nestroy können wir den Witz in allen seinen Stadien, in den
psychologischen Voraussetzungen und Hintergründen, in jederlei
Abart studieren. Spaß und Scherz, Kalauer ohne tiefere Bedeutung – des Witzes Vorstufen – begegnen uns in allen Stücken
des Wiener Satirikers, auch in den besten. Freilich sind sie in sei-

nen schwächsten am zahlreichsten. Da hält er sich an das Rezept, das böswillige oder verständnislose Kritiker und Literarhistoriker ihm als Leitmotiv seines gesamten Schaffens und als Selbstbekenntnis vorgeworfen haben: »G'fallen sollen meine Sachen, unterhalten, lachen sollen d'Leut und mir soll die G'schicht' a Geld tragen, daß ich auch lach', das ist der ganze Zweck. G'spaßige Sachen schreiben und damit nach dem Lorbeer trachten wollen, das is eine Mischung von Dummheit und Arroganz, das is grad so, als wie wenn einer Zwetschgenkrampus macht und gibt sich für einen Rivalen von Canova aus« (»Weder Lorbeerbaum noch Bettelstab«)[98]. Allerdings mußte sich Nestroy anfangs manche Opfer seines scharfen Intellekts auferlegen, um beim Erregen der Heiterkeit seines Publikums dessen, sagen wir, seelischen Bedürfnissen zu genügen. Denn die sahen derart aus: »Ein G'spaß soll niemals witzig sein, sondern so sentimental gutmütig, daß man mit'n halbeten G'sicht lachen und mit der anderen Hälfte weinen kann«[99].

Spaß und Scherz, die den »biedersinnigen, gemütlichen Menschen« entzücken, den der Dichter Leicht, in diesem Fall Sprachrohr Nestroys, schlicht »einen dummen Menschen im höchsten Grad« heißt[100], das findet sich reichlich in den Jugendwerken seit dem »Zettelträger Papp«, und es kehrt in Erfolgstücken wie »Eulenspiegel« oder »Der Affe und der Bräutigam«, in »Moppels Abenteuer« und bis zuletzt in den Parodien auf »Tannhäuser« und »Lohengrin« wieder; mitten in einer langen Blütezeit aus makelloser Sprachmeisterschaft und aus schärfstem Denken schöpfenden Witzes. Die dabei sich bekundende Zungenfertigkeit des Schauspielers Nestroy in allen Ehren, ist die gesamte Rolle des Tratschmiedl in »Tritschtratsch« eine Orgie des höheren Blödsinns, zu Wienerisch: des wüsten Geblödels, und die Schilderung Zampas von seiner Flucht aus der Haft ist von der gleichen Qualität: »Ich hatte einen Pintsch, der wirklich mehr mein Freund als mein Pintsch war, dieser Pintsch schlich zu mir, als eben der Gefangenenwärter einen Pantsch von Mittagmahl brachte. Während ich den Pantsch verzehrte, überlegte ich den Plan mit dem Pintsch. Ich streifte meine Ketten ab und gab sie dem Pintsch, ich zog meine Kleider aus und bekleidete damit den Pintsch, ich setzte auf den Stein, an welchen ich gefesselt war, den Pintsch, warf mich in die Kleidung des Pintsch – seine ganze Kleidung bestand aus einem Halsband, welches mir besser ließ als dem Pintsch. – Es währte nicht lange, so holte der Gefangenenwärter das Geschirr von dem Pantsch; was sich nicht rührte, das war mein Pintsch – ich kroch auf allen vieren zur Türe hinaus, die Wächter hielten mich für den Pintsch, sie warfen mir ein Bein zu, welches die deutlichsten Spuren eines Karbonadels an sich trug – ich schnappte danach, lief davon und entkam so glücklich als Pintsch. Der Gefangenenwärter merkte nichts von dem Pantsch und statt mir sitzt nun mein Pintsch« (»Zampa«)[101]. Nicht erlesener als dieses Capriccio um Pantsch und Pintsch sind manche Scherze aus der »Tannhäuser«-Parodie; an den Haaren herbeigezogene Verse wie »so fand ich dich und ward dein treuer Schäfer, o Venus – du bist ein famoser Käfer«; »Es grünten der Wald und die Saaten ... sie wünschte heuzuraten«; »Kein Mensch auf Erden ist wie ich so froh heut', leb wohl, du Engel, königliche Hoheit«; »Mein verehrter Onkel ... die Augen sind so donkel« und als Prunkstück »Dieses ist der Fluch der Venus, o, die Rache ist ein Genuß.« Wozu sich dann Späße gesellen, die im Bereich der Sprache von ähnlich primitiver Komik sind wie als Scherz der Gebärde und der Situation: Stolpern, Hinfallen, Ohrfeigen. »Was hören meine Augen?«; »Hier liegt ein Rittersmann spazieren«; »Das Schlachtroß klingt und die Trompeten steigen«[102]. In diesen Zusammenhang gehören Verwechslungen, Mißverständnisse, Überraschungen und Verkleidungen, von denen der Autor keinen Moment lang erwartet, daß sie uns glaubhaft dünken. Sie sollen eben nur Spaß machen. Weinberl und Zangler miteinander zu verwechseln, weil der eine die Schützenuniform des andern angezogen hat (»Einen Jux will er sich machen«)[103], das wäre keinem zehnjährigen Kind wirklich zuzutrauen. Einen Menschen, der wie die »Beiden Nachtwandler« ein Paar vermummter Sonderlinge für Geister hält, treffen wir außerhalb des Theaters nur in Irrenhäusern. Wir haben uns zu bequemen, bei den konventionellen Spielen der Bühnenkomik mitzumachen, als nähmen wir das alles ernst, das heißt lustig. Im Grunde fügten sich ja auch der äußere Gegensatz zwischen der Physis des langen Nestroy und der des kugelrunden Scholz, die Maschinengewehr-Zungenschnelligkeit des ersten dieser beiden ebenso in die Domäne des Scherzes und Spaßes zweiter Ordnung ein wie die altbewährten Lachmittel: fremde Akzente der Nichtsprachdeutschen, ausländische Sprachbrocken der

Österreicher, die Verwendung der seit dem Altertum her die Komödie stützenden Groteskgestalten: männersüchtige Alte, junge Kokette, betrügerischer Wirt, stehlende Bediente, großmäulige Feiglinge, die in stereotypen, marionettenhaften Umrissen erscheinen.

Nestroy versteht es jedoch auch (und das ist bereits eine seiner großen Gaben), Kalauer, Scherz und Possenunsinn zu adeln, sie zu durchgeistigen. »Wie alt sind Sie«, fragt Kappenstiefel einen verlängerten Backfisch (»Nagerl und Handschuh«)[104]. »Siebzehn Jahre.« Kappenstiefel blickt neben der Antwortenden zur Erde. Die Dame: »Suchen Euer Gnaden etwas?« »Ich hab' geglaubt, es sind Ihnen ein paar Jahrln entfallen.« Schmafu späht im »Konfusen Zauberer«[105] nach einer Schlummernden umher: »Ich bin herabgestiegen in den Abgrund dieser Höhle, jeder Mensch wird jetzt glauben, sie schlaft hier, denn der Schlaf wäre ja tief genug, aber nein, sie schlaft noch tiefer.« Und er steigt weiter hinab in den Schlund. Endlich dieser köstliche Einfall, der das Sprachbild verhöhnt und doch nur ein Kalauer ist: »Ja, ich hab' einen offenen Kopf (gähnt).« »Die Verbannung aus dem Zauberreich« zeigt einen alten Magier, der über seinen ungeratenen Sohn in Ohnmacht fällt und dem man »Geister eingeben soll«, was im wörtlichsten Sinne geschieht: auf der Bühne wird ein als Lebensgeist gekleidetes Theaterkind dem Zauberer Pumpf mit einem Riesenlöffel in den Mund eingeflößt. Nestroy ahnt nicht, daß er damit an die vitalistische Lehre rührt; das Beste seiner Scherzworte stammt aus dem Reich des Unterbewußtseins.

Bewußt und alles eher denn naiv ist die Kontrastkomik der Späße, die den Widerspruch von Gehaben und Gesinnung entlarven; wobei eine Bühnenfigur ihre Unfähigkeit zur Anpassung an die ihr im Stück gestellte Aufgabe erweist. Eine böse Sieben rühmt ihren Sanftmut und prügelt ihren Pantoffelhelden. Ein junger Europäer freut sich über den liebenswürdigen Empfang durch Polynesier, und diese beraten gerade, wie sie den Weißen, (der nebenbei der noch unerkannte Sohn ihres Häuptlings ist), aufs schmackhafteste braten werden. Ein fauler Rentner will sich an seinem Geburtstag so recht von seinem Nichtstun erholen und ›nur Ruhe‹ haben; und schon bringt ihm der Zufall ungebetenen und sehr unerwünschten Besuch ins Haus, seine Ruh ist hin, sein Herz – oder was sonst an dessen Stelle im wohlgenährten Körper vorhanden sein mag — ist schwer, und erst nach unwahrscheinlichen Verwicklungen findet es die Ruhe wieder[106]. »Sie herrliches Weib wollten meine Gläubiger befriedigen, oh, jetzt erst sind mir meine Schulden heilig, um keinen Preis möcht' ich sie tilgen!« (»Der Tod am Hochzeitstag«)[107] schwätzt der englische Reiter Siegwart Point d'Honneur darauf los. Die Zuhörer lachen und sie empfinden höchstens den Schwulst, also eines der gewöhnlichsten, treffsichersten Stilmittel, das am falschen Ort stets von richtiger Wirkung ist. Sehen wir indessen genauer hin, dann erschauen wir eine prächtige Satire auf einen nie aussterbenden Schmarotzertyp, den Gigolo mit Zicken und Zacken, den ›Kavalier mit Strupfen‹. Auch dies ist nicht so verblödet, wie es den Anschein hat: »Ich bezahle gar keinen Zins.« »Gar nichts? Halbjährig oder vierteljährig?« »Täglich.« »Macht doch was aus in ein' Jahr« (»Der gefühlvolle Kerkermeister«)[108], womit man die neuesten Forschungen über optische Täuschungen vergleiche. Oder ein untröstlicher Witwer klagt im »Konfusen Zauberer«[109]: »Der Schall dieser Glocke erinnert mich an das Feuer ihrer Augen, dieser Teppich erinnert mich an den Ton ihrer Stimme, dieser Sessel an ihre Liebenswürdigkeit.« Und wir haben vor uns ein Schulbeispiel dafür, wie sich Verlogenheit in der Unwahrhaftigkeit des sprachlichen Ausdrucks widerspiegelt. Sehr ergötzlich sind die Späße, die auf dem Kontrast zwischen dem Ausdruck und der Handlung, der Tatsache, der Idee beruhen, die geschildert oder mitgeteilt werden sollen. Hier liegt der Widerspruch nicht in den Worten selbst, und das Hinreißende mancher dieser Scherze erklärt sich daraus, daß die Worte sich gleichsam im leeren Raum fortbewegen, ohne daß ihnen die Begriffe gegenüberträten, deren wahrnehmbare Entsprechung sie sind. Zampa erzählt vom Ätna, der habe »das Sodbrennen, das beständige Tag und Nacht unter freiem Himmel Stehn tut ihm im Magen nicht gut«[110]. Das ist durchaus logisch, solange man nur die Sprache beachtet und dabei die Kleinigkeit vergißt, daß Vulkan und Mensch nicht dasselbe sind, obzwar beide stehen und speien. Willibald schnattert darauf los (»Die Schlimmen Buben in der Schule«)[111]: »Der Mond ist von Geschöpfen bewohnt . . . denn im Mond werden auch Häuser gebaut. Die Meteorsteine nämlich sind nichts anders als Lunar-Ziegeln, welche uns unvorsichtige Mond-Maurer auf d'Nasen fallen lassen.« Warum denn nicht? Wir hören von Mondkälbern; wo Kälber sind, dürfen Menschen nicht fehlen, und wo Menschen sind, kann es Maurer geben. Von da bis zur Vermutung eines lunaren Ursprungs der Meteore ist nur ein Schritt wie vom Erhabenen zum Lächerlichen, von der Wissenschaft zum Volksaberglauben. Kontrastkomik bringen ferner in harmlosen Späßen falsche oder echte Zitate im Munde von Leuten, denen die Bildung schlecht zu Gesicht steht: das Urwienerisch der Geister und Feen, der Exoten und der grauen Vorzeitler, die wilden Hybriden aus hohem und niederem Stil, die Verschränkungen zweier voneinander verschiedener prätentiöser, doch hohler Redensarten und regelmäßig wiederkehrende Phrasen.

Unter dem sonstigen Niveau Nestroyscher Späße sind die grobkörnigen Verwechslungen, über die sich die Zuhörer so oft belustigten, etwa die Anwendung bekannter französischer Fremdworte mit dem Beisatz »das ist englisch und heißt auf türkisch.« Da regt sich der Machtkomplex, das Bewußtsein der eigenen Vollkommenheit und Überlegenheit des Halb- oder Viertelgebildeten; denn er weiß es ja besser, als die dort auf der Bühne; wie Staberl weiß er eben alles! Gar nichts, es sei denn das Vergnügen am Unsinn, regt sich aber, wenn im »Tannhäuser« das »Lied an den Abendstern« parodiert wird: »Guter Mond, du goldner Zwiebel, ach dich seh' ich äußerst gern. Doch auch du bist gar nicht übel, hochgeehrter Abendstern[112].«

Viele Scherze nähern sich ob ihrer hinter Unschuldsmienen versteckten Absicht und Ansicht, so sehr dem Witz, daß es schwierig wird, Grenzen zwischen diesen beiden Spielarten des Komischen zu ziehen. So häufig dort, wo sich das Überraschungsmoment meldet. »Wenn sie jetzt nicht bald antwortet«, ruft der Tyrann Berengario aus (»Der gefühlvolle Kerkermeister)[113] ... und wir erwarten eine fürchterliche Drohung oder gar ein grausames Handeln, doch nein: »so wart' ich noch länger auf eine Antwort.« Wie das die vielen tun, die nicht imstande sind, ihrer Ungeduld durch wirksame Machtmittel nachzuhelfen. »Was hat denn die Nachwelt für mich getan? Nichts«, klagt »Der Schützling«[114]. »Also?« »Gut, das nämliche tu' ich für sie.« Hier entspricht die gemäß überlieferten Vorstellungen unlogische Schlußfolgerung dennoch einer höheren Logik. »Wie können Sie glauben, daß ich bloß eine Schwester hab'«, donnert Comifo im »Konfusen Zauberer«[115]. Wir vermuten, er besitze einige Schwestern oder (und)

Herr Scholz und Herr Nestroi
als Jonas Froschmaul, als Amtschreiber Nigowitz.
in der Posse: das Gut Waldegg.

Nigow: Sapperement, ziehen Sie sich zurück! Froschm: Woher vermuthen Sie dieß?
Sie treten mir ja auf den Fuß!

Wien, im Bureau der Theaterzeitung, Rauhensteingasse N° 925.

Herr J. Nestroy
Schauspieler des Theaters an der Wien und Bühnendichter
Dichter Leicht   *als*   *Sansquartier*
in Weder Lorberbaum noch Bettelstab   *in Zwölf Mädchen in Uniform*

Zu haben in Wien, im Bureau der Theaterzeitung Wöllzeil No 780. 2t St.

Johann Nestroy als Dichter Leicht in »Weder Lorbeerbaum noch
Bettelstab« und als Sansquartier in »Zwölf Mädchen in Uniform«

Brüder. Falsch! »Ich hab' noch mehr, ich hab' eine Fräul'n Schwester.« Höflichkeit muß sein, auch gegenüber einem Grobian und
Erpresser.

Bei seinem Suchen nach Erweiterung des stilistischen Manövrier-
felds gerät Nestroy in die an bodenständigen Schätzen reichen
Zonen des k. k. Amtsdeutsch. Lucifers Sekretär Satanas wird mit
»Tiefdieselben« angesprochen; gebührt nicht den irdischen Exzel-
lenzen und Aristokraten das »Hochdieselben?« (»Der gutmütige
Teufel«)[116]. Eine Staatsgefangene – wohlgemerkt im zehnten Jahrhundert – ist entflohen. Darüber meldet man im Wiener Polizei-
jargon: »Ausgekommene Witib, dieselbe ist weiblichen Geschlechts« (»Der gefühlvolle Kerkermeister«)[117]. »Was habt ihr gesehen?« fragt ein Verfolger der vorerwähnten ausgekommenen
Witib[118]. »Nichts.« »Das ist sehr verdächtig!« Oder die wackere
Frau Schnabel flüstert ihrem hoffnungsvollen Sohne Willibald zu
(»Die schlimmen Buben in der Schule«)[119]: »Rasch antworten, er
weiß's selber nicht.« Sehr dumm, denn ein Herr Lehrer, der einen
Schulbuben befragt, muß doch alles wissen. Doch der arme Magister Wampel, der den bösen Knaben durch die Fangfrage hatte
hineinlegen wollen, wieviel siebzehn Pfund mal drei Ellen sind,
weiß wirklich nichts, nichts und noch einmal nichts.

Aus der Vorhalle, in der Nestroy den ihn umschwärmenden Verehrern das Lösegeld entrichtet, um sich hernach frei empor in die
Lüfte zu erheben, geht es in höhere Sphären, in die des Witzes.
Dessen Ausgangspunkt wird von Nestroy an einer Stelle, die wir
uns wiederum hüten sollen als Bekenntnis einer unschönen Seele
auszuschroten, ganz im Einklang mit der psychologischen und ge-
schichtlichen Erkenntnis umschrieben: »Das Schönste bleibt es
immer, wenn sich ein' andrer gift't« (»Tritschtratsch«)[120] und »Die
Würze jeder Freude is ja die Dosis Schadenfreude, die dabei ins
Spiel kommt« (»Das Haus der Temperamente«)[121]. Nestroys Witz
ist bald aggressiv, herausfordernd wie in den Stücken aus der Zeit
unmittelbar vor der Achtundvierziger-Revolution, bei der Kritik
gesellschaftlicher Mißstände und unmittelbar darauf bei der nicht
minder schneidenden Abrechnung mit dem gescheiterten Umsturz;
bald beschränkt sich der Witz auf die Defensive, auf Abwehr als
ungerecht empfundener Angriffe, dann ist der Dichter zur äußer-
sten Vorsicht genötigt – bei Erörterung religiös-philosophischer
oder erotischer Probleme.

Es war Nestroys größter Triumph, daß er die Wiener dazu bewog, über ihre eigenen Fehler zu lachen und den peinlichsten Wahrheiten Beifall zu spenden, die er ihnen von der Bühne herab mit einer Schrankenlosigkeit sagte, die nicht ganz waschecht war und die eine Grenze nicht überschreiten durfte, jenseits derer, wie die bereits genannten Ausnahmen beweisen, der Theaterskandal und die stürmische Empörung über den sonst Narrenfreiheit genießenden Liebling begannen. So begeisterte man sich dafür, daß der Schützling Herb[122] die schamlose Protektionswirtschaft abkanzelte, die in Österreich jederzeit blühte, sogar wenn andere Zweige der Wirtschaft verdorrten. Die Wiener schmunzelten vergnügt über den eitlen Prahler Hochinger (»Mein Freund«)[123], der Hunderte seiner Ebenbilder im Parterre und auf der Galerie sitzen hatte. Wie viele Frauen von Cypressenburg trugen nicht ihre, daheim vom literarischen Thee begossenen, erotischen und dichterischen Sehnsüchte bis ins Leopoldstädter Theater spazieren (»Der Talisman«)[124]! Die Dappschädl, Tatelhuber und Zwirn spähten im Zuschauerraum nach Mädeln umher – während der Aktpausen –, und sie ergötzten sich später am Mißgeschick ihrer Doppelgänger im »Tod am Hochzeitstag«[125], in der »Verhängnisvollen Faschingsnacht«[126] und im »Lumpacivagabundus«[127]. Jede Nestroysche Theaterfigur hat irgendwie einen Wiener Typus verkörpert; jedes Witzwort des Satirikers trifft einen Teil oder die Gesamtheit des Publikums an einer schwachen Stelle. Dennoch dieser Zuspruch, dieser Andrang zu Nestroys Auftreten, dieser Anklang? Der Applaus für etwas, das einem so wenig schmeichelt? Die Wiener sind leicht zu betrügen, wenn sie das wollen und nicht allzu schwer, selbst wenn sie nicht betrogen werden möchten. Vor allem aber, sie betrogen sich gerne selbst; einerseits um sich, wie andere Unannehmlichkeiten, so auch diese: die Selbsterkenntnis zu ersparen, um den Ärger, also eine ›Schererei‹, zu vermeiden, andererseits um nicht des Vergnügens an den Komödien Nestroys beraubt zu werden. Es genügte, daß der Autor »eine große Stadt« anstelle von Wien als Ort der Handlung bezeichnete. Und pries er nicht zum Schluß eines Couplets seine Gönner, erflehte er nicht ihre Gunst?

Seine Haltung beweist klar, daß er dem Publikum gegenüber Hemmungen überwand, um wenigstens beim Herausruf ein freundliches Gesicht zu machen, oder um nicht, wenn er einmal ausgezischt wurde, der ›Canaille‹ zu zeigen, daß er sie am liebsten niederkartätschen wollte. Nestroys Witz war nicht der des auch nach außen Mächtigen gegen den Schwachen, sondern der des Unterdrückten gegenüber dem Mächtigen. Er verteidigte den Geist wider rohe brutale Kraft. Einzig den Frauen gegenüber ist sein Witz der des physisch Überlegenen; sie hatten ihm, dem an sich zärtlich und weich Veranlagten, in der Person seiner legitimen Gattin zu übel mitgespielt und sich später zu leicht als willige Beute fangen lassen.

Witz des Unterdrückten, zahm und lahm beim Spott über Preußen und Engländer, die der eingefleischte Wiener nicht kennt und von denen er, der Lektüre und sogar der Fahrten ins Königreich der Hohenzollern ungeachtet, wenig weiß, die er jedoch, im Einklang mit den meisten Altösterreichern, für höherwertig ansieht. Witz der Unterdrückten: die Angriffe des im Grund stets konservativen Bürgers auf den Absolutismus, die Aristokratie und die Hochbürokraten schärfer und treffender als gegenüber den fremdartigen Briten und Norddeutschen. Gefährlich, durchbohrend wird der Unterdrücktenwitz, sobald er sich als der des Intellektuellen gegen politisch und wirtschaftlich Übermächtige richtet, wie in »Liebesgeschichten und Heiratssachen«[128], in den »Schlimmen Buben in der Schule«[129], in den »Anverwandten«[130], in »Freiheit in Krähwinkel«[131], »Lady und Schneider«[132], »Höllenangst«[133] und in »Der alte Mann mit der jungen Frau«[134]. Daß der Unterdrücktenwitz auf dem religiösen Sektor sich nur behutsam, auf dem philosophischen nur zag entfalten konnte, haben wir schon gesagt. Mit der Erotik oder, da Nestroy die »Katzbalgereien der Geschlechter« von einem wenig romantischen Standort aus betrachtete, mit dem Sexualwitz war es ähnlich beschaffen wie mit der Metaphysik. Es durfte an einer Reihe von Tabus nicht gerüttelt werden, und bei anderen war einzig der Umweg über verhüllende Anspielungen statthaft. Nestroys Witz beharrt da in der Haltung, die dem Unterdrückten eigentümlich ist, in geduckter Sprungbereitschaft, die jederzeit ein Zurückweichen erlaubt. Daß er Gebärden zu Hilfe nahm, wenn ihm der Mund verbunden, das Schreiben verwehrt war, haben wir schon früher berichtet. Dabei wurde auch die unfromme Legende vom besonderen Zynismus des Schauspieler-Autors aufs wahre Maß zurückgeführt. Wie Nestroys eigentliche Meinung zum Thema des

Geschlechts war, das wird ebenso wie seine Beziehungen zu Religion und Philosophie noch zu erörtern sein. Ein sehr fesselndes Kapitel ist über den Spott zu schreiben, den Nestroy für die Gelehrten bereit hat. Sind zu diesem Thema seine Witze die des Unterdrückten oder die des Überlegenen? Er hegte als einstiger Zögling eines ausgezeichneten humanistischen Gymnasiums und als ehemaliger Hochschulstudent geziemende Ehrerbietung vor echter Wissenschaft. Deren Vertreter betrachtete er gewiß als nicht nur im Rang und an Einfluß, sondern auch an geistigem Format Überlegene. Verhöhnte er sie, dann war es Witz des Schwächeren, der seiner Enttäuschung über das Versagen der Wissenschaft, zumal der damaligen Medizin, Luft machte. Doch das Entlarven sich blähender Unwissenheit, pedantischer Stubenweisheit, juristischer Auslegekünstler, schädlicher Quacksalber war Witz des auch geistig Stärkeren.

Taktisch gar geschickt hat Nestroy jeweils bei seinen Witz-Offensiven einen Teil des Publikums gegen den andern ausgespielt, so daß der Mime s i c h ausspielen konnte. Das wirkt noch beim Lesen der Stücke nach. Er verteidigte das Parterre wider die Galerie, die Galerie gegen die Logen, die Logen gegen die wohlfeilen Sitzkategorien. Er stützte sich auf die Beamten gegen die Kaufleute, auf diese gegen die Akademiker. Er hielt es mit den Konservativen gegen die Liberalen, mit den Liberalen gegen die Konservativen, mit den Tugendhaften gegen die Sünder, mit den Lumpen gegen die Philister. Im Herzensgrund verachtete er sie wohl alle, sowie sie zur kompakten Masse verbunden waren, und er war bereit, jeden als Einzelmenschen zu achten, falls der das verdiente. Dem Kunstgriff, der ihm gewährte, den Wienern ihre moralischen Schönheitsfehler vorzuhalten, indem er durch Verschweigen des Orts der Handlung suggerierte, nicht das eigene Ebenbild, sondern eines anderen Fratze blickte ihnen aus dem Sittenspiegel entgegen, dieser erfolggekrönten List fügte er eine zweite hinzu, den Grundsatz *Divide et impera*. Beherrsche das Publikum, indem du jeweils mit dem einen Teil der Zuschauer gemeinsam den andern verlachst!

Der Witz des Unterdrückers flammte auf, und er wurde von allen Theaterbesuchern oder von deren kompakter Majorität bejubelt, wenn Nestroy, auch innerlich der Ansicht seiner verehrlichen Gönner, die Provinzler, die ›Bedientenvölker‹, voran die Tschechen, die Italiener und – allerdings nur selten und dann, in dem einen

Stück der »Judith«-Parodie unerbittlich – die Juden zur Zielscheibe erkor. Gegen die Bauern, gegen das Gesinde und gegen alles, was unter dem Kleinbürger stand, folgten Nestroy die meisten Zuhörer. Gegen die Ungebildeten mußten, der damals herrschenden Konvention gemäß, auch die jeden Wissens Baren den Spott, den Unterdrückerwitz beklatschen. Gegen Träumer und Schwärmer fühlten mit dem Autor alle Wiener, das sich fest an den Erdboden klammernde Volk der greifbaren und verzehrbaren Ideale. Wider das schwache und damals vor dem Recht noch weit schwächere Geschlecht waren mit dem androkratischen Satiriker alle Männer eines Sinnes und einer, in der Obergewalt über das Weib schwelgenden, Sinnlichkeit.

Nestroys Witz, der jedem etwas bringt, sich bald mit dieser, bald mit jener Gruppe verbündend, besäße an und für sich das Zeug, viele Freunde, sogar nur Freunde zu finden. Er hat dennoch gar manchen grimmigen Feind. Zunächst die Nicht-Verstehenden, die unfähig sind, sich an einem wesentlich verstandesmäßigen Witz zu erfreuen. Dann die Prüden, die Überästheten, die Übersensitiven, die Überdemokraten, die Überreaktionäre und alle, denen Systeme, Doktrinen, Parteiprogramme unantastbar heilig sind. Manche dieser Gegner sind zu bekehren, sobald man ihnen, wie einst den Wienern, dartut, daß sich Nestroys Satire eigentlich, oder vordringlich, gegen andere Gruppen kehrt und daß sie daher als willkommene Verbündete im geistigen Kampf zu begrüßen ist. Dann schwören Demokraten, der Verfasser des Couplets von den Grundrechten der drei Naturreiche sei ein Freund der Volksherrschaft gewesen. Konservative vergnügen sich an den fortschrittsfeindlichen Ausfällen in »Lady und Schneider« und in »Höllenangst«. Fromme Gemüter erbauen sich am Ausspruch über den Aberglauben, den Nestroys Held sich von keinem Unglauben rauben läßt. Nur zweierlei Widersacher sind unversöhnlich: die Puritaner, die sich derzeit nicht recht hervorwagen, und die, denen der österreichische Dialekt ein Greuel ist, entweder weil sie jede Mundart als etwas Niedriges verwerfen oder weil ihnen die des Wieners auf die Nerven geht, oft nur deshalb, weil sie sie nicht verstehen.

Mit diesen beiden Erzfeinden zu streiten, wäre aussichtslos; denn von ihrem Standpunkt aus – den wir, weiß Gott, nicht teilen – haben sie recht. Nestroys Witz kann nicht zum sonnigen Humor umgedeutet werden. Ohne die Sprache eines Dichters zu verstehen, ist es unmöglich, an seinem Werk Gefallen zu finden. Ein ausgezeichneter Witz wie dieser: »Das is mehr Glück, als wenn ein Millimadl einen Kurfürsten kriegt« (»Höllenangst«)[135], verliert jeden Reiz, wenn man mühsam erklären muß, ein Kurfürst und ein Kuhfürst seien im Munde des Wieners dasselbe und ein Millimadl sei ein Milchmädchen. Dennoch sollten sich der Deutschsprachige jenseits der österreichischen Grenzen und der des Deutschen kundige Anderssprachige nicht durch einen Vorhang abschrecken lassen, der nur im ersten Augenblick eisern aussieht und der sich bald als anmutigster Tüll erweist. Die Erfahrung hat gezeigt, daß man sich in das sordinierte Wienerisch Nestroys bald einliest und daß es von der Bühne her nicht nur von österreichischen, sondern auch von südddeutschen und Schweizer Schauspielern gesprochen, in Berlin, Hamburg oder Köln seine Wirkung nicht einbüßt.

Denn die Mundart oder eher das von ihr gefärbte, kultivierte Deutsch, das selbst bei den trivialsten Anlässen nicht den feinstgebildeten Wortkünstler verleugnet, sind, von Nestroy gebraucht, der subtilsten Abschattungen und des Ausdrucks der tiefsten Gedanken fähig, und sie lassen das stilistische Feuerwerk der am antik-klassischen Muster geschulten Rhetorik aufprasseln. Diese Redefiguren, deren wir bereits im Kapitel über Nestroys Sprache eingehend gedacht haben, seien nun als Waffen des Witzes geprüft. Wenn eine Metapher, eine Antithese, eine Katachrese die absonderlichste Annäherung zwischen zwei voneinander entfernten Begriffen herbeiführt, wenn die Ehre mit einem Paradepferd, die Menschheit mit einem Handelsunternehmen verglichen werden, wenn die Gesellschaftsstruktur von einem Zimmermann in dessen Fachsprache erörtert wird, dann entsinnen wir uns sofort der Voltaireschen Definition des Esprit, und wir sehen alle deren Bedingungen erfüllt. Die Metaphern sind umso witziger, je mehr das Triviale mit dem Erhabensten durcheinanderwirrt; wenn von den höchsten Problemen in einer vulgären Ausdrucksweise des Alltags gesprochen wird. »Der Körper reißt mit alle zwei Händ' an die Leitseil' – die Seel' steckt d' Händ in Sack, der Körper schreit: ›Istohö!‹, haut drein mit der Peitschen, die Seel' ranzt sich kommod aus dabei« (»Der Erbschleicher«)[136]. Die komische Wirkung des Witzes kann aber auch durch romantischen Überschwang

erzielt werden wie in dieser Verzweiflungstirade eines unglücklichen Liebenden: »Ich treibe auf dem weiten Meere des Unglücks, mein Kompaß ist gebrochen, meine Himmelskarte zerrissen, die Masten über Bord, das Anker losgerissen! Pauline – ich kann nicht leben ohne ihr« (»Die beiden Herren Söhne«)[137]. Der vom Autor beabsichtigte Eindruck dieser vom Bühnenhelden sehr ernst gemeinten Wehklage wird durch den Kontrast zur Antwort eines derb realistischen Vetters noch verstärkt: »Du kannst dir mit deiner Weisheit nicht selbst die Bratwurst des Genusses aufs saure Kraut des Lebens legen!« Metaphern dienen überhaupt dazu, die den Österreichern und den Bürgern, nämlich der Umwelt Nestroys, ganz ungemäße Überschwenglichkeit zu ironisieren. »Wenn der Urwald der Unwissenheit noch durch keine Axt der Kultur gelichtet, die Prärie der Geistesflachheit noch durch keine Ansiedlung von Wissenschaft unterbrochen ist, wenn auf dem starren Felsen der Albernheit die Gedanken wie Steinböck' herumhupfen, und das ganze von keiner augenblendenden Aufklärungssonne bestrahlt, sondern nur von dem Mondlicht der Liebe ein wenig bemagischt wird – das wird doch, hoff' ich, unbändig romantisch sein!« (»Heimliches Geld, heimliche Liebe«)[138]
Verweilen wir einen Moment bei diesem Satz, der als ein prächtiges Probestück der Technik des Nestroyschen Witzes gelten darf. Zunächst ist die untadelige Folgerichtigkeit zu bewundern, mit der die verwickeltsten Gleichnisse einander zugeordnet und zu Ende geführt werden. Nicht minder zu bestaunen dünkt uns die Stileinheit des Pathos; es ist mit voller Absicht zweimal durch skurrile Worte unterbrochen: »herumhupfen« und die Neubildung »bemagischt«. Wie großartig ist aber, von seiner übertragenen Bedeutung abgesehen, das Bild der kulturunbeleckten Urlandschaft; wie gar nicht übertragen, wie neu ist der Vergleich der Geistesflachheit mit einer Prärie, die sich weithin ohne Erhebung hinzieht, eintönig und den Tieren gastlicher als den Menschen! Von melancholischen Gedanken schwer, gemahnt ein unheimlich gespenstisches Metaphernknäuel in seinem sprachmetaphysischen Gehalt an die berühmte Antwort Titus Feuerfuchs' auf die Frage nach dem Beruf seines Vaters; auch der vom Gewissen, von den Erynnien Gejagte ist bei lebendigem Leibe ein Verweser seiner selbst: »Die Seel' eines Verbrechers is eine Nachteulen, beim Tag is sie stumpfsinnig, aber wie 's dunkel wird, flattert s' auf und mit der

Finsternis wachst die Klarheit ihrer Katzenaugen – in jedem Winkel eine bleiche Gestalt« (»Der Zerrissene«)[139].

Das bewährteste Hausausdrucksmittel aus Nestroys Apotheke, in der die heilsamen Gifte lagern, ist der Doppelsinn der Worte, vor allem wenn dieser von der unmittelbaren zur abgeleiteten Bedeutung hinüberwechselt. Zum Beispiel: »Das erlebt man an sein' Fleisch und Blut. Ich sag's, man soll ka Fleisch und ka Blut hab'n!« (»Kampl«)[140]. »Ich kenn' keine Nebenmenschen, nur wer sich selbst für den Hauptmenschen halt't, schaut alle andern für Nebenmenschen an« (»Heimliches Geld, heimliche Liebe«)[141]. »Es is wirklich Luxus vom Schicksal, daß es Pfeile schleudert; an seinen Fügungen sieht man ohnedem, daß es das Pulver nicht erfunden hat« (»Mein Freund«)[142]. Manchmal bildet ein Hauptwort eine Art von Umsteigestation vom eigentlichen zum übertragenen Sinn: »Die Erde ist ein Himmelskörper, auf dem die Unglücklichen ein höllisches Leben haben« (»Die schlimmen Buben in der Schule«)[143]. »Ich hör' schon das Gras wachsen, in welches ich beißen werd'« (»Die Papiere des Teufels«)[144]. »Recht eine gute Haut, dieser König der Könige, aber ein Glück für diese Haut, daß sie mit lauter Nebukadnezar ausgeschoppt ist« (»Judith und Holofernes«)[145].

Die Schlagfertigkeit und den beschwingten Rhythmus des Nestroyschen Witzes möge dieser Dialog aus einem Stück des kaum Dreißigjährigen bezeugen: »Du ruinierst dir die Zähn', und da schau'n die Mannsbilder weiter nit drauf.« – »Oh, unsere Zähn sind gut genug.« – »Hast recht, Töchterl! Hätten lieber die Mannsbilder bessere Zähn', daß s'anbeißeten, wie es sich gehört.« – »Oh, anbeißen tun genug.« – »Aber ganz verspeisen mag halt keiner, und ihr seid's doch saubere Bröckerln.« – »Das wissen wir, aber die Zuwag' schreckt ein' jeden ab.« – »Was für eine Zuwag'?« – »Dem Papa seine Schulden, die unser Bräutigam zahlen soll« (»Nagerl und Handschuh«)[146]. Die sprühenden Funken springen da unaufhörlich vom unmittelbaren zum übertragenen Wortsinn und wieder zurück. Sie faszinieren durch den Anschein spontaner, jäher Entzündung. Dem Hieb folgt die Parade und der Parade der Hieb.

Allerdings ist Nestroys Witz nicht immer das Ergebnis plötzlicher Eingebung. Oft erahnt man ihn als Frucht langwierigen, geduldigen Bemühens. Der Monolog des Ultra aus »Freiheit in Krähwinkel«[147] dünkt uns nur Auftakt zur glänzenden Pointe: »Wir haben eine Menge von Freiheiten gehabt, aber von Freiheit keine Spur.« Das gesamte Stück strebt dem Leitmotiv am Schluß zu: »Die Reaktion ist ein Gespenst, aber G'spenster gibt es bekanntlich nur für die Furchtsamen«[148]. Und Peter Span, der bedeutsame »Unbedeutende«, peroriert lange, bevor er zuletzt dieses stolze Bekenntnis ablegt: »Ich hab' zwei, die ich schon mag, bewährte, tüchtige Kerl'n, die plagen sich für mich, die Freund', daß mir nix abgeht, sind den ganzen Tag bei der Hand, für mich zu arbeiten, nehmen sich auch an um mich, schlagen den nieder, der mir was tun will.« »Und die zwei Freund', sind das keine Reichen?« – »Nein, Arme sind's – (seine Arme weisend) – die zwei.« Ewige Wiederkehr des höheren und tieferen Sprachwitzes! Hat nicht Abraham a Sancta Clara vom Heiligen Römischen Reich gepredigt, das ein Arm geworden sei?

Mit spürbarem Vergnügen, das wie so vieles andere den Humanisten, den Juristen bezeigt, samt der Mischung aus beiden, den Sophisten, zeigt, hegt und pflegt Nestroy die absonderlichsten Trugschlüsse, die vor der Formallogik gut bestehen. »Wenn ich mir mein' Verdruß nit versaufet, ich müßt' mich grad aus Verzweiflung dem Trunk ergeben« (»Lumpacivagabundus«)[149]. »Hast du nie gehört, daß Kinder und Betrunkene einen eigenen Schutzengel haben? Kind bin i schon lang' kein's mehr, also muß ich trinken, um mir meinen Schutzengel nicht zu verscherzen« (»Höllenangst«)[150]. »Eine Ewigkeit gibt's einmal, daran *darf* man nicht zweifeln, Juden gibt's auch, daran *kann* man nicht zweifeln, warum soll's nicht auch einen ewigen Juden geben?« (»Zwei ewige Juden für einen«)[151]. »Die Wahrheit ist das Erhabenste, drum kann man's nicht jedem auf die Nase binden« (»Umsonst«)[152].

Alle die Tausende von Scherzen und Witzen, die in Nestroys Werk verschwenderisch umhergestreut sind, deuten an, daß er nicht nur für die Bühne vorbestimmt war, sondern auch zum Meister eines Genres, das in der deutschen Literatur ebenso selten in künstlerischer Vollendung anzutreffen ist wie die satirische Komödie. Losgelöst von den Theaterstücken, in die sie – wie bereits erwähnt – aus einem sorgsam angelegten Vorrat eingefügt worden waren, oder noch selbständig im Nachlaß erhalten, funkeln und leuchten die Aphorismen Nestroys, deren sich keiner der großen französischen, englischen und deutschen Gesellschaftskritiker des siebzehnten, achtzehnten und neunzehnten Jahrhunderts zu schämen gehabt hätte. Hier einiges aus diesem Schatz abgeklärter, heiterer und dennoch resignierter melancholischer Weisheit: »Das Vorurteil is eine Mauer, von der sich noch alle Köpf', die gegen sie ang'rennt sind, mit blutige Köpf' zurückgezogen haben« (»Der Talisman«)[153]. »Lang leben will halt alles, aber alt werden, will kein Mensch« (»Die Anverwandten«)[154]. »Die Erfahrung ist die Frucht begangener Irrtümer, darum muß man sich etwas verirren.« »In's Himmels Namen – zu was der liebe Himmel allem seinen Namen hergeben muß.« »Mir war der verlorene Sohn immer verächtlich, aber nicht deswegen, weil er ein Schweinehirt war, sondern weil er wieder nach Haus gekommen ist.« »Ich fühle mich nie weniger einsam, als wenn ich allein bin.« »Unsere Kümmernisse können wir in Schweigen begraben, aber die rebellische Regung geheimer Freude zu unterdrücken, das bedarf einer furchtbaren Tyrannei über unsere Gefühle.« »Das Glück ist das neue Tor, vor dem der Unglückliche als Kuh dasteht.« »Liebe ist ein Beweis von Schwäche, den man einem noch schwächeren Wesen gibt.« »Gute Vorsätze sind grüne Früchte, die abfallen, ehe sie reif sind.« »Der Mensch soll mit allem zufrieden sein – es gäbe gar keinen Unzufriedenen, wenn der Mensch alles hätte, wär' er zufrieden, weil aber kein Mensch alles hat, ist keiner zufrieden« (Aphorismen)[155].

In ihrer ruhig dahinfließenden Diktion bestätigen uns derlei Sätze einen Denker, dessen Stil sich vom bewegten und bewegenden des Dramatikers unterscheidet, auch wenn und obzwar viele seiner Aphorismen in Monologe und Dialoge seiner Bühnenfiguren eingebaut worden sind. Die an sich unbestreitbare Ansicht, Nestroys Genie sei nur von der Szene her zu schöpferischem Vollbringen fähig gewesen, ist auf die Feststellung einzuschränken, daß einzig die äußeren Gegebenheiten den Satiriker zur Bühne gelenkt haben. Die Frage, ob Raffael auch ohne Hände ein großer Maler geworden wäre, dürften wir in sinngemäßer Veränderung bei Nestroy erheben und sie bejahen; der Beherrscher der Wiener Volksbühne wäre ein überragender philosophischer oder rechtswissenschaftlicher Schriftsteller geworden, hätte ihn sein Schicksal auf die Gelehrtenlaufbahn gewiesen. Er wäre Satiriker und Moralist geworden, wie er das als Theaterdichter war. Doch seine Zeitgenossen hätten entweder nichts von seiner bissigen Kritik erfahren oder höchstens so viel, so wenig, wie von den Erzeugnissen der spitzen Feder eines Beamten, Professors, Advokaten des Vormärz und der Bach-Ära an die Öffentlichkeit dringen konnte. Das Schicksal, dem Nestroy oft grimmige Vorwürfe gemacht hat, ist ihm, seinen Zeitgenossen und uns gnädiger gewesen. Der Beruf hat ihn gezwungen, nicht nur von seiner Berufung, sondern auch für sie zu leben, in ihr aufzugehen und der Mitwelt wie den Späteren die Früchte seines aus verhaltener Liebe strömenden Zornes zum Genuß darzubieten.

Er hat, an seinem Wissen von allem Menschlichen und Widermenschlichen mitleidend, doch kein reiner Tor, seine Gemeinschaft, in der er wurzelte, von der er in Haßliebe nicht loskam und die von ihrem Züchtiger bezaubert war, ihrer Hüllen entkleidet. Ein Strip-Tease entlarvte an der Allgemeinheit viel Gemeinheit. »Nur der geistlose Mensch kann den Harm übersehen, der überall durch die fadenscheinige Gemütlichkeit durchblickt« (»Umsonst«)[150]. Nestroy aber, des Geistes voll, war untäuschbar. Ein Gott gab ihm, zu sagen, woran gar viele litten, und dabei dennoch sogar denen Freude und Heiterkeit zu spenden. Im Lande des Lächelns ein zwar nicht immer lachender, doch ein stets, unverständig oder verstehend, belachter Philosoph.

ZEHNTES KAPITEL

DER VERLACHENDE PHILOSOPH
NESTROYS WELTBILD

Im gesund übertreibenden Widerspruch zu den oberflächlichen, ahnungslosen Urteilern, die – ob entrüstete Sittenrichter oder zimperliche Pseudo-Ästheten, ob beifallgrunzende Spaßfreunde – Nestroy nur als den zynischen Komödianten und als den erfolgreichen Fabrikanten Wiener Possen kannten, hat der österreichische Kulturhistoriker und Schauspieler Egon Friedell, trotz der Unterschiede der Herkunft, der Weltanschauung und des Abstands im sprachkünstlerischen Rang in vielem an den genialen Satiriker und Bühnendichter gemahnend, ihn als »den größten, ja den einzigen Philosophen« gerühmt, den »der deutschösterreichische Stamm hervorgebracht hat«. Friedell nannte ihn »einen sokratischen Dialektiker und kantisch analysierenden Geist von höchster Feinheit und Schärfe, eine shakespearisch ringende Seele, die mit einer wahrhaft kosmischen Phantasie die Maßstäbe aller menschlichen Dinge verzerrte und verrückte, um sie eben dadurch erst in ihren wahren Dimensionen aufleuchten zu lassen. Nestroy ist von einer kristallenen Nüchternheit, einer brennenden Luzidität, die die Menschen und Dinge förmlich zerleuchtet und dabei doch voll heimlicher Sehnsucht nach all den verwirrenden, narkotischen Dingen, die das Leben erst begehrenswert und interessant machen, ein starker, wissender und weltkundiger Geist und dabei doch umwittert von dem Aroma der problematischen Natur. Und darüber hinaus hat er noch den tiefsten Sinn der Barocke ausgedrückt: jene sublime und fatale Fähigkeit, ja Nötigung, mit dem ganzen Leben zu spielen und nichts ernst zu nehmen, auch nicht das eigene Ich.«

Nestroy als bedeutendsten oder auch nur als hervorragenden Philosophen seines Vaterlands zu feiern, das heißt von ihm eines jener *portraits-charge* zu entwerfen, bei denen der Kopf – oder eher: das Hirn – überdimensional hervortritt, damit die Aufmerksamkeit auf einige besonders charakteristische Züge und Eigenheiten gelenkt werde. Der grundgescheite, tief veranlagte, kenntnisreiche und vielseitig gebildete Humanist war jedoch kein eigenständiger Denker mit neuen, wegweisenden Einsichten. Nicht deshalb, weil er kein System entwickelt, kein Buch mit einer Doktrin veröffentlicht hat; im Hinblick auf die in tausend Einfälle und Ausfälle zerstreuten Splitter eines Weltbetrachtens ist Nestroy von Friedell mit Recht als Sokratiker geschildert worden. Nein, der kluge, scharfsichtige Beobachter seiner Umwelt, der Kenner der Menschenseele, der treffsichere Kritiker politischer und sozialer Zustände war in allen Zweigen der Philosophie – diese Disziplin im weitesten Sinn verstanden – nicht mehr als ein fühlsamer Dilettant, ein schnell den Wesenskern von Problemen erfassender Gast, doch ein Epigone, der eine in seinen Kreisen: in der liberalen, gebildeten, oberen und mittleren Bourgeoisie Österreichs, herrschende Weltanschauung teilte, ohne sich ihr völlig zu verschreiben. Wahrhaft groß und originell war er nur in einem Bezirk, wo Philosophie und Literatur einander begegnen, als Moralist.

Auch darin erinnert sein geistiger Typus zwar an wenige große Vorläufer und Nachfolger aus dem deutschen Sprachraum, umso mehr an französische und englische Artverwandte wie Montaigne, Larochefoucauld, Chamfort, Rivarol. Obwohl er danach strebt, sich von der Bindung an Systeme und an Parteien freizuhalten, obgleich er leidenschaftlich seine Unbefangenheit wahrt, spiegelt sein Werk dennoch, gleich dem seiner berühmten französischen Vorgänger, Abkunft, Raum und Zeit wider, die ihn mitgeprägt haben. Ein Kind des bürgerlichen Zeitalters Österreichs, des Biedermeier, betrachtet er die Epoche Metternichs und des jungen Franz Joseph durch das Prisma des Josefinismus, in dessen Aura er herangewachsen ist. Die Form, in die Nestroy seine Aussagen einfügt: eine Zeitsatire von Überlegenheit und Überlegtheit, erweist und bestätigt sich als eigentümlich-einzigartige Leistung. Wenn wir nun von seiner Weltanschauung in der Begegnung mit der Vielfalt der Phänomene und der sich aufdrängenden Fragen berichten, dann gilt es, sich stets diese doppelte Erkenntnis ins Gedächtnis zu rufen: ein höchst eigenständiger, zum glänzendsten Ausdruck seiner Gedanken befähigter Denker urteilt über alles und jedes – *de omnibus rebus et quibusdam aliis* – mit dem Ausdrucksmittel der sprachkünstlerisch gewaltigen Satire, doch im Namen einer mitunter sehr platten Weltauffassung.

Seine Weisheit ist die der Enzyklopädisten Voltairescher Richtung, nicht die sentimental verschwommene Schwärmerei Jean-Jacques Rousseaus. Er verkündet eine Aufklärungsphilosophie, die unter

Maria Theresia zahmes Aufbegehren gegen den streitbaren Barock gewesen war, unter Joseph II. die Herrschaft antrat, unter Franz I. und Metternich von störenden, gefährlichen Ingredienzien gereinigt wurde, doch bei der Intelligenzschicht diese Fermente, womöglich in noch stärkerer Dosis, beibehielt; die schließlich zum Ausbruch der Revolution von 1848 führte und hernach bei den einen den auf Räusche folgenden Katzenjammer und tätige Reue zurückließ, bei den andern, zu denen Nestroy nicht gehörte, finsteren Groll und die Lust zu radikalerem Umbruch. Den Schlüssel zu Nestroys gesamter Weltanschauung finden wir in seinem Verhältnis zur Religion. Er stand ihr mit der skeptischen Kühle gegenüber, die den josefinischen, franziszäischen Hofrat, Advokaten, Arzt und Professor wie die Industriellen und Bankleute des Vormärz auszeichnete. Sie waren allesamt keine kämpferischen Kirchenfeinde, wieviel Vergnügen sie auch am Spott über beschränkten Fanatismus, über Klerisei und bigotte alte Weiber beiderlei Geschlechts empfinden mochten. Sie kümmerten sich wenig um Metaphysik, deren Tatsachen sie weder bestritten noch bejahten und von denen sie in ihrem irdischen Lebenslauf wenig beirrt wurden. Den, der eine andere Gesinnung als aufgeklärte Duldsamkeit an den Tag legte, sahen die ganz diesseitigen Epikuräer für einen Narren, für einen Schwachkopf oder für einen Heuchler an. Sogar die amtlichen Kreise, die den Weihwedel so gut wie den Säbel als Waffen zum Schutz der bestehenden Ordnung schätzten, dachten ähnlich. Der Polizei war der Heilige Klemens Maria Hofbauer-Dvoráček seines ›überspannten Wesens‹ halber verdächtig und lästig. Man befolgte die religiösen Gebräuche, weil das keinem schadete und – man kann das ja nicht wissen – vielleicht gar nützte; weil es zur überlieferten Ordnung gehörte und weil, wie das noch Schnitzlers Leutnant Gustl meint, am Ende doch etwas ›dran ist‹. Jedenfalls verschmolzen Glaubensbekenntnis und römischer Katholizismus in eins; für sektiererische Phantastik, für freie weltanschauliche Gemeinschaften hat der Österreicher nie, und am wenigsten zur Biedermeierzeit, Neigung besessen. Ganz so einfach war Nestroys Beziehung zu den letzten und höchsten, also zu den ersten und tiefsten Dingen nicht beschaffen.

Er stimmte zwar in der Skepsis und in einer gefühlsmäßigen Ablehnung der kirchlichen Disziplin mit den Josefinern-Voltairianern überein, doch damit waren für ihn die großen, ewigen Probleme nicht abgetan, mit denen sich jeder nicht nur an der Oberfläche haftende Mensch auseinandersetzen muß. Im Gegenteil, der leichtlebige Zweifler Nestroy, dessen Alltag unaufhörlich gegen den Katechismus verstieß, war von einem heimlichen, unheimlichen Hunger nach den Geheimnissen der Natur und der Übernatur besessen. Ihn quälten zumal die Fragen der Unsterblichkeit, der ausgleichenden Gerechtigkeit, der Existenz des Bösen. Er kannte sich in der Dogmatik vortrefflich aus, und er war mit ihr wie mit dem Widerspruch zwischen theoretischer christlicher Moral einerseits und höchst bedenkenloser Wirklichkeit anderseits in nie erlahmendem Gespräch. Er befand sich, wie der große polnische Dichter Kasprowicz von sich bekennt – der als Lästerer begann und bei christlicher Ergebenheit in die Fügungen der Vorsehung endete – »mit Gott im herzlichen Streit«. Gottes Namen durfte aus Zensurrücksichten nicht genannt werden, und das war Nestroy wie seinen Wiener Zeitgnossen so in Fleisch und Blut übergegangen, daß er sogar in den nur für seine Schublade bestimmten, nie der Polizei unterbreiteten, geschweige denn auf die Bühne gebrachten, als Monologe oder als Dialogstellen gedachten Äußerungen zu diesen metaphysischen Grundproblemen nur vom »Schicksal« sprach. Mit Bitterkeit und doch mit einem Grimm, aus dem die nicht erloschene Sehnsucht, die Unruhe zu Gott hervorleuchtet.

»'s Schicksal hat alles, was die von ihm beherrschten Menschen empören muß. Es gibt wohl viele, die's mit Geduld ertragen, das sind eigentlich recht die G'scheiten, die einsehen, daß es umsonst, und daß die ohnmächtige Empörung immer lächerlich ist« (Paralipomena zu »Höllenangst«)[157]. »Es ist etwas Prächtiges, das Schicksal zu sein, man tut rein gar nichts und am Ende heißt es bei allem, was geschieht, das Schicksal hat es getan« (»Familien Zwirn, Knieriem und Leim«)[158]. Wozu man noch den schon zitierten Satz vergleiche, in dem von den Fügungen des Schicksals mit geistreichem Doppelsinn erklärt wird, an ihnen sei zu erkennen, daß es das Pulver nicht erfunden habe. Der Menschenfreund, dem von seinem mitleidigen Herzen Zweifel am Walten der Vorsehung eingeflößt werden, wie einst dem Spötter Voltaire nach dem Erdbeben von Lissabon, bricht in die Anklage aus: »Die Vorsehung hat mit die Reichen, mit die Glücklichen zu viel zu tun, für die Armen bleibt ihr ka Zeit ... Die Vorsehung hat abg'wirtschaft't, der böse Feind hat ihr's Neujahr abg'wonnen auf der Welt« (»Höllenangst«)[159]. Aus diesen Erwägungen ergibt sich wie von selbst der Zweifel an Gottes ausgleichender Gerechtigkeit, am Fortleben im Jenseits.

»Der Himmel ist allerdings eine herrliche Idee, aber für zwei höchst wichtige Sachen bietet der Himmel keine Garantie, für das Vergessen und für das Wiedersehen unserer Lieben; und ohne Vergessen und ohne Wiedersehen können wir komischen Geschöpfe uns keinen Himmel denken« (Paralipomena zu »Höllenangst«)[160]. »Ich kann überhaupt nicht glauben, daß die Jenseitigen an die Diesseitigen hinüberdenken; die Guten wenigstens nicht, denn sie sollen ja selig sein, und wie brächten s' dann das zusammen, wenn sie uns herunt' im Vogelperspektiv betrachteten?« (»Kampl«)[161].

Wie man sieht, bedient sich Nestroy bei seinem Sinnen über die erhabensten Probleme der sogenannten *argumenta ad hominem*. Er, der Rationalist, holt seine Zweifel aus den Tiefen des aufgerüttelten Sentiments und nicht aus der Rüstkammer kalter, wissenschaftlicher Erwägungen. Er gelangt zu einem grundsätzlichen Pessimismus, dem er jedoch sowohl in der Praxis des täglichen Daseins ebenso wie im Verborgensten seines Intellekts widerstrebt. Der Zweifel, der in schwarze Verzweiflung mündet, klingt etwa aus diesen Worten: »Es is immer eine sonderbare Empfindung, wenn man als so Alter ein kleines Kind betracht't; unwillkürlich kommt einem die Idee, wie schad' es is, daß man auf die Welt kommen is'« (»Der alte Mann mit der jungen Frau«)[62]. Schopenhauersche Weltverneinung, die als höchstes Glück auf Erden betrachtet, nicht geboren zu werden? Nicht ganz! Man kann aus dem Geschleudertsein ins gefährliche Leben und aus der Ungewißheit des Jenseitigen auch eine andere Konsequenz ziehen; die, sich des Lebens zu freuen, solange das Lämpchen glüht. »Was kann der Mensch, dessen Leben nix andres als ein an seinem Geburtstag gefälltes, auf unbestimmte Zeit sistiertes Todesurteil is, G'scheiteres tun, als er laßt sich in resignierter Delinquentenmanier noch nach Möglichkeit gut g'schehn mit einer Gustospeis'?« (»Mein Freund«)[163].

Wir sind ja bekanntlich des Zufalls Beute, der als »b'soffener Kutscher die Leut z'sammführt«. »Meine Affären betracht' ich als Kuckuckseier, die ich in das fremde Nest des Zufalls leg', der soll's ausbrüten, wenn er mag! Ich rechne nie! Auf die Art kann das Schicksal mir auch nie einen Strich durch die Rechnung machen, während man als schlauer Berechner und Planmacher den Verdruß erlebt, daß ei'm 's Schicksal das Tintenfaß über die Kalkulation schüttet« (»Die beiden Herren Söhne«)[164]. »Es macht ja Striche durch die schönsten Rechnungen – und rechnen wir vor allem nicht darauf, daß dem Verdienste seine Krone werde. Im Gegenteil! Die hohle Kugel, über der sie (Fortuna) schwebt, is das Sinnbild ihrer Favoritköpf'« (»Der Unbedeutende«)[165].

Spielbälle höherer Mächte, Werkzeuge eines Meisters, von dem wir nicht wissen, ob s e i n Sinn u n s e r Unsinn ist, sollen wir nicht weiter nach dem Zusammenhang der Dinge forschen und also weder Zweck noch Ziel in die Ereignisse hineindeuten. Klagen wir nicht über unsere Vergangenheit, betrachten wir unsere Zukunft als ein »Porträt . . . so schön, so bildschön, daß ich überzeugt sein kann, ich hab' sie nicht getroffen« (»Eisenbahnheiraten«)[166]. Tun wir für die Nachwelt das nämliche, was sie für uns getan hat: nichts. Und wir werden in stiller Beschaulichkeit das Glück im Winkel genießen.

Diese praktische Philosophie fernab von Systemen ist durch und durch – und wir können das nicht genug unterstreichen – die des österreichischen Biedermeier, des Vormärz oder wie man Nestroys Epoche und ihren Stil benennen mag. Bujak hat das überzeugend nachgewiesen; gegenüber allen, die des Dichters ebenfalls zum österreichischen Vormärz und zu jeder Periode des österreichischen Geisteslebens gehöriges Nörgeln und Raunzen als echte revolutionäre Gesinnung, als prometheisches, titanisches Himmelstürmen dartun wollten und wollen. Nestroys Haltung ist am besten durch einen Ausspruch im »Mädl aus der Vorstadt« dargelegt: »Der Mensch verfällt nach einigen Desperationsparoxysmen in eine ruhige Sarkasmus-Languissance, wo man über alles räsoniert und andererseits wieder alles akzeptabel find't«[167]. Bescheiden für sich selbst, zufrieden, läßt man auch die anderen in Frieden. »Der Mensch muß nit alles auf einmal begehr'n . . . Die Freuden der Menschen sind meistens so, daß es sich nicht auszahlt, wenn man ihnen neidig wär' drum . . . 's is 's Beste, man laßt ein'm jeden seine Freud'« (»Mädl aus der Vorstadt«)[168]. Leben und leben lassen! Nestroy, von desesn Furcht vor dem Tod wir zahlreiche, in seiner Biographie erwähnte, Zeugnisse haben, ist entschieden der

Ansicht, das Leben sei der Güter, wenn nicht höchstes, so kostbarstes. Sehr poetisch heißt es bei ihm einmal: »Da fliegt ein Johanniskäfer! Er leuchtet in der finstern Nacht, denn er lebt. Während ein Krondiamant in der Dunkelheit glanzlos ist, wie gar nichts ausschaut. Es is beinah, als ob die Natur uns zeigen wollt', daß das miserabelste Leben mehr wert ist als der brillanteste Tod« (»Der Schützling«)[169].

Im seltsamen Gegensatz zu diesem Sich-Klammern ans Dasein steht ein Kokettieren mit dem Tode, ein schwärmerischer Lebensüberdruß, der irgendwie in der Trunkenheit der Seele oder des Leibes anhebt und im heulenden Elend endet: »Mich wird die Welt bald gar nix mehr kümmern.« – »Das kann nur der sagen, der sehr hoch steht.« – »Oder der, der sehr tief liegt.« – »Ja, im Grab« (»Zu ebener Erde und Erster Stock«)[170]. »Ich zieh mich ins Grab, 's is zwar ein klein's, ein feucht's Quartier, aber ruhig, recht a stille Nachbarschaft und man riskiert nicht, daß ei'm aufg'sagt wird« (»Glück, Mißbrauch und Rückkehr«)[171]. Diese Elegien und nicht einmal das Sprachwunder aus dem »Talisman«, vom Toten, der Verweser seiner selbst ist, von höherer Macht gefesselt, dennoch frei unter der Erde liegt, drücken jedoch keineswegs eine düstere, vom Gespenst der Vergänglichkeit geschreckte Gesamt-Weltanschauung aus.

Auch die Randbemerkungen zur Ordnung im Kosmos sollen wir nicht tragisch nehmen. Weder die um ihrer Kalauer willen verfertigte Rede des Willibald über die Natur und über das Tierreich (»Die Schlimmen Buben in der Schule«)[172] noch die Definition des Seins als eines »Begriffsaggregats mit markierten elektromagnetisch-psychologisch-galvanoplastischen Momenten« (»Freiheit in Krähwinkel«)[173] sind Bekenntnis zum Vulgärmaterialismus. Ebensowenig darf Nestroy um einer als Zeichen seiner Fühllosigkeit gegenüber der freien Gottesnatur verketzerten Tirade aus dem »Zerrissenen«[174] der Gleichgültigkeit oder gar der Feindseligkeit des blasierten Stadtmenschen im Angesicht der des Ewigen Ehre kündenden Schöpfung geziehen werden. Im einen wie im andern Fall verspottete er weit eher dort die unter einem Wust gelehrt klingenden Aufklärichts den Geist erstickenden Allwisser, hier die Vorläufer der heutigen Managerkultur. Oder ist das nicht ein umgekehrter kybernetischer Hymnus auf die Maschinenwelt, vorgeahnt in unheiliger Inspiration: »Sag' mir ein Land, wo ich was

Neues seh'; wo der Wasserfall einen andern Brauser, der Wald-
bach einen andern Murmler, die Wiesenquelle einen andern
Schlängler hat, als ich schon hundertmal g'sehn und gehört hab'
– führ' mich auf einen Gletscher mit schwarzem Schnee und glü-
hende Eiszapfen – segeln wir in einen Weltteil, wo das Waldes-
grün lilafarb, wo die Morgenröte paperlgrün is! – Laßt's mich aus,
die Natur kränkelt auch an einer unerträglichen Stereotypigkeit«
(»Der Zerrissene«)[175]? Es ist angezeigt ehe wir noch von einem
letzten Aspekt der Äußerungen Nestroys über Religion und philosophische Weltanschauung und von seinem unbestreitbaren, tiefsitzenden Antiklerikalismus in dieses Worts eigentlicher und enger
Bedeutung berichten, daß wir statt vieler eine kapitale Stelle über
die Gelehrten hervorholen, die unter der Hülle scheinbarer Ironie
eine sehr feste Meinung des als josefinischer Aufklärer wenig
Orthodoxen verrät: »Haben denn die Gelehrten schon was Unver-
gängliches gemacht? Wenn ihre schweinsledernen Geistesmumien,
Bücher genannt, a paar Säkulum dem Bibliotheksstaub getrotzt
haben, dann geht der Geist auch den Weg des Fleisches, eine
elende Schabenfamilie frißt in ein paar Monat' einen Folianten voll
Unsterblichkeit, ohne besondere Magenbeschwerden zu verspü-
ren« (»Die beiden Herren Söhne«)[176].
Trotzdem hegte Nestroy tiefe Achtung vor wahrer Wissenschaft.
So werden wir auch den Hohn, mit dem er die Geistlichkeit, ihre
Zeremonien, ihre Gier nach Macht und Reichtum überschüttete,
richtig werten. Wiederum gemahnt er an Voltaire, nicht zuletzt
dadurch, daß auf der Bühne nicht die Katholische Kirche, sondern
Götzendienst und Götzenpfaffen angegriffen werden, wobei das
Publikum gar wohl verstand, wer eigentlich gemeint war.
Schon die weisen Greise in den Zauberstücken und im »Gefühlvollen Kerkermeister« sind nichts als die üblichen falschen Priester
aus der literarischen Werkstätte der Enzyklopädisten. Die Szenen
aus »Judith und Holofernes«, in denen der assyrische Welterobe-
rer und die Baalspfaffen auftreten, doch auch die, in denen der
jüdische Hohe Priester erscheint, sind echtester Voltaire, Diderot,
d'Alembert *à la viennoise*. Oberpriester: »Baal wird dir ferner
noch Sieg verleihen.« – Holofernes: »Solang' ich die Siege er-
kämpfe, ganz gewiß.«…Holofernes: »Ich kenne den Rummel und
weiß recht gut, wer die Opfertiere speist.« – Oberpriester: »Auf-
geklärter Holofernes, das blöde Volk.« – Holofernes: »Muß an

den Opferappetit der Götter glauben. Wenn du mir aber ein Götzen-X für ein Vernunft-U vormachen willst, so tu' ich einmal deinen Göttern einen guten Tag an und laß' dich selber opfern.« ... Holofernes: »Nebukadnezar ist von heut' an Gott, das heißt, von heut' an, sagt er's laut, was er sich schon lang im Stillen eingebild't hat.« – Oberpriester: »Das begreif' ich nicht.« – Holofernes?: »Tut nichts, wenn du's nur dem Volk begreiflich machst[177].« Und des assyrischen Oberbaalspriesters hebräischer Kollege? »Weh! weh! Dreimal weh!« – Ammon: »Is das der ganze Trost, den uns die Priesterschaft gibt?« – Hohepriester: »Wenn ihr auch alle solltet umkommen von den Schwertern der Feinde, so denkt, daß ihr's so verdient habt durch eure Sünden.« – Hosea: »Was sagen Sie zu dem Mann? Der lebt von unsern Abgaben, dem müssen wir zahlen den Zehnten.«

Wir werden uns nicht wundern, daß Nestroy an einer der seltenen Briefstellen, die so heikle Punkte berühren, erklärt: »Ich stecke nicht gern den Pfaffen Geld in den Rachen« (an Stahl 2. August 1842), noch überrascht es uns, daß »Freiheit in Krähwinkel«, das Revolutionsstück aus dem tollen Jahr 1848, neben den im allgemeinen Taumel mitgefühlten demokratischen Tiraden gegen ein *Ancien Régime*, gegen das der Dichter nie politisch aufgetreten war, sehr aufrichtige Bosheiten wider Jesuiten und Redemptoristen enthält. Genügen indessen die Tatsachen und die Zitate, von denen wir bisher gemeldet haben, um Nestroy als einen streitbaren Feind jeder Religion, als überzeugten Atheisten, wir möchten in seiner Sprachmanier sagen, zu beunglaubigen?

Mitnichten. Seine Skepsis galt auch der Skepsis, sein Spott dem allzu selbstsicheren Spott über alles Übernatürliche. Epikuräer, doch Freund einer stabilen Ordnung, hat er die angestammte Religionszugehörigkeit niemals aufgegeben, zunächst aus Gründen, die eine – an sich nicht einwandfrei bezeugte, doch den Kern der Sache treffende – Boutade Nestroys in dieser Weise zusammenfaßt: »Ich bin Katholik und nur deshalb so gern, weil ich keinen Gebrauch davon machen muß.« Seltsame Wiederkehr dieses Standpunkts, jenseits von Nestroys Zeit und Raum: Als die belgische Königin-Witwe bei einem Besuch in Warschau den führenden polnischen Schriftsteller Iwaszkiewicz, einen Sprossen altadeliger Großgrundbesitzer, doch Günstling des kommunistischen Regimes, befragte, was denn nun von ihm wahr sei, der

Kommunismus oder der Katholizismus – er hatte die Majestät in die Kirche begleitet und dort beim Gottesdienst die üblichen Gesten vollzogen –, da erwiderte der Schlagfertige: »*Madame, je suis catholique croyant, mais je ne pratique pas; je suis communiste pratiquant, mais je n'y crois pas*« (Ich bin gläubiger Katholik, praktiziere aber nicht; ich bin praktizierender Kommunist, aber ich glaube nicht daran).

Bei Nestroy ist es so, daß er das zweifelnde Freidenkertum praktiziert, im Herzensgrund aber nicht daran glaubt; daß er an den Katholizismus, wenn nicht aus ganzer Seele inbrünstig glaubt, so doch gerne an ihn glauben möchte, ihn aber, vor allem aus zahllosen Bequemlichkeitsgründen nicht praktiziert. Er hat nie mit der Kirche formal gebrochen. Er hat in sonderbarer Inkonsequenz darauf geachtet, daß seine Freundinnen ›eine schöne Leich'‹ bekommen, selbstverständlich mit kirchlicher Einsegnung. Er selbst ist, wie schon erzählt, mit den Sterbesakramenten versehen worden. Wollte man in dem allem nur Verneigung vor der bürgerlichen Konvenienz erblicken, so wie Monsieur Taine, der völlig Ungläubige, ein religiöses Begräbnis wünschte, dann seien dagegen relevante Stellen aus Nestroys Werken angerufen.

Als Schüler Kants, des allgehörten Lehrmeisters des österreichischen Biedermeier, leugnet er die Möglichkeit absoluter Erkenntnis, daher auch die Gewißheit des absoluten Nichts. *Ignoramus, ignorabimus*, wir wissen nichts, und wir werden nichts wissen, tönt es bei ihm vielerorts. »Ich hab' bereits eine Ahnung«, heißt es im »Mädl aus der Vorstadt«[178]. – »Dann haben Sie auch alles, denn die größten Gelehrten haben von der Wahrheit nit mehr als eine Ahnung gehabt.« Die verwickeltsten Wege geleiten Nestroy schließlich zu diesem Stoßseufzer: »I laß mir mein' Aberglaub'n durch ka Aufklärung raub'n. 's is jetzt schön überhaupt, wenn m'r an etwas doch glaubt« (»Höllenangst«)[179]. Und um deutlich zu machen, was Nestroy mit echt österreichischem *understatement* meint, erläutert er vorgängig: »Jeder Glaub'n, der s' a bißl scheniert, wird als Aberglaub'n gleich persifliert.« Die Aufgeklärten nämlich: »Weil's an eignem Geist ihnen oft fehlt, sag'n, 's gibt gar kein' Geist in der Welt.« Durch derlei verschämte und in Ironie eingehüllte Glaubenssehnsucht und Glaubensbereitschaft unterscheidet sich der jedem Überschwang abholde, vorsichtige Denker vom platten Rationalismus, der das Übersinnliche mit ein paar Federstrichen erledigt und der nur an eine Legende unverbrüchlich glaubt, an die vom endlosen Fortschritt der vergotteten Menschheit. Ebendieser Fortschritt aber hat es laut Nestroy »an sich, daß er viel größer ausschaut, als er wirklich ist«. »Drum i schau' mir den Fortschritt ruhig an und find', 's is nicht gar so viel dran.« So geschrieben in einem Stück, das, im heutigen politischen Jargon zu reden, um den Aufstieg der Arbeiterklasse und um den Fortschritt der Produktionsmethoden kreist, im »Schützling«[180].

Hüten wir uns aber auch da, Nestroy falsch zu verstehen. Der Fortschritt ist ihm nicht Idol, doch ein schätzenswertes Gut. Er dünkt den *affreux bourgeois*, der des Advokaten Sohn auch als Schauspieler und als satirischer Bühnendichter geblieben ist, am besten, oder nur, durch Evolution und im Rahmen einer langsam zu reformierenden Gesellschaftsordnung verwirklichbar, dann aber ebenso unausbleiblich wie wünschenswert. Auf die romantische Begeisterung für ein in rosigen Farben gemaltes Mittelalter schreibt er eine die Gegenwart rühmende Satire »Die Zauberreise in die Ritterzeit«, in der Bujak mit Recht ein wichtiges Zeugnis über und für Nestroys jeder Reaktion ferne Gesinnung und zugleich ein repräsentatives Werk des österreichischen Biedermeier erblickt. Dazu noch die grundgescheite, jeden Versuch, das Rad der Geschichte aufzuhalten, als Torheit brandmarkende kleine Rede an Arbeiter, die weit gewichtiger ist als die Konjunkturrevoluzzerei von »Freiheit in Krähwinkel«; denn sie stammt aus dem Vormärz: »Käm' euch das nicht lächerlich vor, wenn einer einen Besenstiel über Quer haltet und zu einer Armee saget: ›Bis hieher und nicht weiter!‹ Und weit lächerlicher is es noch, wenn einer mit morschen Ansichten sich der Zeit entgegenstemmt, dieser gewaltigsten Macht, die unaufhaltsam vorwärtsschreitet und sich von dem Gefolge zahlloser Veränderungen auf ihrem Triumphzug durch die Welt begleiten läßt« (»Der Schützling«)[181].

Allerdings sieht Nestroy als Träger des gesunden Fortschritts nicht das Proletariat, das Volk oder sogar die umstürzlerischen Intellektuellen. Jedes Bemühen, den Autor des »Unbedeutenden«, des »Schützling« und der »Freiheit in Krähwinkel« auf Grund dieser Bühnenwerke oder anderer aus dem Zusammenhang gerissener Stellen als Demokraten oder gar als ›progressiven‹ Autor, als *grand ancêtre* des Sozialismus abzustempeln, wird durch ungezählte gegenteilige Aussprüche vereitelt. Er liebt das Volk, er weiht ihm Verständnis, doch er überbürdet ihm keine führende Rolle, er spricht ihm keine wertvolle Initiative zu. »Wenn ihr selbst gesteht, daß es euch an Einsehen mangelt, dann darf's euch nicht wundern, wenn ihr blind gehorchen müßt. Wenn nur der Kutscher klar sieht, dann wird auch mit blinden Pferden das Ziel erreicht« (»Der Schützling«)[182]. Das Volk ist ja »ein Ries' in der Wiegen, der erwacht, aufsteht, herumtargelt, alles z'sammentritt und am End' wo hinfallt, wo er noch viel schlechter liegt als in der Wiegen.« So zu lesen in »Lady und Schneider«[183], wo Nestroy erstmals das Fazit des gescheiterten Umbruchs zieht. Und »die Mehrzahl der Menschen ist so! Im Straßengedräng' lernt man s' am besten von dieser Seite kennen; bittet man bescheiden um Platz, so stoßen s' einen mit Unverschämtheit zurück, schiebt man sich mit Ellbogenstößen vorwärts, so ziehen s' mit Devotion den Hut herab« (»Der Schützling«)[184]. »Wenn das Volk nur fressen kann! Wie s' den Speiseduft wittern, da erwacht die Eßlust und wie die erwacht, legen sich alle Leidenschaften schlafen; sie haben keinen Zorn, keine Rührung, keine Wut, keinen Gram, keine Lieb', keinen Haß, nicht einmal eine Seel' haben s'. Nix haben s' als ein' Appetit« (»Weder Lorbeerbaum noch Bettelstab«)[185]. Darum hat der politisierende Heugeig'n die weise Einsicht gewonnen: »Jetzt seh' ich's ein, daß es für einen Schneider nur eine Spitze gibt – das is die Nadelspitze, und daß sich der schlichte Bürgersmann überhaupt im Mittelpunkt seines Familienkreises viel besser als an was immer für einer Spitze macht« (Paralipomena zu »Lady und Schneider«)[186]. »Völker beglücken! Zu was denn so Sachen für ein' Bürgersmann, der seine Zeit weiter braucht?! Was hat der Mensch nicht alles zu tun, bis er sein Weib glücklich macht und seine Kinder« (»Lady und Schneider«)[187]. Denn der Bürgersmann, der Schuster, der bei seinem Leisten bleiben soll, ahnt nichts von den Dingen, die sein Votum entscheidet. »Bei die Wahlen durch Stimmen is der Fehler auch das: Es gibt mancher sein' Stimm ab und er weiß nicht, für was. Gar mancher is als Wähler für Frankfurt nein g'rennt, der auß'r d'Frankfurterwürsteln von Frankfurt nix kennt« (»Die Anverwandten«)[188]. Nestroy war im Grund nicht weit von der Ansicht seines Bürgermeisters aus »Freiheit in Krähwinkel«[189] entfernt: »Der Regent is der Vater, der Untertan is a kleines Kind, und die Freiheit is a scharfs Messer.« Nur soll man ›Untertan‹ durch ›Mann aus dem Volk‹ ergänzen.

Wer ist nun zur Regierung berufen, weil er zu ihr befähigt ist? Nicht die professionellen Volksführer, die »partout ganze Völker vertreten« möchten, obwohl sie außer den Stiefeln nichts zu vertreten haben. Die Intellektuellen – das weiß Nestroy aus eigener Erfahrung an seinen nächsten Bekannten – wollen ein parlamentarisches System dazu benutzen, um auf den Schultern des törichten Volkes emporzusteigen. Sie drehen die Fahne nach dem Wind. Geht der Umsturz schief, wechseln sie schnell zu den vordem herrschenden Mächten hinüber. »Nur ein G'schäft tut z'kurz kommen«, singt der oft zitierte Heugeig'n in »Lady und Schneider«[190], »was metaphorisch g'nommen g'rad zu tun hat am meisten, das sind d'Sattler, die leisten Enorms in der Zeit, wo von gestern auf heut' Hunderttausend von Leut' hab'n umg'sattelt so g'scheit.« Dann wird der Freiheitsapostel geschwind zum Eckpfeiler der alten Ordnung. »Sie sind ein Konservativer.« – »Man konserviert sich selbst am besten dabei« (»Verwickelte Geschichte«)[191].

Als die besten Inhaber der Staatsgewalt, oder mindestens als die am wenigsten schlechten, gelten Nestroy die geborenen Politiker, die reich genug sind, um nicht am Regieren verdienen zu müssen und die von vornherein auch ohne Vermehrung ihres Wohlstands das nötige Ansehen genießen; die vor allem hoch genug stehen, um nicht auf die Niedrigeren herabzublicken. Denn »mit zehn Fürsten und Grafen red't man leichter ganz g'wiß, als mit ein' Flecksieder, der Millionär worden is« (»Lady und Schneider«)[192]. Lieber noch die Hochgeborenen als die nur Hochbemittelten. Was Karl Kraus später auf die Formel gebracht hat: lieber Habsburger als Habsbürger. »Die Gleichheitsversess'nen sag'n gar, es soll rein zwisch'n ein' Schust'r und ein' Herzog kein Unterschied sein . . . Und grad, wenn wir in Rang und Stand alle sind gleich, wird noch bitt'rer der Abstand werd'n zwisch'n arm und reich. Auch Aufwand, Luxus, Verkehr fallt all's mit d'großen Herrn, so daß d' G'werbsleut' vor Gleichheit noch betteln gehn wer'n« (»Lady und Schneider«). Was hat das tolle Jahr aus dem lustigen Wien gemacht. »Wie hab'n d'Straßeneck' ausgeschaut vor der Umgestaltung! Da war alles ganz vollpappt mit Tanzunterhaltung, kein Ernst auf den G'sichtern, es war alles froh, jeder Mund war voll gute und schlechte Bonmots . . . Jeder hat an Wien sehnsuchtsvoll dacht, denn das Leb'n in Wien, das war a Pracht! . . . Es sitzt kein'r in ein' Wirtshaus, der nicht in sein' Hirn sich denkt, wie das schön wär', wenn er tät regier'n. So weit is's jetzt kommen, für Wien is's a Schand, wir sind noch fad'r als Berlin sein' Sand und Verstand. Fallt d'Umg'staltung so aus, sag' i: Nein, da hört es auf, ein Vergnügen zu sein« (»Lady und Schneider«)[193]. Obwohl an recht vulgären Beispielen dargetan, ist diese Beweisführung, die im Kern das Metternichsche System verteidigt, soweit beim systemlosen, systemfeindlichen Nestroy derlei denkbar war, ein Plaidoyer für einen Konservativismus, der jedem und jedem Stand das Seine zubilligt; der eine saubere Verwaltung und eine Gesellschaftsordnung fordert, die den besonders befähigten ›Schützlingen‹ den Weg zum ausnahmsweisen Aufstieg öffnet, doch ihn den Mittelmäßigen und schon gar der Masse verwehrt. Das Staatswesen aber muß, in Österreich vor allem, eine monarchische Form haben. »Es wollen d'Republiken in Europa nicht glücken. Selbst für die von die Schweizer geb' ich keine fünf Kreuzer« (»Freiheit in Krähwinkel«) [194] In diesen Strophen, deren Verse kaum geglückter sind als ihre Werturteile, spielt ein Gefühlsmoment hinein, vielleicht das einzige, das Nestroys messerscharfen, kühlen Verstand zu trüben imstande ist: sein österreichischer Patriotismus, der mit Legitimismus in eins zusammenfließt. Ehe wir auf diesen zurückkommen, sei jedoch auf einen anderen Sektor des politischen Denkens des da sehr hellsichtigen Autors hingewiesen: auf sein Urteil über die gewaltig heraufgrollende, soziale Frage.

Konservativ in der Vorstellungswelt der ständisch gegliederten Gesellschaft aufgewachsen und dieser Konzeption nie wirklich entwachsen, weiß der Bürger Nestroy zwar den Wert des Geldes sehr zu schätzen; er empfindet es aber als häßlich, als unpassend, ja als gefährlich und verderblich, wenn Einfluß und Rang im Staat durch das bewegliche Eigentum, durch das Kapital bestimmt werden. Die Neureichen sind stets lächerlich und zumeist odios. Zwischen Vornehmen und Geringgeborenen kann es eine herzliche, auf gegenseitiger Achtung und Sympathie beruhende Beziehung geben, nicht aber zwischen überheblichen Reichgeworden und ausgebeuteten Armen. »Zu ebener Erde und Erster Stock«[105] ist bei aller Possenhaftigkeit ein Problemstück, das recht ernsthaft an diese aktuell werdende Frage heranschreitet. Nestroy entrüstet sich zwar über die Proletarier – oder noch ärger über deren demagogische Verführer –, wenn die, »was man braucht, dem wegnehmen, der's hat. ›Wir sind arm‹, sagen s', ›der is reich, der muß uns sein

Geld geb'n. Zu was braucht er's? A Reicher hat a so's beste Leb'n‹« (»Lady und Schneider«)[196]; er begreift es aber, daß mancherlei die Proletarier zu ihrem, von ihm als unsinnig und unbillig verspotteten, Begehren aufstachelt. »Wenn man die Nachsicht des gereizten Armen braucht, soll man ihn am wenigsten erinnern an die angeborne Feindschaft zwischen arm und reich« (»Der Unbedeutende«)[197].

Das klingt nach der Theorie vom naturnotwendigen Klassenkampf. Was ist denn der logische Schluß aus einem Lebenslauf wie dieser: »Ich bin ein Proletariatsbeflissener, der den ganzen praktischen Kurs vom Pauperismus durchgemacht hat. Meine Lebensgeschichte ist lächerlich, denn sie ist so traurig, daß ich mich nur auf drei Lacher ... entsinnen kann. Ohne Schmunzler wurde ich Knabe, und da war mein erstes Lächeln ein höhnisches, wie in der Schul' der junge Trottel von ein' reichen Papa statt meiner s' Prämium hat krieg« (»Höllenangst«)[198]. Und mit bitterer Ironie zürnt es in den ungespielt gebliebenen Entwürfen zu diesem aufwühlenden Stück: »Ich bin einer von die, die man arme Teufeln heißt. Warum man die Armen unter die Teufeln classificiert, das weiß ich nicht, offenbar muß es unter die Reichen gar so viele Engeln geben ... Man nennt uns auch häufig arme Narren; warum der Arme nun ein Narr is, das weiß ich auch noch nicht, offenbar muß es unter die Reichen lauter G'scheite geben ... Nach den neuesten Ansichten nennt man uns Proletarier und verbindet damit die zarten Nebenbegriffe von Communist, Aufrührer, staatsgefährlicher Mensch ... Allerdings is der Arme geborner Revolutionär, aber so staatsgefährlich is nix an ihn« (Paralipomena zu »Höllenangst«)[199]. Sehr treffend doziert des weiteren »Freiheit in Krähwinkel«[200]: »Wenn diese Worte – Heilig sei das Eigentum – den Arbeitern nicht ins Herz geschrieben wären, was nutzet dann auf alle Türen das Geschmier' (dieses bürgerlichen Angst-Slogans von 1848)?«

Nestroy war zu nüchtern und zu scharfsichtig, um nicht die Herrschaft der Habsbürger, die von ihm verabscheut wurden, nahen zu wissen; er ahnte das, was hernach folgen würde. Doch er hielt es mit den Habsburgern. »Als legitimistischer Patriot« (Brief an Stainhauser vom 2. Mai 1861)[201], der er stets war, ging er mit dem kaiserlichen Österreich durch dick und dünn, wo immer es auf äußere oder innere Feinde stieß. Wie er das Frankreich Napoleons III., das Preußen der Hohenzollern und das Italien des Risorgimento beurteilte, haben wir im Kapitel über Nestroys Lebensweg erzählt. Verachtung mengt sich in den Haß, wenn er von den revolutionären Selbständigkeitsgelüsten der Nationalisten des Habsburgerreichs spricht. Dem Kaiser, dessen »unvergleichlich er·habene und erhebende Thronrede« er in einem Brief an den vertrautesten Freund Stainhauser mit schier religiöser Andacht preist, stehen als die zugleich lächerlichen und abgrundschlechten Empörer die Wortführer der Karyatidenvölker gegenüber. »Früher bin ich rabiat geworden, wenn ich gelesen, wie weit in Ungarn die kalpakbedeckte Kopflosigkeit ihre Frechheit treibt ... über den maßlosen Unsinn separatistisch-ungarischer Praetentionen, jetzt lese ich mit Gelassenheit die großmüthigen Finanz-Ideen eines Teleki, der der edlen Nation den Vorschlag macht, zweyhundert Millionen von der Statsschuld hochherzig anzuerkennen, während der kleine Rest von dritthalb Milliarden auf die übrigen Kronländer fallen soll, und denke mir lächelnd, da muß wohl der österreichische Finanzminister statt ›Teleki‹ ›Duleckmi‹ sagen. Früher bin ich rabiat geworden über die Österreich beleidigende Gehässigkeit ungarischer Tischreden; jetzt lese ich mit Gelassenheit die enormsten Absurditäten und Weindunstmißgeburten der jenseitigen Leitha-Leute und denke mir lächelnd: ein Ungar red't viel, wenn der Tag lang ist ... Der Mensch lebt nicht bloß vom Zeitungslesen, sondern auch hauptsächlich vom Essen. Dazu braucht man aber Appetit ... Kann man Appetit zum Rindfleisch haben, wenn man bedenkt, daß die Ochsen von Polen und Ungarn kommen und daß folglich auch in ihnen etwas von jener dort grassierenden Seuche – von den politischen Ärzten ›Nationalitätenschwindel‹ genannt – anklebt? Kann man das Schweinerne goutieren, wenn man bedenkt, daß die Schweinezucht speziell aus Ungarn stammt? – Quillt einem beym Lämmernen nicht der Bissen im Mund, wenn man an die Lammsgeduld denkt, mit der man in Pesth ungestraft den K. Adler herunterreißen ließ ... Mit den Mehlspeisen hat man das nehmliche Gefrett. Können einem die böhmischen Dalken schmecken, wenn man bedenkt, daß die ungenießbaren Rieger und Palacky auch dazu gehören?« Ach, der Ärmste hat nicht einmal an Speisen ungetrübte Freude, die aus dem getreuesten Kronland stammen, denn »bringt man einen Tirolerstrudel hinunter, wenn man an den Innsprucker Landtag denkt, und an all das

Eckelhafte, womit ein Paar intolerante Oroviste und gesinnungs-verwandte Staatshämorrhoidarien das liberale confessionelle Gleichberechtigung verkündende Gesetz des Kaisers zu besudeln wagen?« (aus dem vorgenannten Brief vom 2. Mai 1861). Ja, so-gar die braven Kroaten, die doch Anno 1848 der Freiheit in Kräh-winkel – Verzeihung, in Wien – ein verdientes Ende bereiteten, kriegen eins ab. »Am Spaßigsten sind mir die Croaten. Croaten! wie heißt Croaten? sprach man vor fünfzehn Jahren davon? Es war doch ehmals ganz anders; hätten wir in unserer Jugend die ›Kafte Leinwand‹ (Kauft Leinwand, Ruf der kroatischen Hausierer) nicht gehört, wir hätten trotz Schulbüchern nicht gewußt, daß es ein Croatien giebt auf der Welt; und jetzt geriert sich das als Nationalität, thut historisch, spielt Volk, macht Opposition, spricht Nationalsprache, wobey natürlich keine Nation mitspre-chen kann, denn bis jetzt hat doch noch niemand auf der Welt sich beykommen lassen croatisch zu lernen« (aus dem erwähnten Brief vom 8. Mai 1861).

Es tut gut und zugleich weh, diese Ausbrüche eines so klugen und mit allen Fasern seines Herzens am habsburgischen Österreich hängenden ›Gutgesinnten‹ wie Nestroy wiederzugeben, nicht nur um dessen Charakterbild abzurunden und um eine Achillesferse seiner geistigen Gestalt zu enthüllen, sondern auch um an seinem Beispiel zu erproben, worin die Wurzeln des späteren Zusam-menbruchs des ihm so teuren, vielnationalen Gebildes lagen: in der Verblendung und in der maßlosen Überheblichkeit der deutschsprachigen Hegemonen. Wobei noch des tragikomischen Beisatzes nicht zu vergessen ist, daß Nestroy, wie so viele ihm Gleichdenkende, zu einer Hälfte slawischer – polnisch-tschechischer – Herkunft war, sein Sohn erster Ehe dazu noch magyarischer!

Doch nun zurück zu Nestroys allgemeinen politischen Ansichten. Wir haben ihren Pragmatismus hervorgehoben, ihre Ablehnung jederlei starren Systems, die ihm gleichermaßen die Feindschaft von Konservativen und Linksdemokraten eintrug ebenso wie den Anspruch beider einander entgegengesetzter Strömungen, daß ihnen der große Wiener Satiriker zugehöre. Er hat dazu das Nötige kurz durch den Mund des redegewandten Journalisten Ultra be-merkt: »Ich verkünde für Krähwinkel Rede-, Preß- und sonstige Freiheit; Gleichgültigkeit aller Stände; offene Mündlichkeit, freie Wahlen nach vorhergegangener Stimmung; eine unendlich breite

Basis, welche sich erst nach und nach in die Länge ziehen wird, und zur Vermeidung aller diesfälligen Streitigkeiten gar kein System« (»Freiheit in Krähwinkel«)[202]. Sind die Systeme an sich ein Greuel, dann noch mehr, wenn sie von unzulänglichen Kreaturen verkörpert werden. Die Arnstedt und Stromberg in »Höllenangst« kompromittieren das aristokratische System nicht minder als die Heugeig'n die Revolution zur Fratze hinabwürdigen. Es sind ja immer Menschen, auf die Nestroys Satire zielt. Geeignete Vertreter lassen jedes System erträglich scheinen, unfähige regieren es zuschanden.

Eine Institution allerdings hat der von ihr gepeinigte Bühnendichter uneingeschränkt verdammt: die Zensur. Suchen wir da nicht nach weltanschaulichen Beweggründen, wo es sich um einen triebhaften Berufshaß dreht. Welcher Reisende liebt den Zollbeamten, welcher Automobilist den Verkehrspolizisten, welcher Mieter den Hausherrn, welcher Schuldner den Gläubiger, welcher Autor den Kritiker? Jeder Schriftsteller mußte eine Einrichtung verfluchen, die ihn bei seinem Schaffen hemmte, selbst wenn sie von den besten und gescheitesten Beamten geleitet wurde und wenn sie, wie das in Österreich zumeist bei den Zentralstellen der Fall war, von guten und gescheiten Beamten geleitet wurde. Der Zensor bleibt immer »ein Mensch gewordener Bleistifter oder ein bleistiftgewordener Mensch, ein fleischgewordener Strich über die Erzeugnisse des Geistes, ein Krokodil, das an den Ufern des Ideenstroms lagert und den darin schwimmenden Literaten die Köpf' abbeißt« (»Freiheit in Krähwinkel«)[203].

Nestroy wäre freilich nicht er selbst und nicht der Vertreter einer Staatsauffassung, die im Bereich der Zensur seinen Standesinteressen entgegentrat, hätte er die Schattenseiten einer hemmungslosen Pressefreiheit übersehen. Anno 1848 haben die Literaten den bleistiftgewordenen Menschen die Köpfe abgebissen, und der Ideenstrom hat die Ufer überschwemmt, worüber dann mannigfache Krokodilstränen vergossen wurden. Nestroys Unmut war aber echt: »Für die Drucker schon gar, War's ein goldenes Jahr: Flugschriften niederträchti, Plakate höchst verdächti, Nix is z'dumm, nix z' schlecht g'wesen, D'Leut hab'n alles z'sammg'lesen« (»Lady und Schneider«).[204] Es war eben alles Freiheitsrausch. Die einen haben dafür »zehn, fünfzehn Festungsjahre« abzubüßen gehabt — und in der Regel nicht abgebüßt — »aber an der Ehre« verlieren sie

»deswegen keine Viertelstund'; die Achtung, die man jedem zollt, der seine Meinung vertritt, der sein Leben an sein Glaubensbekenntnis setzt, die muß ihm bleiben und das ist für den schwersten Kerker eine unendliche Erleichterung ... Wer kann bei der jetzigen Krisis in Europa sagen: ›ich war nicht dabei!‹ – Die Revolution war in der Luft, jeder hat sie eingeatmet und folglich, was er ausg'haucht hat, war wieder Revolution. Da muß sich keiner schöner machen woll'n. Aufgefallen ist ein oder der andere mehr, da heißt's halt dann, wie Schiller sagt: ›Den nehm' ich heraus aus eurer Mitte, doch teilhaft seid ihr alle seiner Schuld!‹ Darum schenken wir denen, die's getroffen, die mitleidvolle Teilnahme, und danken wir Gott, daß sie uns grad zufällig nicht herausgenommen haben.« Schließlich: »Nach Revolutionen kann's kein ganz richtiges Strafausmaß geben. Dem Gesetz zufolge verdienen so viele Hunderttausende den Tod – natürlich, das geht nicht, also wird halt einer auf lebenslänglich erschossen, der andere auf fünfzehn Jahre eing'sperrt, der auf sechs Wochen, noch ein anderer kriegt a Medaille – (wir könnten hinzufügen: oder wird gar Minister wie Bach) und im Grund haben s' alle das nämliche getan« (»Der alte Mann mit der jungen Frau«)[205].

Mit dieser Quintessenz der politischen Weltanschauung Nestroys, die er als Ergebnis seiner Erfahrungen aus Vormärz, heranbrandender Umsturzwelle, die ihn auf eine Weile mitgerissen hatte, Revolution und Reaktion geschöpft hatte, kehrt der Altösterreicher, der liberale, duldsame, doch nach Ruhe und Ordnung verlangende Humanist und Bourgeois zu seinem Ausgangspunkt zurück; ohne Groll, ohne Entrüstung, die er einzig, wie wir dargelegt haben, den Feinden seines Vaterlands und jenen Zerstörern vorbehält, die da »glaub'n, Freiheit heißt unscheniert schimpf'n über'n Staat, und das, was man braucht, dem wegnehmen, der's hat« (»Lady und Schneider«)[206]. Weder das Gebiet das Glaubens noch das der Politik, weder Kirche noch Staat haben Nestroy so stark beschäftigt, daß er ihnen mehr als vorübergehende, durch die erregten Zeiten ausgelöste Aufmerksamkeit geschenkt hätte. Sowohl Österreich als auch der Katholizismus sind für Nestroy und für die große Mehrheit seiner Landsleute Zwangsgemeinschaften gewesen, ohne daß diesem Begriff ein gehässiger, übler Beigeschmack innegewohnt hätte. Beides, Staatsangehörigkeit und Kirche, waren Schicksal, dem man weder entrinnen konnte noch entrinnen mochte. Mit dem Schicksal hadert man nicht; es ist höchstens gestattet, an ihm zu nörgeln und über es zu raunzen, was Nestroy ja oft getan hat.

Seine Satire hat sich vor allem einen Schauplatz erwählt, auf dem die Zustände dem freien Willen des Menschen unterliegen können: die Gesellschaft. Diese Kritik hat sich lebendige Opfer auserkoren, die durch keine äußeren oder inneren Hemmungen des Beschreibenden geschützt sind, die Einzelnen oder die Gesamtheit. Gesellschaft und Individuen aber betrachtet Nestroy in deren österreichischer, ihm zeitgenössischer Wesensform. Dazu noch diese Einschränkung: Schilderung und Kritik betreffen unmittelbar und vornehmlich die Kleinwelt des Wiener Bürgertums; dieselbe Schicht, aus der sich der Autor die Gestalten seiner Komödien geholt hat. Allerdings finden sich viele Züge des heimatlichen Spießers (samt Ausblick nach oben und unten) an anderen Orten und in anderen Epochen wieder. Was am lokalen Anlaß verspottet wird, das weitet sich dann zur allgemein-menschlichen Satire.

Bei seiner Grundhaltung gegenüber den lieben oder unlieben Nächsten bewegt sich Nestroy, was nicht stark genug zu betonen ist, zwischen zwei Gegenpolen, einer milden, verstehenden Einsicht und Nachsicht, dann wieder einer grausam mitleidlosen Scharfsicht und hart verneinenden Ansicht. Hier jene aus Gutmütigkeit, Ruhebedürfnis und Abscheu vor Lärm, Schroffheit oder Betriebsamkeit quellende urösterreichische Haltung des: ›da laßt si nix mach'n‹, ›was woll'n S' scho von d'Leut‹, ›das is halt aso‹, ›mir wer'n d'Welt net ändern‹, ›Mensch'n, Mensch'n san ma alle‹. Dort, nun wir erteilen wiederum Nestroy das Wort. Zunächst nochmals die vielzitierten beiden Aussprüche: »Ich glaube von jedem Menschen das Schlechteste, selbst von mir, und hab' mich noch selten getäuscht«, und »Es gibt sehr wenig böse Menschen, und doch geschieht so viel Unheil in der Welt; der größte Teil dieses Unheils kommt auf Rechnung der vielen, vielen guten Menschen, die weiter nichts als gute Menschen sind.« Dazu haben wir Vorbehalte gegen die Neigung angemeldet, diese Äußerungen als eine Art Bekenntnis Nestroys anzusehen. Sie sind übrigens beide Abwandlungen zweier Aphorismen Chamforts: *»L'homme est un sot animal, si j'en juge par moi«*, und *»Les gens faibles sont les troupes légères de l'armée des méchants. Il font plus de mal que l'armée même; ils* *infectent et ils ravagent.*« Sodann: »Ein königliches Paar sitzt seit Anbeginn auf dem Erdenthron und regiert den staatlichen Menschenbund: Egoismus heißt der Herrscher, die Herrscherin heißt Eitelkeit, und die nimmersatten Leidenschaften bilden ihr unverantwortliches Ministerium.« Des weiteren: »Wir sollens lieber verheimlichen, daß wir zu die Säugetiere gehören; wir haben ohnedem so wenig Unterscheidungszeichen; na ja, was denn? Die Vernunft? Die is nicht allgemein genug, und wie viele gibt's, die mit a bissel ein' g'scheiten Pintsch sich gar nicht messen dürfen. Die Sprach' soll uns auch auszeichnen vor die Tier', und mancher zeigt grad' durch das, was er red't, was er für a Viech is.« »Es gibt schlechte Menschen, die es (das Leben) einem bitter, unerträgliche, die es einem sauer, langweilige Menschen, die es einem abgeschmackt machen (»Nur Ruhe«)[207]. Nur ein Schwachkopf erblickt in sich und in seinesgleichen die Krone der Schöpfung. »Je dümmer als der Mensch ist, desto mehr Wohlgefallen hat er an sich selbst« (»Der konfuse Zauberer«)[208]. Die klarste und knappste Formel für Nestroys misanthropische Gesinnung aber bringt uns ein Aphorismus aus seinem Nachlaß: »Die Menschen muß man hassen, ehe man sie kennt, verachten, wenn man sie kennt« (Ausgewählte Werke 6, 575).

Was kann daher natürlicher sein als das Mißtrauen, das wir gegeneinander hegen? »Das Mißtrauen gegen sein eigenes Geschlecht ist ein rein menschliches Prärogativ. Wenn der Zufall zwei Wölfe zusammenführt, fühlt gewiß keiner die geringste Beklemmung über das, daß der andere ein Wolf is; aber zwei Menschen können sich nie im Wald begegnen, ohne daß nicht jeder denkt, der Kerl könnt' ein Räuber sein.« »Bei Männern gibt's keine Menschenkenntnis, denn wenn man's kennt, so lernt man sie als Unmenschen kennen« (»Der Färber und sein Zwillingsbruder«)[209]. Entsinnen wir uns ferner der Rolle, die in Nestroys Bühnenstücken die eigensüchtigen Schmarotzer spielen, im »Zerrissenen«, in »Glück, Mißbrauch und Rückkehr«, in »Zu ebener Erde und Erster Stock« und in den »Anverwandten«, wo sich zur Eigensucht noch die heuchlerische Tücke gestellt. Denken wir an den Verrat, der den vertrauenden Gefährten schändlich hintergeht, wie in »Mein Freund«.

Wie oft scheint uns nicht als einzige ehrlich gemeinte Lehre aus den so lustigen Possen die traurige Wahrheit herauszudämmern, daß man nur durch Macht oder Reichtum Freunde oder gar kriechende Schmeichler gewinnt, die einem sofort den Rücken zuwenden, wenn Einfluß und Vermögen dahingeschwunden sind. *Donec eris felix, multos numerabis amicos!* Solange du glücklich bist, wirst du viele Freunde zählen, hatte schon der lateinische Dichter gesagt und dem den gleichen Nachsatz angefügt wie Nestroy. Der Arme, Schutzlose: »Die Welt scheint sehr glatt, wenn man sie auf lackierten Wagenrädern befährt, die Welt scheint nicht uneben, wenn man sie mit guten Stiefeln betritt, aber die Welt ist fürchterlich rauh: das kann nur der beurteilen, der öfters barfuß auf ihr herumspaziert (»Die beiden Herren Söhne«)[210]. »Das Gefühl, es steht ein reicher Mann vor dir, das is bei mir der Resonanzboden, über welchen man die Saiten der Höflichkeit aufzieht. Kriegt dieser Resonanzboden durch einen tüchtigen Schlag einen Sprung, dann klingen die Saiten nicht mehr wie früher, sondern geben einen dumpfen, groben Ton« (»Zu ebener Erde und Erster Stock«)[211]. Die Moral empört sich wider diese Tatsachen, doch der Selbsterhaltungstrieb und der kühle Verstand, der unheilige Egoismus verordnen: »Die Nächstenlieb' fängt bei sich selbst an.«

Und dennoch, Nestroy zweifelt wohl am Menschen, und er dünkt uns mitunter dessen gewiß, daß *homo sum* soviel heißt wie: ich bin ein Viechkerl. Allein da erhebt doch das zweite gegen das erste Ich des Dichters und Denkers Einspruch. Nicht nur der Teufel, zu dessen Ehrenrettung Nestroy mehrfach heitere Argumente vorgetragen hat, sondern auch der Mensch ist, um ein polnisches Sprichwort zu variieren, nicht so schwarz, wie man, wie der Wiener Satiriker ihn gar häufig malt. Soll man wirklich in eine düstere Wolke des Mißtrauens gebannt, durchs Dasein sich mürrisch fortschleppen? Nestroys Antwort an sich selbst lautet: »daß zu viel Vertrauen eine Torheit, zu viel Mißtrauen aber immer ein gewisses Unglück ist« (»Die Anverwandten«)[212]. Wenn der Haß wider die Menschen oft darauf beruht, daß sie einem den Frieden in einem abgehegten Turm stören – der muß nicht unbedingt aus Elfenbein sein –, so entgegnet sich der Autor: »Die absolute Ruhe, von der Sie träumen, existiert nicht. Sagen, von heut' an kann nichts mehr meine Ruhe stören, das heißt gewissermaßen das Schicksal herausfordern und das ist ein Kampf, wo an keinen Sieg zu denken; mit einem blauen Auge davonzukommen, ist schon der höchste Gewinn« (»Nur Ruhe«)[213]. Und die Mitmenschen sind ja nicht alle hohlköpfige Nichtstuer, stumpfe Sumper, Intriganten, Lüstlinge, Betrüger, Rohlinge.

Wohl ist das Geld ein notwendiges (wir schmähen nicht einmal: Übel, sondern) Fundament des zufriedenen Lebens. »Geld macht nicht glücklich, sagt ein Philosoph, der Gott dankt' hätt', wenn ihm wer eins g'liehen hätt'« (»Liebesgeschichten und Heiratssachen«)[214]. »Der Mensch kann mit Wenigem glücklich auch sein. Schad' nur, daß die Gelehrten nicht erfinden die Kunst, Wie man das Wenige könnt' haben umsunst. Laßt's mich aus mit der Welt. Es is nix ohne Geld« (»Eisenbahnheiraten«)[215]. »Wenn man es verliert, Da is das Geld Chimäre« (»Robert der Teuxel«)[216]. Das Geld ist trotzdem nicht alles. »Zum Leben gehört sich, billig berechnet, eine Million und das ist nicht genug, ein geistiger Aufschwung g'hört dazu, und das find't man höchst selten beisammen« (»Der Talisman«)[217]. Ohne diesen geistigen Aufschwung bringt man es nur bis zu dem »Haufen Dukaten«, der wie die Grundsätze, denen er sein Entstehen verdankt, zwar »für einen Bedienten gut genug« ist (»Zu ebener Erde und Erster Stock«)[218], doch nicht den Eingang in die vornehme bürgerliche Gesellschaft eröffnet. Geld genügt nie, um die Kluft zwischen gebildet und ungebildet, von gemein und vornehm zu überbrücken. Viel Geld reicht dazu noch nicht aus, und erst sehr viel Geld, Millionen, vermögen das. Dann schwemmt der Goldstrom alle Hindernisse hinweg.

Wer jedoch nicht über das Zaubermittel des Kapitals verfügt, der soll seinen Kindern wenigstens eine gute Erziehung gewähren, die »große Rente«, von der sie zehren mögen, falls keine andere vorhanden bleibt. Übrigens hat auch die Anständigkeit einigen Wert. »An der Hauptmaut des guten Gewissens wird das reine Bewußtsein zum breitschultrigen Träger der schwersten Verfolgungslast« (»Die Anverwandten«)[219]; welche erhabene Sentenz freilich etwas von ihrer Überzeugungskraft einbüßt, da sie einem ausgekochten Tartuffe in den Mund gelegt wird.

Immerhin, wenn man nur anständig ist! »So sollt's jedem gehn, der sich deßtwegen einen Pfiffikus nennt, weil er einen passablen Kopf mit einem schlechten Herzen vereint«, wird in »Liebesgeschichten und Heiratssachen« ein durchtriebener Lump nach Aufdeckung seiner Ränke abgefertigt[220]. Ja, ja, Tugend muß sein. Leider hat sie es nur auf der Bühne leicht, sich an den wohlbesetzten Tisch zu setzen und das Laster abzuwimmeln. Nestroy weiß sehr genau zwischen dem Seinsollen und der irdischen Wirklichkeit zu unterscheiden. Doch man kann ja gegen das Schicksal und gegen die kompakte Majorität nicht aufkommen. Der Klügere, der Kluge gibt also nach, und zum soundsovielten Male: Resignation ist die edelste Nation. Schließlich kann man sich, auch ohne ein passabler Kopf mit einem schlechten Herzen zu sein, ganz passabel hienieden einrichten. Zum Beispiel als Familienvater.

Allerdings sind auch da ein paar kleine Hindernisse zu überwinden, das heißt: nicht zu überwinden. »Guter Gatte und Vater, das trifft sich in praxi nicht immer so paarweis als wie die Strümpfe oder die Ohrfeig'n beisamm'. Es ist sehr leicht, ein guter Vater zu sein; guter Gatte, das is schon mit viel mehr Schwierigkeiten verbunden. Die eigenen Kinder sind dem Vater g'wiß immer die liebsten, und wenn's wahre Affen sind, so g'fallen ei'm doch die eigenen Affen besser als fremde Engeln. Hingegen hat man als Gatte oft eine engelschöne Frau, und momentan wenigstens g'fallt ei'm a and're besser, die nicht viel hübscher ist als a Aff'. Das sind die psychologischen Quadrillierungen, die das Unterfutter unsers Charakters bilden« (»Das Mädl aus der Vorstadt«)[221]. In diesen Betrachtungen, wie in allen über Ehe und Liebe, spürt man besonders stark, daß Nestroy in eigener Sache und aus eigener Erfahrung spricht. »Ach, die Ehe! Eine wechselseitige Lebensverbitterungsanstalt« (»Der Färber und sein Zwillingsbruder«)[222]. »Das Eheband is das kürzeste an Raum, das längste in der Zeit« (»Liebesgeschichten und Heiratssachen)[223]. »Ich bin immer gern bei Hochzeiten, schon das Bewußtsein, daß es nicht die meinige ist, macht, daß sich die Brust froh und frei erhebt« (»Nur keck«)[224]. In die Ehe stürzt sich der verliebte junge Mensch leichtfertig wie in ein lockendes Abenteuer. »Eher eine Lokomotiv aufhalten als ein' jungen Beamten, der mit'n Anstellungsdekret in d'Sakristei rennt, a Kopulation b'stelln« (»Kampl«)[225]. Und dann gibt es kein Zurück für den katholisch Getrauten. »Die Eh' ist auf jeden Fall ein Trauerspiel, weil der Held oder die Heldin sterben muß, sonst wird's nicht aus. Übrigens hat die Eh' sehr viel von einem Spektakelstück, denn Spektakeln ereignen sich in diesem Stand, gar nicht zum glauben. Auch Tableaux kommen darin vor, der Mann kniet hintern Ofen, die Frau schmacht übers Fenster auf einen hinunter, das is ein scharmantes Tableau. Dann gibt's auch sehr häufig im Eh'stand Einzüge, wie der Mann ins Wirtshaus geht, hält der Liebhaber seinen Einzug ins Haus; Krönungen usw., alles mögliche, was zu einem guten Spektakelstück gehört« (»Weder Lorbeerbaum noch Bettelstab«)[226].

Es prüfe, wer sich ewig bindet! Nicht sinnliche Aufwallungen sollen bei der Vermählung entscheiden, sondern Erwägungen über die Gleichheit des Standes und des Vermögens, über das Zueinanderpassen des Alters und des Charakters. Mit derartigen Vorsichtsmaßnahmen und wenn man weiß, daß »gar nichts unmöglich ist, als daß sich eines die Nasen abbeißt, so kann man hoffen, daß es a recht a gute Eh' werden wird« (»Gegen Torheit gibt es kein Mittel«)[227]. Die glücklichen Sonderfälle, wo der Mann als Junggeselle »wirklich ein Zerrissener war. Die ganze eheliche Hälfte hat mir gefehlt« (»Der Zerrissene«)[228], oder wo der Mann als Rostbratel »erst gut« wird, »wenn d' Gattin als Köchin ihn recht zwiebeln tut« (»Zampa«)[229]: diese Ehen, in denen die Gatten Erfüllung und Vollendung genießen, sie dienen als Lockmittel für die anderen weit zahlreicheren, denen im Liebesrausch die soziale Notwendigkeit einer durch die Kirche und (oder) den Staat gesegneten, gebilligten Verbindung auferlegt wird.

Die Treue des Gatten hängt gemäß Nestroys androkratischen Ansichten von dessen Willen ab, die der Frau ist heilige Pflicht; ganz im Einklang mit der damaligen bürgerlichen Moral. »Will er mich betrügen«, meint eine vernünftige Braut, »so tut er's auch, wenn ich eifersüchtig bin, und will er brav sein, so ist er's auch, wenn ich nicht eifersüchtig bin« (»Eine Wohnung ist zu vermieten«)[230]. Doch »am Triumphwagen der Frau muß der Mann einspännig gehn, sonst ist's gefehlt« (»Gegen Torheit gibt es kein Mittel«)[231]. »Ein weibliches Herz, wenn es einmal eine Richtung eing'schlagen hat, so muß es auf der graden Straßen fort bis ans Ziel und darf keinen Nebenweg einschlagen, sonst versinkt's in ein' Sumpf, und da is 's beste, man laßt 's stecken, denn die ganze Fracht is kein' Teufel wert« (»Der Erbschleicher«)[232]. Die sich als Übertreibung gebärdende Tirade aus der »Verhängnisvollen Faschingsnacht«[233] drückt – wie nicht selten bei Nestroy – eine Ansicht des Autors aus, deren er sich ein wenig vor sich selbst schämt: »Erlaubt sich das Weib das Geringste, so leidet die Ehre des Mannes dabei; je mehr sich aber der Mann erlaubt, je niederträchtiger als er sie behandelt, und sie ertragt das Ding alles als stille Dulderin, desto mehr Ehre macht es ihr. Es gibt gar nichts Ausgezeichneteres für ein Weib, als wenn sie im Renommee als stille Dulderin ist.« Angesichts derartiger Auffassungen wird nicht überraschen, daß Nestroy das Lob der dummen, schlichten, demütigen Frauen singt. Wir haben schon seiner Gestalten à la Käthchen von Heilbronn gedacht, der Salome Pockerl aus dem »Talisman«, der Kathi aus dem »Zerrissenen«. Nun noch zwei Textzitate: »Ein prächtiges Mädel, nur scheint s' etwas dumm, wenn die auch g'scheit wär', was gebet ich drum! Doch nein, ein g'scheits Weib ist für'n Mann eine Plag'. Bei dem Madl bleib ich, der lauf' ich jetzt nach« (»Nagerl und Handschuh«)[234]. Brav, beschränkt, in Alter und Stand zum Gatten passend zu sein, zu ihm aufzuschauen, das geziemt den Ehefrauen. Klug, geistreich, verführerisch, das ist den weiblichen Partnerinnen bei den »nach Recht nicht, nach Gesetz« fragenden Katzenbalgereien der Geschlechter vorbehalten. Liebe und Ehe sind zwei voneinander deutlich getrennte Bezirke in Amors Reich. »Die Lieb' is a Spagat, der die Herzen, der Eh'stand ein Strick, der die Händ' zusamm'bind't« (»Die beiden Nachtwandler«)[235]. Vor allem diese kapitale Gegenüberstellung: »Wie der angenehme Jüngling Schlaf einen fatalen Bruder, den Tod, hat, so hat die reizende Zauberin Liebe eine etwas langweilige Schwester, die Ehe. Die Liebe kommt mir vor wie eine Hausunterhaltung, die sich ganz unverhofft gestaltet, das sind immer die schönsten. Der Eh'stand hingegen ist als wie eine Landpartie, wo man sich eine Menge vornimmt, wie unendlich man sich unterhalten will, da wird meistens nix draus, allerhand Verdruß und ein recht's Wetter sind, so wie das landpartieliche, auch das eh'ständliche Fazit. – Bei der Lieb' is das Schöne, man kann aufhören zu lieben, wenn's ein'm nicht mehr g'freut, aber bei der Ehe! Das Bewußtsein, du mußt jetzt all'weil verheirat't sein, schon das bringt einen um. Ich weiß, wie das Ganze entstanden is: die Schöpfung hat sich einmal im Dramatischen versucht und hat eine Komödie verfaßt ›Die Liebe‹, und das Stück is halt so gut ausg'fallen ... da hat dann die Schöpfung einen zweiten Teil drauf g'macht, ›Die Ehe‹, und wie's schon geht bei die zweiten Teil', es ist nicht mehr das Interesse (Anspielung an »Lumpacivagabundus« und dessen Fortsetzung). Und wenn man die dramatischen Mittel dieser beiden Teile vergleicht – grad wie bei gute und matte Komödien. Bei der Liebe nur zwei Personen; selbst die noch dabeisein könnten, sucht man zu vermeiden, ein leichter, gefälliger Dialog, Dekorationen:

eine Laube, a Stiegen, a Strohdach, alles gut genug. – Bei der Ehe hingegen das Personal: a Frau, a Stubenmädel, a Köchin, a Bedienter, a Chevalier oder auch mehrere Chevaliers und Kinder und Statisten, die d'Frau angaffen, wenn s' sauber is. Und die Dekorationen: ein Salon, eine Promenad', ein Ballsaal! – Und die Garderob'! Und dabei eine schieferige, geschraubte, oft auch sehr ordinäre Sprache – nein, es is nix mit die zweiten Teil'!« (»Unverhofft«)[236]. Die Ehe ist also soziale Institution, die Liebe individuelles Vergnügen, das heftigste, berauchendste, herrlichste; umso reizender, je mehr es den konventionellen Bräuchen widerspricht. »Verbot ist die Leibfarb' der Lieb'. Das is nur ein Zufall, wenn sich Wunsch und Erlaubnis bisweil' begegnen auf der Welt« (»Der Färber und sein Zwillingsbruder«)[237]. »Die Lieb' is eine Nachtigall, die am liebsten und am reizendsten im dunklen Laub des Verbotes schlagt, selten in den schattenlosen Kommerzialstraßen der Pflicht« (»Der alte Mann mit der jungen Frau«)[238]. Die Liebe kümmert sich nicht um ihre Zukunft: »Seit wann fragt denn die Lieb' nach einer Aussicht? Die wahre Lieb' schaut nur da heraus, wo keine Aussicht is« (»Weder Lorbeerbaum noch Bettelstab«)[239]. Sie kennt keine Nebenrücksichten: »Bei der Lieb' muß man die Augen niederschlagen und da geschieht's denn leicht, daß sie auf einen Gegenstand fallen, der unter einen ist.« Sie entpuppt sich eben als »die Köchin, die am meisten anrichtet auf der Welt« (»Die verhängnisvolle Faschingsnacht«)[240].

Nichts Ärgeres, als von diesem triebhaften und beseligenden Gefühl, von diesem blindem und doch so beglückenden Verhängnis zu fordern, daß es vorausschauend sich auf unkündbare Frist zu Leistungen verpflichte. »Wenn Liebe eine Schuld wär', so könnt' man sie auf ein'm Dreißigkreuzerstempel verschreiben, man könnt' sie zedieren, exequieren, ratenweis' abtragen, wenn's ein'm auf einmal z'viel is« (»Der alte Mann mit der jungen Frau«)[241]. Diesem scheinbar unanfechtbaren Sophismus, dem er offenbar besonderen Wert beimaß, fügte Nestroy, als er ihn fast unverändert in »Mein Freund« wiederaufnahm, einen sentiment- und ressentimentgeladenen Nachsatz hinzu: »Es liegt wirklich ein kühner überg'würzg'wölblicher Materialismus drin, dem poetischsten aller Gefühle zuzumuten, daß es nach der juridischen Paragraphpfeife tanzen soll«[242]. Der Widerwillen gegen die Ehe als Institution diktiert dem durch die legale Gemeinschaft mit der ungetreuen Wilhelmine und durch die ›wilde‹ mit der allzu getreuen Marie gleichermaßen mitgenommenen Nestroy noch folgende Diatribe: »Diese an einen Liebesbund geknüpfte Öffentlichkeit, dieser Anschlagzettel der süßesten Geheimnisse, diese unstatthafte Schaustellung einer Blume, welcher die Grabschrift angeheftet, verletzt das Gefühl, ich finde etwas Beschimpfendes in dieser mit dem Namen ›Hochzeit‹ bekleideten offiziellen Orgie der Liebe« (»Heimliches Geld, heimliche Liebe«)[243].

Da empfiehlt sich als Ausweg: die ›Bekanntschaft‹. Wir haben erzählt, wie ausgiebig Nestroy zu diesem Ausweg seine Zuflucht nahm, sooft ihn sein Temperament dazu drängte. In seinen Stükken mußte er sich aus Zensurgründen Schranken auferlegen, die er sonst nicht für nötig erachtete. Einmal aber hat er darüber von der Bühne herab durch den Mund einer seiner Lieblingsfiguren, des Agenten Schnoferl, eine kurze Darstellung dieses Themas gegeben, sozusagen einen Lexikonartikel aus einem Handbuch der praktischen Wiener Lebensweisheit. Das, was da im Dialog mit der charmanten Frau von Erbsenstein erscheint, mutet wie eine theoretische Begründung zum Standpunkt an, den der Autor in seiner von uns kurz geschilderten Affäre mit der kleinen Schauspielerin Köfer eingenommen und in Briefen ausgedrückt hat. »Wenn es sich um so Mädln, Haubenputzerinnen, Näherinnen, Seidenwinderinnen usw. handelt, da heißt dieser chemische Herzensprozeß nicht einmal ›Liebe‹, da wird das Ding nur ›Bekanntschaft‹ genannt, und mit dem veränderten Namen entsteht auch in der Sache ein himmelweiter Unterschied. Bei der Liebe nur wird man bezaubert, bei der Bekanntschaft, da sieht man sich gern; bei der Liebe nur schwebt man in höhere Regionen, bei der Bekanntschaft geht man in einen irdischen Garten wohin, wo's Bier gut und 's kälberne Bratl groß is; bei der Liebe nur heißt's: ›Er ist treulos, meineidig, ein Verräter!‹ bei der Bekanntschaft heißt's bloß: ›Jetzt hat er a neue Bekanntschaft gemacht.‹ Die Liebe nur hat so häufig einen Nachklang von Zetermordio-G'schrei der Eltern, bei der Liebe nur krampeln sich Familienverzweigungen ein in alle Fasern unserer Existenz, so daß oft kein Ausweg als Heirat bleibt; bei der Bekanntschaft wird bloß ein Zyklus von Sonntäg' – Maximum: ein ganzer Fasching – prätendiert, ewige Dauer ist da terra incognita, und lebenslängliche Folgen sind da gar nicht modern« (»Das Mädel aus der Vorstadt«)[244].

Illusionslos wie über Ehe und Bekanntschaft, schwärmerisch einzig in den Zonen der Liebe, hat sich Nestroy auch über die Partner im Katz- und Mausespiel der Geschlechter keinen Täuschungen hingegeben. Die Frauen sind eitel, oberflächlich, gefallsüchtig, falsch, verlogen, zänkisch, klatschwütig, heuchlerisch und herrschlustig. Die Männer erscheinen als brutal, treulos, flatterhaft, leichtfertig; bevor sie ans Ziel ihrer sehr unzweideutigen Wünsche gelangen, schmachten sie in den Banden der Gegenstände ihrer Begierde; sobald aber die zärtlichen Bewerber den Trieb gesättigt haben, werden sie ihrer Huldinnen schnell überdrüssig.

Die einen: »Wenn ein Mann sechs Schuh hoch is, so sind keine zwei Linien Aufrichtigkeit dabei, alles andere is Falschheit und Betrug« (»Das Haus der Temperamente«)[245]. »Anfangs sehr oft, dann selt'ner, zuletzt gar nicht mehr! – Die gewöhnliche Posttagordnung der Trennungszeit« (»Der Schützling«)[246]. Die anderen: »Die Nerven von Spinngeweb', d'Herzen von Wachs und d'Köpferl von Eisen, das is ja der Grundriß der weiblichen Struktur« (»Der Talisman«)[247].

Eros und Sexus stehen beim Satiriker Nestroy im gefährlichsten Brennpunkt der Lebensbahn. Doch sie teilen sich die Herrschaft über die Sterblichen – so lehrten es uns die Erfahrungen an der Wiener Wirklichkeit – mit zwei Rivalen, dem Nahrungstrieb und der Jagd nach Reichtum; erst an vierter Stelle meldet sich der reine Ehrgeiz. Ein Panorama von erschreckendem Wirklichkeitssinn. Und die Ideale? Sie sind leider nur Wahngebilde unserer Eitelkeit oder unserer affektiven Verblendung gegenüber denen, die wir lieben. »Von der Natur mit jedem Reiz verschwenderisch begabt, mit holdem Anmutszauber übergossen, doch hoch überragt die Schönheit ihrer Seele jeden körperlichen Vorzug und weit über alles strahlt noch ihr Herz in himmlischer Verklärungsmilde! – Du kennst sie? – Nein, aber die Ideal' schau'n ja alle so aus. Notabene durchs Liebhaberperspektiv betrachtet; dem unbewaffneten Auge erscheinen diese Meisterstücke als gewöhnliche Dutzendfabrikswar' in gefälliger Form« (»Das Mädl aus der Vorstadt«)[248].

Wiederum ist die Übereinstimmung des Wiener Bühnendichters mit den vom Rationalismus gelenkten französischen Dramatikern zu beobachten. Dem entspricht auch die Ansicht von der Beständigkeit der Charaktere, von der Gleichartigkeit der menschlichen Seele zu allen Zeiten und in allen Breiten, von der überragenden

Rolle des Verstandes gegenüber dem Gefühl. Das beklagt Nestroy selbst, dem der *genius* loci, die Erbschaft aus dem Barock, eine gewisse, bescheidene Dosis Romantik mit eingeflößt haben, in einem Aphorismus aus seiner verschlossenen Mappe. »Das übelste is, daß ich da denke, wo man fühlen soll« (Gesammelte Werke 6, 581). Und der Intellekt – »das Licht unseres Lebens. Wer keinen hat, wandelt im Finstern stets um« (»Die beiden Nachtwandler«)[249] – zeigt dem an den Wandel der Dinge glaubenden Gefühl, daß nicht nur alles schon dagewesen ist, sondern auch, daß alles im Grund auf eins hinausläuft. »Alles ist noch so wie damals, warum? Weil damals alles so war wie jetzt« (»Robert der Teuxel«)[250]. Ein Refrain aus »Kampl«[251] beteuert: »Es is alles uralt, nur in anderer G'stalt.«

Das Bild des Menschen, das von Nestroy der bürgerlichen Wirklichkeit seiner Vaterstadt nachgezeichnet worden ist, könnte auf einem anderen Hintergrund niederdrückend anmuten. Dies umso mehr, als jeder einzelne Zug überzeugt und als jede Einzelheit durch, nennen wir es, gerichtskundige Beweise zu belegen ist.

Der fremde Leser, sogar der deutsche, wird verwundert fragen: wie vermochte der unerbittliche Satiriker dieses Land und dessen Bewohner dennoch zu lieben, obzwar er sie hassen und verachten mußte und obgleich aus vielen Äußerungen hervorzuleuchten scheint, daß er sie haßte und verachtete? Wie erklärt sich seine Anhänglichkeit an ein Pandämonium entfesselter böser Leidenschaften? Und zuletzt, hat nicht der scharfe Verstand des Autors das gesehen, was wir schon bei oberflächlicher Kenntnis des Lebens und des Charakters Nestroys entdecken: daß dieser strenge Richter und die von ihm Beurteilten, Verurteilten ... daß sie eines Wesens, einer Art sind; daß er ihnen also, wie die bequeme Redewendung lautet, nichts vorzuwerfen hat?

Um das alles zu begreifen, muß man die österreichische Wesensart kennen, und ihr mit liebendem Verständnis nahen. Der Wiener, und er ist es ja vordringlich, den Nestroy in allen Varietäten zeigt, ist stets bereit, die Fehler seiner Landsleute, die Mängel der herrschenden Ordnung zuzugestehen. Er sagt dann: ›die Deutschen g'höreten her‹ oder ›ja bei die Ameriganer‹. Er schimpft auf ›die da droben‹, auf die Parteien, auf die Zustände; und er hat das alles immer getan. Auch gegenüber der Gesamtheit seiner Mitbürger verweigert er jede Nachsicht. ›Was wolln's schon von die

Leut'? die Leut' san halt . . .‹ Dabei schließt er sich selbst jeweils
von den Leuten aus; er ist anders. Wenn er da droben wär, da
ginge alles wie am Schnürl. Er hat Rezepte für jede Schwierigkeit.
Wenn die Haltung des Durchschnitts-Wieners derartig ist, dürfen
wir uns dann wundern, daß der geniale Nestroy sich stillschwei-
gend von dem ausnimmt – und daß er sich laut davon distan-
ziert –, was er an seiner Umwelt tadelt, auch wenn und besonders
weil er diesen oder jenen Hauptfehler seiner Landsleute ebenfalls
sein eigen weiß? Die seelischen Vorgänge des Autors sind dabei
sehr verwickelt. Er schwebt über den Mängeln, die er verspottet,
wie Caesar über den Grammatikern; doch er ist mit seinem kristallklaren Verstand sich dessen bewußt, daß er sich selbst in
seinen Gestalten mitverhöhnt. Er ist der betrogene, verblendete
Ehemann gewesen, der mitunter rücksichtslose ›wilde‹ Gatte, der
zynische Liebhaber; er hat den Tafelfreuden eifrig zugesprochen,
leichtfertig Geld umhergestreut und trotzdem sich an die These
gehalten, daß ohne Geld nix auf der Welt ist. Er hat sogar den
Ehrgeiz nach sozialem Aufstieg geteilt, allerdings in vernünftigem,
gemäßigtem und darum beinahe ganz verwirklichtem Umfang.
Dennoch bewahrt er seine Unbefangenheit, schöpft er aus Selbsterkenntnis und aus Vertrautheit mit der Umwelt die einzigartige
Fähigkeit zu seiner Schwarzmalerei, die gleichwohl in rosigen Farben leuchtet. Denn man muß dieses Volk mit allen seinen Schwächen lieben und seine Lebenskunst bewundern; nicht zuletzt, weil
es sich vor der unangenehmen Überheblichkeit und vor der Selbst-
gerechtigkeit anderer Nationen hütet.
Das feine Gefühl für das Lächerliche großsprecherischer Selbst-
vergottung und die angeborene Freude am Lachen haben Nestroy
dazu geführt, weder sich noch die Objekte seiner Satire bitter ernst
zu nehmen. Seine Kritik an Menschen, Dingen und Ereignissen
ist scharf, schneidend, ironisch und doch irenisch: wie jener
Kern, der »Alte Mann mit der jungen Frau«, den wir immer wieder neben Schnoferl und Kampl als eines der treffendsten, best-
getroffenen Spiegel-Ichs des Autors heraufbeschwören müssen
und der von sich ja gesagt hat, man möge ihn für alles, für einen
alten Sünder, nur nicht für einen alten Esel halten. Wie er, so
denken Millionen; so denkt, schreibt deren Vertreter und Schilderer Nestroy.
Nacht muß es sein, wo seine Sterne strahlen. Er, der berufene

Satiriker, entlarvt die Lüge, er züchtigt die Gemeinheit und die Allgemeinheit. Nicht seine Aufgabe ist es, neben dieser noch eine zweite Wahrheit zu verkünden: die vom Guten, das auch im Bösesten anzutreffen ist. Er ist der *advocatus diaboli* in einem Prozeß, der aber mit Kanonisation enden kann. Wer die Welt des Wiener Vormärz durch Nestroys Augen betrachtet, der schenke ihnen Glauben, er bestaune ihre Scharfsicht, er belache ohne pharisäische Entrüstung, was diese heitere Landschaft dem Beschauer darbietet. Doch er vergesse nicht, daß der Kläger und Ankläger sich inmitten der Angeklagten gar wohl gefühlt hat und daß er mit ihnen wesenhaft, untrennbar verbunden war. Und dann, Nestroys Satire ist ein Zauberspiegel, der uns, wie einst seiner Mitwelt, mit untrüglicher Sicherheit wahr sagt, wer und was schön oder häßlich, vor allem aber wer der Scheußlichste im ganzen Lande ist: jener Dämon der falschen Gemütlichkeit, der unter der Maske der Harmlosigkeit hindurchblickt (»Umsonst«)[252], ein Amtskappel auf dem sturen, griesgrämigen Kopf, ein devotes oder schadenfroh-abweisendes Grinsen auf den Lippen, faunische Gier, sagen wir, im Herzen, das Verlangen nach Fraß im Magen, nichts in der Tasche und einen unerledigten Akt in der Hand. Der ewige Anpasser, der zum Tun und zum Denken Faule, kurz das Gegenstück des »Mannes ohne Eigenschaften« und des »Schwierigen«, wie beider Zerrbild. Hat aber Nestroy, der verlachende Philosoph, nicht die ganze liebenswürdige und liebenswerte Sonderart des österreichischen Menschen umso klarer hervorleuchten lassen, indem er aussonderte, was an diesem allgemein-unmenschlich und animalisch war (und ist)?

Nestroy vereint in sich alle schätzbaren und manche weniger erfreulichen Eigenschaften der Österreicher. Er und seine Opfer verleugnen nicht die ihnen gemeinsame Herkunft. Sie ähneln einander wie Mensch und Affe. Je mehr aber der scharfe Beobachter, der unbestechliche Kritiker in den von ihm entworfenen und verworfenen Karikaturen sein Bild wiederfindet, umso heftiger sind Gelächter und schmerzliche Scham, die für ihn dieser Vergleich bedeutet. Wir aber erblicken in Nestroy Rechtfertigung und Vollendung eines Typus, den wir nicht nach seinen übelsten, sondern nach seinen besten Vertretern beurteilen sollten. Wir sehen vor uns die Erfüllung der reichen Möglichkeiten, die im Österreichertum enthalten sind. Allerdings vermengen sich in Nestroy zwei entscheidende Wesenselemente, das seiner sprach- und kulturräumlichen und das seiner klassenmäßigen, bürgerlichen Abstammung. Der österreichische Volkscharakter ist romantisch: vom Gefühl beherrscht, naturhaft, rauh und herzensinnig zugleich, voll künstlerischer Empfänglichkeit, der Arbeit wenig geneigt, der Lust ergeben, sinnlich, impulsiv, offen und den Grübeleien feind, obzwar vor dem Geheimnis ehrfürchtig und, zumal im Brauchtum, innig fromm. Der Österreicher ist geschickt, doch nicht tüchtig, gescheit, doch nicht geistreich, launenhaft, unüberlegt, unwirtschaftlich. Das sind die Kennzeichen eines großen Herrn oder eines kleinen Kindes, eines den Musen Holden oder eines Primitiven. Mit diesem Charaktererbe seines Stammes, der, ebenso wie Nestroy selbst, slawisches Blut in den Adern hat, stößt nun die sehr davon abweichende Wesensart des Bürgertums zusammen. Als Klasse ist der Bourgeois ›klassisch‹, naturfern, Verfechter und Genießer der von ihm geschaffenen und durch ihn überschätzten Zivilisation, verzärtelt und kaltherzig, Kunstfeind und Kunstsnob, Fanatiker der Arbeit; obzwar vergnügungssüchtig, nicht fähig sich unbedenklich der Freude hinzugeben, Tugendheuchler und verstohlen Sklave aller Perversitäten, Bewunderer der Systeme, Bezähmer seiner Leidenschaften, Gefangener der Wirtschaft; stets besorgt, versorgt und vorsorgend, Anbeter jenes bürgerlichen Zauberworts ›Sicherheit‹, das sich auf alles, vom Höchsten bis zum

Niedersten, erstreckt und das den Zufall, das freie Spiel der Naturgewalten eindämmen oder gar vernichten soll; skeptisch schaltet er die Übernatur aus seinem Dasein aus. Betrachten wir das Österreichische und das Bürgerliche als den zwiespältigen Obersatz und die geniale Individualität des Wiener Satirikers als den Untersatz, dann ist Johann Nestroys Charakter die Schlußfolgerung, die sich aus diesen beiden Prämissen ergibt. Als Österreicher wagt er sich mit seiner Kritik an alle und an alles; der Bürger in ihm gewährt dem Verstand den Vortritt vor dem Gefühl, und er warnt zu Behutsamkeit beim Formulieren von Urteilen. Österreichisch sind die Einsicht und die Nachsicht für fremde Ansichten, die Freude am Schönen; bürgerlich ist die Schätzung des Nützlichen. Als Künstler haßt und verachtet er die Menge, die er bändigt und bezwingt, weil er als Bürger ihren Geschmack kennt und ihm zu schmeicheln vermag. Als Künstler spielt er: nicht nur auf dem Theater, sondern auch in seinem Dichten und im Leben. Da er weiß, daß er spielt, ist er klug sogar nach bürgerlichen Begriffen. Als Künstler freilich liebt er ein Ding um so mehr, je weniger es unmittelbaren Nutzen bringt. Er hat den echt österreichischen Drang, sich seine Kümmernisse vom Herzen zu reden, und doch die österreichische Scheu vor öffentlichen Geständnissen. Als Bürger und als Wiener vermeidet er es aufzufallen und im täglichen Umgang den Bohémien, den Literaten herauszukehren. Wie sehr er sich indessen bemüht, seine bürgerliche Existenz und seine künstlerische Berufung miteinander in Einklang zu zwingen: der Dualismus bleibt, und um ihn zu verdecken, besitzt Nestroy keine anderen Mittel als die Maske oder den rettenden Ausweg des Vogel Strauß.

Es heißt, den Kopf in den Stand zu stecken, um nicht die Widersprüche zwischen seinem Wort und seinem Tun, zwischen seiner Mahnung und seiner Ansicht zu verspüren: Nestroy, der Grundgescheite, ist sich dessen bewußt. Er, der Entlarvende, muß die Larve vorstecken, um vor anderen seine Widersprüche zu verhehlen. Er handelt dabei nicht als Heuchler, sondern in aufrichtiger Unbefangenheit, kraft des Selbsterhaltungstriebes. Seine Schüchternheit gegenüber Fremden, seine Achtung vor dem Dekorum, seine altväterische Höflichkeit sind gleichermaßen Maske wie in seinem Werk die gegen seine innere Überzeugung verteidigten Moralgrundsätze oder die überkommene naive Theaterform. Nestroy war eben wie seine Landsleute kein herausfordernder Kämpfer, allerdings auch wie sie kein Feigling, und, zum Entscheid genötigt, verteidigte er tapfer seinen Standpunkt. Sein klarer Intellekt, der dem labilen Gefühl wenig und dem schwachen Willen nicht zu viel Raum ließ, gebot ihm, jeder unnützen ›Schererei‹ auszuweichen. So hat er sich bei seinem Schaffen alles das bequem gemacht, was nicht unbedingt Anstrengungen erheischte. So hat er sich den Alltag aufs angenehmste eingerichtet und mit seinen Empfindungen derart hausgehalten, daß man mitunter, etwa im Benehmen gegenüber Vater und Geschwister, an Herzenskälte glauben könnte. Und dennoch, ein Brief des verarmten Advokaten an seinen zweiten Sohn Ferdinand – mitgeteilt von Brukner, in dessen einbändiger Nestroy-Auswahl – genügt, um ›Mucki‹ als liebenden und geliebten Sohn zu erweisen, und wir wissen, daß er am Schicksal seiner Geschwister und ihrer Nachfahren regen Anteil genommen hat.

Auch sein Verhältnis zur Lebensgefährtin ist oft als Beweis für Nestroys Mangel an Mut zitiert worden. Es war aber nicht nur die Furcht vor Skandal oder ganz einfach die vor den häuslichen Szenen, die ihn, den Flatterhaften, in einer zwar ›wilden‹, doch im Grunde bürgerlichen zahmen Ehe als Pantoffelhelden erscheinen ließ. Er empfand gegenüber der ›Frau‹ unverbrüchliche Anhänglichkeit, Dankbarkeit, Achtung, und er fühlte sich ob seiner zahllosen Seitensprünge schuldbewußt; besonders deshalb, weil er nicht die Willenskraft aufbrachte, seinen Leidenschaften zu widerstehen. Er mußte seinem unersättlichen Sexualtrieb und seinem Hang zum Hasardspiel folgen.

Dieser Gigant an Geist und an Gestalt spottet als echter Satiriker der sorgsam ausgedachten Systeme, nach denen man die Charaktere voneinander trennen möchte. Seinem Aussehen gemäß Athlet, ist er seelisch ein Astheniker gewesen. Kretschmer hätte einige Schwierigkeiten, in diesem Pykniker den Zyklothymen wiederzufinden. Haben nicht etwa die gelehrten Professoren auch im Falle Nestroy Recht behalten? Fast sind wir zu dieser Meinung geneigt, wenn wir Nestroy dort aufsuchen, wo er von Fesseln frei er selbst sein durfte, wo er die Maske abstreifte und nur seinem inneren Gesetz gehorchte. Das aber hat sich im Leben nicht vollzogen, und auch in seinem geschriebenen Werk können wir eine Menge Rücksichten beobachten.

Sobald jedoch Nestroy die Bühne betrat, wurde er zum Hexenmeister, der nicht ruhte, ehe die vom Schauspieler verkörperte Gestalt vor den Augen des Zuschauers mit beklemmender Deutlichkeit umrissen war. Dichter, Denker und Mensch beugten sich vor Tabus; der Darsteller war ihrer ledig. Das haben Stumpfsinnige als Zynismus am Mimen getadelt. Auf der Bühne aber hatte der Bürger Nestroy zu schweigen, der sooft den Dichter und der stets den Menschen Nestroy gegängelt hatte. Der Darsteller trug sein Herz auf der Zunge; er bekundete in Gebärden seine Begierden und im wundervollen Spiel der Gesichtszüge seine heimlichen, unheimlichen Gedanken. Er hat den Zeitgenossen die Erinnerung an eine einmalige Persönlichkeit vermacht, die als letzte die glänzende Reihe der Stranitzky und Prehauser beschließt.

Das scheint bei Nestroy unvermeidbar: glauben wir, ihn als Einzelnen absondern zu sollen, dann werden hinter seinem großen Schatten die Andern, Kleineren, doch Artverwandten sichtbar, von denen er sich herleitet und die er, sie hoch überragend, dennoch vertritt. In seinem Dichtwerk erkennen wir die Quellen, aus denen es geflossen ist, und die Leistungen, an die es, nicht immer bewußt, anklingt. Enthüllen wir nochmals in erweitertem Umfang die wichtigsten Bildnisse seiner Ahnengalerie. Abraham a Sancta Clara: seine Wortdelirien, seine Unsinn und tieferen Sinn verschmelzenden Wortspielereien, seine aristophanischen Wortungeheuer und seine Satire gemahnen an Nestroy, nur daß sie von der Kanzel herab statt von der Bühne, von einem barock-gläubigen, statt von einem josefinisch zweifelnden Mund verkündet wurden. Hernach erschienen als Vorfahren Hippel, Lichtenberg und die Moralisten des deutschen achtzehnten Jahrhunderts. Von diesen spottenden Bürgern der Aufklärungsepoche hat Nestroy viel geborgt und gelernt. Er hat das Erborgte mit Zinseszinsen zurückerstattet und das Gelernte fortgebildet. Jean Paul, der bürgerliche Antibürger, als sprachbesitzender, sprachbesessener Künstler Nestroy erstaunlich wahlverwandt, im Stil sein Doppelgänger, an Geist ihm ebenbürtig, als Mensch sein Antipode, ist fast überall in Nestroys Werk gegenwärtig.

Unter den Franzosen tut es einer Jean Paul noch zuvor: Voltaire. Nestroy hat ihn kaum gründlich gekannt, dafür sehr genau des Weisen von Ferney abgebrühtes Weltbild. In Wesensart, Temperament, als Denker und Schriftsteller waren beide einander so ähnlich wie nur je ein unter die Künstler geratener Juristensohn, ein

Konservativer aus eingefleischtem Anarchismus, ein Gewaltiger des tödlichen Witzes dem andern. Auch in den französischen Moralisten bis zu Chamfort und Rivarol haben wir schon früher Nestroys Geistesverwandte erkannt. Wir nannten Chamfort als vermutlichen Anreger zweier berühmter Nestroy-Worte aus dem »Schützling« und den »Beiden Nachtwandlern«. Rivarol spricht aus der schon zitierten Stelle von »Weder Lorbeerbaum noch Bettelstab«: »Wenn das Volk nur fressen kann! Wies' den Speiseduft wittern, da erwacht die Eßlust und wie die erwacht, legen sich alle ihre Leidenschaften schlafen.« – »Le peuple est un souverain qui ne demande qu'à manger; sa majesté est tranquille quand elle digère.« Von Engländern stehen Swift und Sterne voran, während Dickens nur Stoff, keine Kraft liefert. Gullivers Menschenhaß war Nestroy aus dem Herzen oder eher aus der Galle geschrieben.

Zweier Vorbilder ist noch zu gedenken, der erlauchtesten: des Aristophanes und Molières. Schon die Zeitgenossen des ›lieben Johannes‹ Nestroy haben ihn durch einen harmlosen Scherzvers zum ›zweiten Aristophanes‹ erhoben. Blickrichtung, Kampfesart und geistige Haltung beider sind von so starker Übereinstimmung, daß man fast an eine Wiedergeburt des Hellenen im Österreicher glauben möchte. Dafür ein überzeugendes Beispiel: »Freiheit in Krähwinkel« ist als Ganzes gleichsam die Modernisierung der politischen Satiren des Aristophanes. Ultra und Dikaiopolis sind Zwillingsbrüder; manche Episoden gleichen einander wie zwei Eier, so hier das Erscheinen des persischen Gesandten und dort das des russischen Fürsten in »Freiheit in Krähwinkel«, wobei die falschen Würdenträger sehr ergötzlich in Geste und Wort miteinander übereinstimmen. Wendelins Selbstgespräch in »Höllenangst« scheint dem ersten Athenermonolog aus den »Acharnern« nachgeschrieben zu sein.

Und Molière? Seine Ideen trennt beinahe nichts von denen Nestroys, doch als Mensch und als Künstler wichen sie sehr voneinander ab. Sie waren wohl ein jeder Autor und Schauspieler zugleich; sie haben, wenn man diese Analogie heranziehen will, als Ehemänner Hörner getragen, doch Molière war Alceste, der folgerichtige Misanthrop und Melancholiker, Nestroy war Kern und Kampl, Bejaher des Lebens. Molière war unvergleichlich als Schöpfer von Charakteren und im Ersinnen von Handlungen.

Nestroy hat sich Gedanken vom Leib geschrieben und, um sie vortragen zu können, sich Rollen auf den Leib geschrieben. Er hat Molière nur die äußere theatralische Aufmachung der Komödie abgeguckt; mehr wollte und konnte er ihm nicht entlehnen. Dagegen hat ein Dritter, Geringerer, Nestroy viel gelehrt: Beaumarchais. Das war wiederum ein Wahlverwandter und im Schicksal Qualverwandter. Titus Feuerfuchs im »Talisman« ist eine Wiedergeburt des Figaro.

Nestroys allgemein-bürgerliche Komponente geleitet uns mehrfach zu französischen Vordenkern und Vorspöttern. Bald sind das Traditionalisten, die der Abscheu vor der Kulturlosigkeit der Massen schüttelt, bald Kirchenfeinde ohne aggressiven Eifer, Zweifler am Zweifel, Feinde der Systeme. Es sind fanatische Diener am sorgsam abgewogenen Wort, gütige Menschenfreunde oder bitterböse Menschenverächter, jedenfalls geschworene Widersacher des romantischen Überschwangs. Boileau eröffnet ihre lange Reihe, Béranger ist unter ihnen, und wir sind versucht, dessen Zeitstrophen den Nestroyschen Couplets zur Seite zu stellen. Näher zu unserer Gegenwart begegnen uns in Frankreich immer wieder dem Wiener Satiriker aus dem Vormärz Gleichgeartete. Anatole Frances Professor Bergeret ist ein anderer Kern, ein zweiter »Alter Mann mit der (nicht mehr sehr) jungen Frau«, Sylvestre Bonnard dünkt uns ein französischer Kampl. Der Prolog zur »Île des Pingouins« deckt sich mit dem, was Nestroy oft über die Fachwissenschaft geäußert hat, und der weise Generalsteuerpächter aus »Les Dieux ont Soif« bekennt als Blutzeuge der Großen Revolution die gleichen Ansichten wie der österreichische Schilderer der kleinen Revolution in Krähwinkel. Courteline wäre zu nennen, vor allem aber Léon Daudet mit dessen in ähnlichem, fast satanischem Vergnügen am entlarvenden Wort schwelgenden Prosa, mit ihrer spielerischen Leichtigkeit, mit ihrer Treffsicherheit des Eindrucks und des Ausdrucks, mit ihrer Bildhaftigkeit, die in wenigen Strichen eine Gestalt umreißt und sie umwirft.

Im deutschen Sprachraum sind, wie schon hervorgehoben wurde, Nestroy gleichgestimmte Schriftsteller dünn gesät. Nicht einmal in Wien hat er unmittelbar Nachfolger gehabt. Annähernd ebenbürtige Rivalen hat er nie besessen. F. Kaiser, Elmar, Berla, Langer, O. F. Berg, C. Haffner sind vergessen. Die folgende Generation hat den Zusammenhang mit Nestroy verloren. Weder

Anzengruber, der sich anfangs bemühte, den unerreichbaren Meister sprachlich nachzuahmen, noch gar die Theaterlieferanten um die Jahrhundertwende haben von dessen Geist auch nur einen Hauch verspürt. Ihren gesinnungstüchtigen, rührseligen oder grobkomischen Schuhplattlerheiten fehlte alles, was zur Kunst gehört: die Form, der Gehalt und die Persönlichkeit, die hinter der Dichtung sichtbar wird. Wer bei ihnen und bei manchen reichsdeutschen Lokalstückschreibern an Nestroy denkt, der kümmert sich nur um die äußere Ähnlichkeit: um Mundart und volkstümliche Handlung. Aus dem Zuschnitt des Sprachkleids und aus szenischen Gebärden auf wesenhafte Gleichheit zwischen Unvergleichbaren zu schließen, das ist nichts anderes, als wenn man Botschafter und Türsteher ob des goldgestickten Galarocks und wegen der ihnen gemeinsamen tiefen Verbeugungen vor Höheren miteinander verwechselte. Dabei wäre das Unglück noch nicht so arg; denn man kann aus Türstehern Botschafter machen und Revolutionen vermögen Botschafter zu Türstehern zu erniedrigen, doch aus gewandten Zwerchfellerschütterern und Tränensackentleerern, aus Salontirolern und Lumpenballapachen wird niemals ein Nestroy werden.

Nur drei Deutschschreibende nach ihm sind seines Geistes und seines Maßes, drei andre aus jüngster Vergangenheit und aus unmittelbarer Gegenwart reichen an ihn heran. Norddeutschschnoddriger Nestroy, sehr bürgerlicher Bürgerschreck und selbstunkritisch gehätschelter Hausautor des plüschgezierten Bürgerheims, das ist Wilhelm Busch, ein noch immer nicht in seiner Größe erfaßter Virtuos der Sprache, der sich raffiniert-primitiv seinen oft nachgeahmten, unnachahmlichen Vers auf alles gemacht hat. Nestroy, befreit von den Fesseln, die ihm Zeit und Ort angelegt haben, ein rächender Dämon als Darsteller wie auch als Dichter, das ist Frank Wedekind, ein anderer Niederdeutscher, der, wie der Wiener Satiriker, die Leute ins Theater peitschte und sie dort züchtigte, wofür sie ihm zujubelten. Nestroy, sich selbst wiedergeschenkt, aus dem Zwang zu dramatischer Form gelöst, Moralist im stickstoffhaltigen und im luftleeren Raum, der Bindungen an die bürgerliche Weltordnung entronnen, das ist Karl Kraus. Innere Verwandtschaft bestätigt sich da am sprachlichen Ausdruck. Kraus hat Sätze abgedruckt, die von Wedekind stammen und die reinster Nestroy sind; er selbst hat in den »Zeitstrophen« Nestroysche Gedanken in Nestroysche Form gehüllt. Dennoch hat nicht eine bewußte Nachahmung die zwei wortgewaltigen Nörgler aus dem human-romantischen und aus dem technoromantischen Zeitalter miteinander übereinstimmen lassen. Es haben nur die gleichen Voraussetzungen gleiche Wirkungen hervorgerufen. Sprachkünstler *eines* Ranges, Denker *einer* ironisch-überlegenen Wesenheit, sehen sie sich demselben Gegenstand ihrer Satire gegenüber, den wahrhaft unüberwindlichen, den unvermeidlichen Gefährten jedes Wiener Lebenslaufs. Zu derlei weit über Irdisches hinausragendem Riesenmaß haben sich die Kleineren Drei, Fritz Herzmanovsky-Orlando, Hellmut Qualtinger und Friedrich Dürrenmatt, nicht erhoben. Die zwei Erstgenannten sind aber gültige Zeugen, Verkörperungen, geistvolle und von Nestroys Geist durchdrungene Vertreter aller Schwächen des ewigen Österreichs im allgemeinen, Wiens im besonderen; der eine den Harmlosen mimend, der andere ein grausamer Verhöhner. Der eine abstrus-barock mit dem Nestroy der Zauberpossen und der Parodien einer Fechsung, der andere durch seinen Herrn Karl und viele Episoderln ein des Vorbilds aus dem Vormärz würdiger Spiegel des Wiener Lebens als Alb- und Alptraum. (Daß der Autor Qualtinger seinem Mitarbeiter, also dem Mit-Merz, viel schuldet, sei am Rande hinzugefügt). Schließlich haben wir unter Nestroys Deszendenz noch den wohlgeratenen Sproß aus der Schweiz zu rühmen, der vom Format Wedekinds ist; bei diesem witzigsten der heutigen deutschsprachigen Dramatiker ist die Parallele zur vom Lokalen ausgehenden Gesellschaftskritik des österreichischen Aristophanes vielleicht am eindrucksamsten und am stärksten.

Die Unüberwindlichen aus der Backhendlzeit haben sich an ihrem Geißler dafür gerächt, daß er die Greisler-Gesinnung entlarvte. (So wie ihre Nachfahren das später an Kraus getan haben und wie man es gerne bei Qualtinger probieren möchte). Sie wollen Nestroy nicht beseitigen, denn er war ja zugleich einer, der ungemein viel Spaß machte. Doch sie stempelten den Publikumsliebling zum Schalksnarren und Possenreißer, danach, als er gestorben war und sein Werk von der Bühne verschwand, zum Volksfeind und zum Zerstörer, zuletzt, als es nicht mehr anders ging, wollten sie dem bösen Geist die Flügel stutzen und die Krallen abschneiden. Aus dem ungebärdigen Titanen sollte ein salonfähiger und schulstubenreiner Klassiker zweiter Güte werden; das Ehrenpräsidium des österreichischen Olymps blieb jedoch den ungefährlichen, wohlgesitteten und wohlgesinnten Poeten vorbehalten.

Es hat alles nichts geholfen: hundert Jahre nach seinem Tode hat Johann Nestroy endgültig den Platz erobert, der ihm gebührt, den ersten unter den österreichischen Sprachkünstlern, den ersten unter den Komödiendichtern deutscher Zunge und den eines gleichermaßen für seine Epoche wie für sein Österreichertum gültigen Wortführers. Der Österreicher oder wenn man diese engere, genauere Definition vorzieht, der Wiener: »Wenn Goethe gesagt hat, daß Voltaire Frankreich sei, so könnte man mit ebenso großer Berechtigung behaupten, daß Nestroy Wien sei, jenes ewige Wien, wie es war, ist und sein wird: Eine ganze Landschaft mit dem von ihr genährten, entwickelten und zur Überreife gebrachten Menschenschlag ist in ihm klingend und leuchtend geworden« (Friedell). Der Komödienautor: »Nestroy ist der größte Satiriker der deutschen Bühne ... Von Lichtenberg bis Nietzsche der unerschrockenste Durchschauer der Menschen ... Daneben ein durch die Eigenart und durch die Kraft seines Spieles berühmter Schauspieler, als Dramatiker ein glänzender Beherrscher des Theaterwerkes, als Schriftsteller ein treffsicherer Darsteller des Menschen, auch durch das geschriebene Wort, und ein meisterhafter Liebhaber der Sprache ... Der größte Komödiendichter, wenn man Komödiendichter jenen nennt, dem Komödie nicht Nebenleistung, sondern Zwang ist wie dem Goldoni oder Molière ... Lessing, Kleist, Hofmannsthal ... Nestroy übertrifft sie an tiefem Witz und kühner Sorglosigkeit, durch unbekümmertes Schweifen vom volkstümlichen Spaß zur philosophischen Einsicht« (F. H. Mautner). Kurz und gut, um Schwarzenbergs schon zitierten Vergleich mit Old Bill, dem Schwan von Avon, und ein auf Rimbaud gemünztes Wort – als einen Nestroy geziemenden Kalauer – zu vereinen: Shakespeare enfant terrible. Das Werk dieses Wunderkinds seiner Zeit und seiner Umwelt war mehr als Literatur. Es erschöpft sich nicht in einer, an sich nicht genug hoch zu stellenden, künstlerischen Leistung. Nestroys Komödien sind Geschichtsquelle und Geschichtsdarstellung, Seelenkunde und Gesellschaftslehre. Sie sind mehr als der photographische Abklatsch einer in ihrer Mannigfalt unausschöpfbaren Wirklichkeit. In ihnen erhalten wir eine zielklar stilisierte Auswahl des Wichtigen, Typischen, Wesentlichen. Von scharfer Beobachtung ist Nestroys Werk gezeitigt worden, von scharfem Urteil wird das Geschaute bewertet; in scharfen Umrissen wird uns das Bild mitsamt seiner Kritik dargeboten.

Das Sein tritt dem Sollen, der Bekenner der Idee gegenüber, und an der beschämenden Unzulänglichkeit der realen Körperwelt vor den Postulaten des Geistes lernen wir Bescheidenheit, Selbsterkenntnis, um deren Preis wir die Selbstüberhebung und den Vollkommenheitswahn anderer Völker verlachen dürfen. Das Wiener Beispiel ist auf alle Zeiten und auf alle Breiten anwendbar. Zeigt Nestroy hinter dem konventionellen Nationalgesicht ein zweites, weniger gutartiges, lehrt er, daß nur der »Geistlose den Harm übersieht, der überall durch die fadenscheinige Gemütlichkeit durchblickt«, dann wird zugleich jeder als geistlos und als geistfeindlich angeprangert, der anderwärts aus Faulheit oder aus Feigheit an die dem nationalen Selbstgefühl schmeichelnden Legenden glaubt. Nestroy will nicht etwa die fremden Völker dazu ermuntern, sich in pharisäischem Stolz zu wiegen. Aufs Allgemeine zielend, hat er sich sein Feld dort erwählt, wo ihm jeder verborgene Winkel der seelischen Landschaft vertraut ist; weil er seinen Gedanken nirgends besser eine konkrete Verkörperung zu leihen vermochte als beim Schildern seiner Umwelt. Deshalb richtete sich seine Satire gegen Mitbürger und Mit-Bürger. Daß er aber der Heimat trotzdem innig zugetan blieb, das verleiht ihm das Recht zur schonungslosen Kritik. An ihm erweist sich, daß, wer sein Vaterland liebt, es züchtigt. Um den Patriotismus eines Dichters zu erhärten, bedarf er keiner poetischen Waschzettel über die gesammelten Werke seines Volks. Einsicht in die menschliche Natur diktierte deren Erkenner Zweifel an ihrer Gottähnlichkeit. Wir sind Sünder allzumal, und der Dummen gibt es mehr als der Klugen. Darum, das ist nie genug oft zu wiederholen, Resignation, dankbares Genießen der bescheidenen Glücksmöglichkeiten, die uns auf Erden beschieden sind. Das Streben nach dem Glück im Winkel als irdische Aufgabe des Menschen bekräftigt den ungestümen Satiriker neuerlich in seiner Zugehörigkeit zum Biedermeier – dessen Glückbegehren Bietak in seinem ausgezeichneten Buch so klar geschildert hat – und zum Österreichertum. Zum Glück führen aber diese zwei Wege: »Entweder sich so hoch erheben, daß einem die Welt winzig klein erscheint, oder sich niederlassen in eine tiefe Furche, wo einem jeder Grashalm unserer

Umgebung als etwas Großes erscheint.« Dann ringen wir uns zu der höchsten dem Sterblichen erreichbaren Vollendung hindurch: »Weinend kommt jedermann in dieses Leben, lächelnd soll man (können nur wenige) in jenes (andere) Leben übergehen.« Das ist im Werk des Komödiendichters der letzte Schluß der Weisheit. Echt österreichisch und aus den Grundelementen des edelsten Österreichertums zusammengesetzt: aus römischer Seelengröße, deutscher Gemütsinnigkeit, slawischer Ergebenheit ins Schicksal und christlichem Empfinden.

Um diesen Seelenfrieden vorzubereiten, hat Nestroy, ehrlicher und aufrichtiger als gar viele, die mit dem *Si vis pacem, para bellum* Spott getrieben haben, seinen bitterbösen, lustigen Krieg gegen seine Zeit und seinen Raum geführt. Dabei hat er sich selbst enthüllt im tragischen Widerstreit von Sein und Schein, zwischen den in ihm koexistierenden Don Quijote und Sancho. Er hat leidenschaftlich mitgefochten und trotzdem mit der Unbefangenheit des Naturforschers gegenüber seinen Experimenten, nach wissenschaftlicher Methode, mit den Gedanken, mit den Ereignissen und mit der Sprache Versuche unternommen, um störenden Widersinn aufzuspüren, um verborgenen Gesetzen nachzuspüren, selbst wenn er daran verzweifelt, ja wenn er gar nicht danach trachtet, diese Normen aufzufinden. Daß dieser unermüdliche Denker dazu noch ein begnadeter Künstler war, hat ihn befähigt, nicht nur zu begreifen, sondern auch begreifbar zu machen und den sonst der tieferen Wahrheit abholden Massen einiges von seinen Erkenntnissen aufzulisten.

Er hat die Ideen seiner Epoche, des aufgeklärten Josefinismus, überdacht, und da er über sie die leuchtenden Strahlen seines blendenden Witzes dahingleiten ließ, dem verblassenden Weisheitsschatz der Enzyklopädisten noch einmal hellen Glanz geschenkt. Doch nicht in der entzaubernden Denkarbeit, nein, in der zauberischen Sprachgewalt liegt der Ewigkeitswert der Dichtung Nestroys. Philosophische Meinungen, literarische Kunstformen vergehen, die Erinnerung an Staaten und Kulturen wird allmählich zum trockenen Substrat der Geschichte. Nestroy hat von den Würmern gesprochen, die spätestens nach einigen Jahrhunderten die solidesten Bücher samt ihrem Text verzehren. Die Schriften aber bleiben, die Worte werden nicht vergehen, wenn sie ins Bewußtsein der Nachkommen eingeprägt sind und wenn sie immer wieder im Druck vor die Augen, im Spiel aufs Theater gebracht werden.

Nestroy ist seiner Zukunft gewiß. Sein Schaffen gemahnt an den Tanz der Derwische. Sie drehen sich im Kreise, immer schneller, immer schneller, und durch die mechanische Kraft der Bewegung entschwindet dem verzückten Reigen die Welt ringsumher. Die Tänzer schauen in sich, sie erblicken sich selbst und der Welt Spiegelbild. Doch gesegneter als die Rasenden, die nur heulen und stammeln, vermag Nestroy seinen Dämon zum Reden zu verlocken. In den Stunden seiner schöpferischen Erhöhung, im Tanz vor dem Spiegel, ist er, ›das arme Hascherl‹, das sonst keiner Fliege etwas zuleide tun kann, ein mächtiger Magier, eine Pythia in ihrer Ekstase. Vom geheimnisvollen Feuer erwärmt, aus verborgensten Quellen gespeist, reiht er Klänge und Wortbilder aneinander zur wundersamen Beschwörung der Gedanken. Das Herrliche wird Ereignis, das Wort wird den Sinnen faßbar, der tiefere Sinn wird dem Wort erfaßbar. Und nun ist es uns offenbar. Nestroy hat mit Zungen geredet, und die Wahrheit hat durch Nestroys schreibende Hand zu uns gesprochen. *Nonne cor nostrum ardens erat, dum loquebatur nobiscum?* War unser Herz nicht glühend, da er mit uns sprach?

ZITATNACHWEIS

Soweit nicht anders angegeben, sind die Zitate Johann Nestroy, »Sämtliche Werke« (s. u.) entnommen, von denen in der Folge nur Bandnummern und Seitenzahl zitiert werden.

1 XV, 589
2 XV, 216
3, 5-10 BRUKNER
FRITZ:
Johann
Nestroy,
Gesammelte
Briefe
4 XV, 589 ff.
11 V, 92
12 III, 356
13 II, 81, 87 f.
14 VII, 523 ff.
15 II, 93
16 V, 249
17 XIII, 538
18 XII, 433
19 VII, 9
20 VII, 493
21 XIV, 545
22 V, 79
23 VII, 393, 473
24 X, 444
25 I, 238
26 VII, 325
27 XIV, 463
28 VII, 114
29 V, 8
30 III, 191
31 I, 279
32 VII, 26
33 III, 84 ff.
34 X, 442 ff.
35 XI, 6 ff., 12 ff.
36 VII, 88 ff.
37 V, 449 ff., 472 ff.,
488 ff.
38 VII, 312 ff.
39 II, 69 ff. und
Ergänzungen
Gesammelte
Werke 6,
625 ff.
40 IX, 277 f.
41 V, 227
42 V, 325 ff.
43 XI, 11 ff.

44 XII, 243 ff.
45 V, 138 ff.
46 V, 230 ff.
47 XII, 333 f.
48 VIII, 28 ff.
49 VII, 246 ff.
50 VII, 114 ff.
51 XIII, 119
52 XI, 383
53 VII, 23
54 V, 93
55 III, 192
56 X, 427
57 V, 491
58 V, 200
59 X, 409
60 VII, 128
61 XIII, 227
62 XII, 253
63 V, 573
64 V, 476
65 VI, 74
66 XII, 6
67 XII, 246
68 XII, 97
69 XI, 14
70 XIII, 213
71 VII, 460
72 X, 403
73 VII, 216
74 IV, 167, 169,
170, 188
75 XII, 262
76 XV, 697
77 IV, 197
78 III, 338
79 X, 451
80 XII, 381, 411
81 XI, 31
82 XI, 152
83 VII, 303
84 XI, 11
85 X, 409
86 XI, 140
87 I, 165
88 X, 132
89 V, 6

90 XI, 70
91 VII, 94
92 X, 443 f.
93 XII, 292
94 VII, 247
95 V, 230
96 V, 527
97 VII, 257
98 III, 355 f.
99 III, 336 f.
100 III, 337
101 III, 195
102 IV, 204, 220
103 XI, 143 f.
104 III, 102
105 I, 230
106 XII, 3 ff.
107 I, 198
108 III, 65
109 I, 249
110 I, 199
111 XIII, 224
112 IV, 231
113 III, 6
114 VII, 116
115 I, 278
116 XIV, 79
117 III, 57
118 III, 53
119 XIII, 225
120 IX, 26
121 X, 120
122 VII, 107 f.
123 VII, 239 ff.
124 X, 383 ff.
125 I, 87 ff.
126 IV, 1 ff.
127 II, 1 ff.
128 XI, 357 ff.
129 XIII, 193
130 V, 1 ff.
131 V, 127 ff.
132 V, 215 ff.
133 V, 313 ff.
134 V, 425 ff.
135 V, 403
136 X, 309

CHRONOLOGISCHES VERZEICHNIS
DER THEATERSTÜCKE NESTROYS

Auf Grund der Historisch-kritischen Gesamtausgabe, SW. 15, 399 bis 419 und der Gesammelten Werke 6, 190–193, wo die Ergebnisse der sorgfältigen Forschungen Otto Rommels zusammengefaßt sind. Zwei Sterne vor dem Titel zeigen an, daß der Text des betreffenden Stücks völlig verlorengegangen ist, ein Stern, daß nur Fragmente davon erhalten sind. Dem Titel folgt die Angabe des Tags der Erstaufführung zu Nestroys Lebzeiten, dann die des Abdrucks in der Rommelschen Gesamtausgabe.

Verwendete Abkürzungen: P = Parodie; Q = Quodlibet; Z = Zauberposse (Zauberstück); pol. = politischer Einschlag; soz. = soziale Probleme (mit) behandelnd; SW. = Sämtliche Werke.

1. Der Zettelträger Papp – 1827 XII 15 – SW. Bd. IX, S. 1–16., S. 501 –512.
2. Die Verbannung aus dem Zauberreiche oder Dreißig Jahre aus dem Leben eines Lumpen – 1828 XII 20, SW. Bd. I, S. 1–80, S. 619– 652 – Z.
3. **Der Einsilbige oder Ein dummer Diener seines Herrn – 1829 I 16 – SW. Bd. IX, S. 17–18, 503 – Titel vermutlich parodistische Anspielung auf Grillparzers »Treuer Diener seines Herrn«
4. Der Tod am Hochzeitstage oder Mann, Frau, Kind – 1829 VIII 18 – SW. Bd. I, S. 87–218, S. 653–658 – Z.
5. **Der unzusammenhängende Zusammenhang – 1830 I 28 – Q.
6. **Magische Eilwagenreise durch die Komödienwelt – 1830 III 13 – SW. Bd. IX, S. 436–438 – Q.
7. **Zwei Schüsseln voll Faschingskrapfen – 1831 II 12 – Q.
8. Der gefühlvolle Kerkermeister oder Adelheid die verfolgte Witib – 1832 II 7 – SW. Bd. III, S. 1–76, S. 413–436 – P. eines Balletts von L. Henry
9. Nagerl und Handschuh oder Die Schicksale der Familie Maxenpfutsch – 1832 III 23 – SW. Bd. III, S. 77–168, S. 437–472 – P. des Aschenbrödel-Motivs und seiner Fassung im Text M. G. Etiennes zur Oper von N. Isouard
10. *Humoristische Eilwagenreise durch die Theaterwelt – 1832 VIII 23 – SW. Bd. IX, S. 439–440, S. 449–457 – Q.
11. Zampa der Tagdieb oder Die Braut von Gips – 1832 VI 22 – SW. Bd. III, S. 169–262, S. 473–493 – P. der Oper »Zampa« von L. J. F. Herold, Text von Duveyrier-Mélesville
12. Der konfuse Zauberer oder Treue und Flatterhaftigkeit, später unter dem Titel: Treue und Flatterhaftigkeit oder Staberl als kon-

fuser Zauberer – 1832 IX 26 – SW. Bd. I, S. 219–304, S. 659–682
– Z.

13. Die Zauberreise in die Ritterzeit oder Die Übermütigen – 1832
X 20 – SW. Bd. I, S. 305–418, S. 683–703 – Z.

14. Genius, Schuster und Marqueur oder Die Pyramiden der Verzau-
berung – nicht aufgeführt – SW. Bd. I, S. 419–528, S. 705 – Z.

15. Der Feenball oder Tischler, Schneider und Schlosser – nicht aufgeführt – SW. Bd. I, S. 529–602, S. 706–708 – Z. – Nr. 14 und 15,
beide 1832 verfaßt, sind Vorstufen zu Nr. 17

16. *Der Zauberer Februar oder Die Überraschungen – 1833 II 12 –
SW. Bd. I, S. 603–619, S. 709–713 – Z.

17. Der böse Geist Lumpacivagabundus oder Das liederliche Kleeblatt
– 1833 IV 11 – SW. Bd. II, S. 1–80, S. 623–674 – Z.

18. Robert der Teuxel – 1833 X 9 – SW. Bd. III, S. 263–328, S. 493–
536 – P. der Oper »Robert der Teufel« von G. Meyerbeer und ihres
Textes von G. Delavigne und E. Scribe

19. Tritsch-Tratsch – 1833 XI 20 – SW. Bd. XI, S. 19–60, S. 514–533

20. Der Zauberer Sulphurelektrimagnetikophosphoratus und die Fee
Walpurgiblockbergiseptemtrionalis oder Des ungeratenen Herrn
Sohnes Leben, Taten und Meinungen, wie auch dessen Bestrafung
in der Sklaverei und was sich alldort Ferneres mit ihm begab
– 1834 I 17 – SW. Bd. II, S. 193–276, S. 693–708 – Z.

21. Müller, Kohlenbrenner und Sesseltrager oder Die Träume von
Schale und Kern – 1834 IV 4 – SW. Bd. II, S. 277–378, S. 709–729
– Z.

22. Das Verlobungsfest im Feenreiche oder Die Gleichheit der Jahre
– nicht aufgeführt – 1834 verfaßt – SW. Bd. II, S. 379–456, S. 730
–732 – Z.

23. Die Gleichheit der Jahre – 1834 X 8 – SW. Bd. II, S. 457–548,
S. 733–755 – im wesentlichen Nr. 22, doch ohne die Zauberspiel-
zutaten

24. Die Familien Zwirn, Knieriem und Leim oder Der Welt-Unter-
gangs-Tag – 1834 XI 5 – SW. Bd. II, S. 81–192 – Z. – Fortsetzung
von Nr. 17

25. *Die Fahrt mit dem Dampfwagen – 1834 XII 5 – SW. Bd. IX,
S. 61–80, S. 441–442, S. 534–538 – Q. – Nur das Vorspiel ist erhalten

26. Weder Lorbeerbaum noch Bettelstab – 1835 II 13 – SW. Bd. III,
S. 329–410, S. 537–572 – P. von K. v. Holteis »Lorbeerbaum und
Bettelstab« – soz.

27. Eulenspiegel oder Schabernack über Schabernack – 1835 IV 22 –
SW. Bd. IX, S. 81–174, S. 539–567

28. Zu ebener Erde und Erster Stock oder Die Launen des Glücks
– 1835 IX 24 – SW. Bd. VI, S. 1–138, Bd. VIII, S. 131–167 – soz.

29. Der Treulose oder Saat und Ernte – 1836 III 5 – SW. Bd. VI,
S. 139–288, Bd. VIII, S. 168–199

30. Die beiden Nachtwandler oder Das Notwendige und das Überflüssige – 1836 V 6 – SW. Bd. VI, S. 289–378, Bd. VIII, S. 200–225

31. Der Affe und der Bräutigam – 1836 VII 23 – SW. Bd. IX, S. 185
–266, S. 575–589

32. Eine Wohnung ist zu vermieten in der Stadt, eine Wohnung ist zu
verlassen in der Vorstadt, eine Wohnung mit Garten ist zu haben
in Hietzing – 1837 I 17 – SW. Bd. IX, S. 267–366, S. 590–613 – soz.

33. Moppels Abenteuer im Viertel unter dem Wiener Wald, in Neu-
seeland und Marokko – 1837 V 5 – SW. Bd. IX, S. 367–434, S. 614
–626

34. Das Haus der Temperamente – 1837 XI 16 – SW. Bd. X, S. 1–184,
S. 497–543

35. Glück, Mißbrauch und Rückkehr oder Das Geheimnis des Grauen
Hauses – 1838 III 10 – SW. Bd. VI, S. 379–488, Bd. VIII, S. 226
–254 – soz.

36. Der Kobold oder Staberl im Feendienst – 1838 IV 19 – SW. Bd. II,
S. 549–620, S. 756–772 – P. Z. angeregt durch ein Feenballett J. Per-
rots

37. Gegen Torheit gibt es kein Mittel – 1838 XI 3 – SW. Bd. VI,
S. 489–600, Bd. VIII, S. 255–274

38. Die verhängnisvolle Faschingsnacht – 1839 IV 13 – SW. Bd. IV,
S. 1–91, S. 293–336 – P. auf K. v. Holteis »Trauerspiel in Berlin« –
soz.

39. Der Färber und sein Zwillingsbruder – 1840 I 15 – SW. Bd. X,
S. 185–280, S. 544–581

40. Der Erbschleicher – 1840 V 21 – SW. Bd. X, S. 281–382, S. 582–612

41. *Die zusammengestoppelte Komödie – 1840 VIII 8 – SW. Bd. IX,
S. 443–444 – Q.

42. Der Talisman – 1840 XII 16 – SW. Bd. X, S. 383–494, S. 613–656 –
soz.

43. Das Mädl aus der Vorstadt oder Ehrlich währt am längsten –
1841 XI 24 – SW. Bd. XI, S. 1–112, S. 471–541 – soz.

44. Friedrich (Rudolf) Prinz von Korsika – 1841 XII 18 – entstanden
1822 – nicht in den SW. – Herausgegeben von Gustav Pichler, 1947 –
»Romantisches Trauerspiel«, einziges nicht-komisches Bühnenwerk
Nestroys

45. Einen Jux will er sich machen – 1842 III 12 – SW. Bd. XI, S. 113
–234 – S. 542–577

Die bedeutendsten Werke:

GEDRUCKTE QUELLEN UND LITERATUR
ÜBER NESTROY UND SEIN WERK

I. QUELLEN

1. Gesamtausgaben

JOHANN NESTROY, Gesammelte Werke, Herausgegeben von Vincenz Chiavacci und Ludwig Ganghofer, Stuttgart 1890–1891, 12 Bände

JOHANN NESTROY, Sämtliche Werke, Historisch-kritische Gesamtausgabe, Herausgegeben von Fritz Brukner und Otto Rommel, Wien 1924–1930, 15 Bände

2. Beste Auswahlen

JOHANN NESTROY, Gesammelte Werke, Herausgegeben von Otto Rommel, Wien 1948–1949, 6 Bände

JOHANN NESTROY, Ausgewählte Werke, Herausgegeben von Fritz Brukner, Leipzig 1910

JOHANN NESTROY, Ausgewählte Werke, Herausgegeben von Franz H. Mautner, Wien 1937

Wichtige Einzelausgaben von »Das Notwendige und das Überflüssige« 1920, »Der konfuse Zauberer oder Treue und Flatterhaftigkeit« 1925, beide von Karl Kraus. »Eine Wohnung ist zu vermieten . . .« 1925 von Leopold Liegler. Nestroys Bearbeitung von L. Angelys »Zwölf Mädchen in Uniform« und D. Kalischs »Ein gebildeter Hausknecht« sind 1943, »Rudolf, Prinz von Korsika« 1947 von Gustav Pichler herausgegeben worden (wozu man Otto Rommels Polemik in den Gesammelten Werken Nestroys Bd. I, S. 179 ff. vergleiche).

EGON FRIEDELL hat eine vortreffliche Zitatenauswahl aus Nestroy veröffentlicht: Das ist klassisch, Wien 1922

3. Sonstige Quellen

FRITZ BRUKNER, Johann Nestroy Gesammelte Briefe und Revolutionsdokumente, Wien 1938

NESTROY-BILDNISSE, Wien o. J. (1933). Katalog der Nestroy-Ausstellung, Wien o. J.

II. LITERATUR

1. Wichtigste Gesamtdarstellungen

BRUKNER, FRITZ: Johann Nestroys Leben und Schaffen, in Ausgewählte Werke, Leipzig 1910, S. V–LX

FORST DE BATTAGLIA, OTTO: Johann Nestroy, Abschätzer der Menschen, Magier des Worts, Leipzig 1932

KRAUS, KARL: Nestroy und die Nachwelt, Wien 1912, auch »Die Fackel« 1912 Nr. 349–350 und »Untergang der Welt durch Schwarze Magie«, zuletzt in Werke, München 1960, Bd. VIII, S. 223–243

MAUTNER, FRANZ HEINRICH: Nestroy und seine Kunst, Wien 1937, auch in der Nestroy-Ausgabe desselben Autors

NECKER, MORIZ: Johann Nestroy, Eine biographisch-kritische Skizze, in den Gesammelten Werken Nestroys, herausgegeben von V. Chiavacci und L. Ganghofer, Stuttgart 1891, Bd. XII, S. 91–218

ROMMEL, OTTO: Nestroys Leben und Werke, in der zweibändigen Auswahl der Goldenen Klassikerausgaben, Berlin 1908, B. I, I–XCI

ROMMEL, OTTO: Johann Nestroy, Ein Beitrag zur Geschichte der Wiener Volkskomik, in der Historisch-kritischen Gesamtausgabe Band XV, Wien 1930

ROMMEL, OTTO: Johann Nestroy, der Satiriker auf der Altwiener Komödienbühne, in den Gesammelten Werken, Wien 1948, Bd. I, S. 5–193

2. Beachtliche Darstellungen in allgemeinen Werken

BAUMANN, GERHART: Österreich als Form der Dichtung, in Spectrum Austriae, Wien 1957, S. 589–613

BIEBER, HUGO: Der Kampf um die Tradition, Stuttgart 1929, S. 259

BIETAK, WILHELM: Das Lebensgefühl des Biedermeier in der österreichischen Dichtung, Wien 1931, S. 129–131

BRÜMMER, FRANZ: Lexikon der deutschen Dichter und Prosaisten des neunzehnten Jahrhunderts, Leipzig 1888, Bd. II, S. 82–83

DENEWA, STEPHANOWA: Das österreichische Märchendrama der Biedermeierzeit, Wiener Dissertation 1940

DOHN, WALTER: Das Jahr 1848 im deutschen Drama und Epos, Stuttgart 1902, S. 109–113

ENZINGER, MORIZ: Die Entwicklung des Wiener Theaters vom 16. zum 19. Jahrhundert, Berlin 1918–1919, Bd. II

GREGOR, JOSEF: Geschichte des österreichischen Theaters, Wien 1948

HOLL, KARL: Geschichte des deutschen Lustspiels, Leipzig 1923, S. 251–252

KOSCH, WILHELM: Deutsches Literatur-Lexikon, Bern 1953, S. 1857–1858

KOSCH, WILHELM: Das deutsche Theater und Drama seit Schillers Tod, München 1922, S. 101–104

NADLER, JOSEF: Literaturgeschichte der deutschen Stämme und Landschaften, Regensburg, 3. Auflage 1932, Bd. IV, S. 424–425

NADLER, JOSEF: Literaturgeschichte Österreichs, Linz 1948, S. 316–318, 2. Auflage Salzburg 1951, S. 310–312

ROMMEL, OTTO: Die Alt-Wiener Volkskomödie – Wien 1952, S. 927 bis 975

SCHERER, WILHELM – WALZEL, OSKAR: Geschichte der deutschen Literatur, 4. Auflage Berlin 1928, S. 578

TORBERG, FRIEDRICH: Selbstgericht in der Literatur, Spectrum Austriae, Wien 1957, S. 614–645 ff., besonders S. 632–637

WERNER, RICHARD MARIA: Johann Nestroy, in Allgemeine Deutsche Biographie, Leipzig 1886, Bd. XXIII, S. 447–455

WURZBACH, ALFRED VON: Johann Nestroy, in Biographisches Lexikon für das Kaisertum Österreich, Wien 1869, Bd. XX, S. 204–225

ZEIDLER, JAKOB: Johann Nestroy, in JOHANN WILLIBALD NAGL und JAKOB ZEIDLER: Deutsch-österreichische Literaturgeschichte, Wien 1908, Bd. II, S. 552–564

3. Einzelarbeiten über Nestroy, zu seinem Leben und Schaffen

BARTSCH, RUDOLF HANS: Lumpacivagabundus, Leipzig 1936. Roman, doch zur Biographie und zur Psychologie Nestroys wertvoll

BÜHRMANN, MAX: Johann Nestroys Parodien, Dissertation Kiel 1933

BUJAK, LISELOTTE: Nestroys Beziehungen zum Biedermeier, Dissertation Wien 1948

FLEISCHMANN, BENNO: Johann Nestroy und sein Wienerisches Welttheater, Monatsschrift für Kultur und Politik 1936, Bd. I, 523–536

FORST DE BATTAGLIA, OTTO: Johann Nestroy, Die Begegnung 1932, Bd. VII, S. 323–325

FRANKL, LUDWIG AUGUST: Johann Nestroy, Neue Freie Presse 1869, Nr. 1589, 1596

FRIEDELL, EGON: Nestroy, Die Furche 1956, Nr. 29

GLOSSY, KARL: Kleine Beiträge zur Lebensgeschichte Nestroys, Neue Freie Presse 1901, Nr. 13394, 1927, Nr. 22488

HADAMOVSKY, FRANZ: Das Carl-Theater unter der Direktion Johann Nestroys, Jahrbuch der österreichischen Leo-Gesellschaft 1926, S. 193–241

HADAMOVSKY, FRANZ: Katalog des Leopoldstädter Theaters, Wien 1934

HAFFNER, KARL: Scholz und Nestroy, Wien 1864, mehrere Auflagen, Roman, viel biographische Einzelheiten, größtenteils authentisch, von einem mit Nestroy und Scholz gut bekannten Autor stammend, Neuausgabe Wien 1946

HAMPEL, BRUNO: Die Familie Nestroy und die Sippe der Gattin des Dichters, Monatsblatt der Heraldischen Gesellschaft »Adler« 1928, Nr. 571/572, S. 369–387

HAMPEL, BRUNO: Nestroys Frauen, ebenda 1937, Nr. 677/678, S. 282–283

HERING, GERHARD: Porträts und Deutungen, Hamburg 1948, S. 67–70

HOCK, STEFAN: Von Raimund zu Anzengruber, Jahrbuch der Grillparzer-Gesellschaft 1905, S. 36–49

KAISER, FRIEDRICH: Theaterdirektor Carl, Wien 1854

KATANN, OSKAR: Gesetz im Wandel, Innsbruck-Wien 1932, S. 92–100

KINDERMANN, HEINZ: Ferdinand Raimund, Wien 1940

KOLARSKY, JOSEF: Direktor Carl, Dissertation Wien 1926

KRAUS, KARL: Aufsätze in »Die Fackel« 1912, Nr. 351–353, S. 28–47, 1923, Nr. 613–621, S. 42–58, 1924, Nr. 657–667, S. 100–120, 1925, Nr. 676–678, S. 1–40

KUH, EMIL: Aristophanes – Nestroy, »Presse« vom 16. Juni 1862

LANG, CHARLOTTE: Die Tanzeinlagen in Nestroys Spielen, Dissertation Wien 1942

LANGER, ANTON: Am Sarge Nestroys, »Presse« vom 28. Mai 1862

LANGER, LEO: Nestroy als Satiriker, Jahresbericht des k. k. Maximilian-Gymnasiums für das Schuljahr 1907/8, Wien 1908, S. 7–38

LEBER, ERWIN: Johann Nestroy, Seine Bühnenlaufbahn, Dissertation Wien 1928

LIEGLER, LEOPOLD: Johann Nestroy, »Die Wage« 1925, S. 18–26

LIEGLER, LEOPOLD: Johann Nestroy, »Die Freyung« 1930, S. 1–18

MARINOVIC, WALTER: Der Witz bei Nestroy, Dissertation Wien 1952

MAUTHE, JÖRG: Demonteur des Biedermeier, »Wort und Wahrheit« 1952, Bd. VI, S. 976–979

MAUTNER, FRANZ HEINRICH: Johann Nestroy: Der Talisman, in Das deutsche Drama, 1958, Bd. II, S. 23–42

NIETL, N.: Nestroy-Familien in Groß-Hoschütz bei Troppau, Monatsblatt der Heraldischen Gesellschaft »Adler« 1935, Nr. 649/650, S. 12–14

NIETL, N.: Nestroy-Familien in Podwihof, ebenda S. 14–15

PABST S. A.: Johann Nestroy, Theaterdichter und Komiker, Pietzniggs Mitteilungen aus Wien 1835, Bd. III, S. 191–197

RAIMUND, FERDINAND: Sämtliche Werke, Historisch-kritische Säkular-Ausgabe in 6 Bänden, herausgegeben von Eduard Castle und Fritz Brukner, Wien 1925–1934, wichtig wegen zahlreicher Hinweise auf Nestroys Anfänge und zum Vergleich zwischen den beiden Antipoden der Wiener Volkskomödie.

REICHERT, HERBERT W.: Some causes of the Nestroy renaissance in Vienna, Monatsblatt für deutschen Unterricht, Madison (Wisconsin) 1955, Heft 47, 221–230

ROMMEL, OTTO: Rationalistische Dämonie, Vierteljahresschrift für Literaturwissenschaft und Geistesgeschichte 1941, Bd. XVII, S. 183 ff.

ROMMEL, OTTO: Unbekannte Couplets von Johann Nestroy, Jahrbuch der Gesellschaft für Wiener Theaterforschung 1951/1952, 1955, S. 132 –146

ROSNER, LEOPOLD: Nestroyana, »Wiener Tagblatt« vom 6. Dezember 1890

ROSNER, LEOPOLD: Nestroys Freundin, »Neues Wiener Extrablatt« vom 12. Juli 1893

ROSNER, LEOPOLD: Persönliche Erinnerungen an Nestroy, »Neues Wiener Tagblatt« vom 1. Dezember 1901

ROSNER, LEOPOLD: Fünfzig Jahre Carl-Theater, Wien 1897

SAPHIR, MORIZ GOTTLIEB: Nestroy und die Wiener Lokalposse, »Der Humorist« 1836, S. 306

SCHAUKAL, RICHARD VON: Nestroy, der Österreicher, »Wiener Zeitung« vom 17. August 1929, mehrfach nachgedruckt

SCHLÖGL, FRIEDRICH: Vom Alt-Wiener Volkstheater, Teschen 1883, S. 140–158

SITTENBERGER, HANS: Johann Nestroy, Jahrbuch der Grillparzer-Gesellschaft 1901, S. 125–164

SPEIDEL, LUDWIG: Wiener Stammbuch, Wien 1898, S. 144–145

STOESSL, OTTO: Johann Nestroy, Zeitwende 1925, S. 218–226

STOESSL, OTTO: Nestroy, Das Nationaltheater, 1931, Bd. III, S. 275–290

UHL, FRIEDRICH: Aus meinem Leben, Stuttgart 1908

VISCHER, FRIEDRICH THEODOR: Kritische Gänge, Neuausgabe 1904, S. 309–312

WEIGL: Johann Nestroy, »Der Monat« 1951, Bd. IV, He 39, S. 303–313

WICKENBURG, ERIK GRAF: Barock und Kaiserschmarrn, München 1962, S. 413–417

Die Abbildungen wurden vom Theatermuseum Clara-Ziegler-Stiftung, München, freundlicherweise zur Verfügung gestellt.

Österreichisches Theater des XX. Jahrhunderts

Arthur Schnitzler Anatol
Hugo von Hofmannsthal Der Unbestechliche
Max Mell Das Nachfolge-Christi-Spiel
Franz Theodor Csokor 3. November 1918
Richard Billinger Der Gigant
Alexander Lernet-Holenia Ollapotrida
Ödön Horvath Geschichten aus dem Wiener Wald

Herausgegeben von Joachim Schondorff · Mit einem Vorwort
von Oskar Maurus Fontana · 448 Seiten · Leinen DM 11.80
Paperback DM 7.80

Ein wirkliches Geschenk an alle, die Interesse für das Theater
haben, ist dieser Band. Hier finden wir die großen österreichischen
Dichter, deren Stücke leider noch immer viel zu wenig gespielt
werden. – Eine Sammlung von Kostbarkeiten, die in ihrer Fülle
einmalig und unvergeßlich sind. *Neuer Bücherdienst, Wien*

In diesen sieben Bühnenwerken drückt sich das für die österreichische
Dramaturgie so charakteristische Streben um kulturell-stilistische
Eigenart und sprachliche Autonomie besonders plastisch aus. – An
Kultur, Nuance, Wissen und Sinn für Imponderabilien sind sie den
meisten Erfolgs- und Zugstücken unserer Gegenwart überlegen.
Südwestfunk, Baden-Baden

LANGEN MÜLLER MÜNCHEN